HET

MAGDALENA

COMPLOT

JIM HOUGAN

HET

MAGDALENA

COMPLOT

UITGEVERIJ LUITINGH

© 2000 James Hougan
Published by arrangement with Lennart Sane AB
All rights reserved
© 2006 Luitingh ~ Sijthoff B.V., Amsterdam
Alle rechten voorbehouden
Oorspronkelijke titel: *The Magdalene Cipher*
Vertaling: Laura van Campenhout
Omslagontwerp: Wouter van der Struys
Omslagillustratie: Larry Rostant

ISBN 90 245 5435 7/9789024554355
NUR 332

www.boekenwereld.com

Sommige mensen worden alsmaar beter,
juist wanneer ze tot het einde strijden.
Dit boek is voor hen.

Jeff Bale
Kevin Coogan
Gary Horne
Pallo Jordan
Norman Mailer
Ron McRea
Robin Ramsay
Ben Sidran
Judy Sidran
Scott Spencer
Joe Uehlein
Carolyn, Daisy en Matt

*'De gebeurtenissen lijken geordend volgens
een onheilspellende logica.'*
THOMAS PYNCHON, V

PROLOOG

2 mei 1945
Noord-Italië
Hangend aan nylon koorden zweefde majoor Angleton onder een
scherm van zwarte zijde door het maanloze zwerk boven Sant' Ambrogio. Hij zag een vuurlijn langs de beboste bergkam boven de stad
en vroeg zich af of die door bliksem of bommenwerpers was veroorzaakt. Verder was er weinig te zien, nog minder te horen en alleen de wind te voelen.

Deioces stad te bouwen haar
terrassen zijn de kleur van sterren

Toen hij lager dreef kwam de geur van brandend hout hem van de
dichtbijgelegen vuren tegemoet, een vleugje hyacint en het aroma
van de dwergden. De dennen waren schaduwen die tegen de donkere helling opdoemden totdat hij zich heel plotseling ertussenin
bevond, ervoorbij viel terwijl hij zijwaarts voor de bergwand langs
vloog. En toen was hij met een bons op de grond, wankelde onvast
op zijn hielen, bood tegenwicht aan de parachute, rolde hem op. De
lucht was koel.

De bestemming van de majoor was een grote, bouwvallige villa
die te midden van de vergane terrassen op de hellingen boven zijn
landingsplaats lag. Een zacht geel licht stroomde uit de ramen van
de villa en vergulde de zich naar alle kanten uitbreidende, verwaar-
loosde wijngaarden. Majoor Angleton haalde zijn .45 uit het holster
en begon tegen de helling op te lopen totdat hij het grind onder

9

zijn voeten voelde knarsen en wist dat hij op het erf stond. Hij stak over naar een raam waarvan de luiken gesloten waren en gluurde tussen de latjes door. De man die hij moest opsporen, thuis verguisd en in Europa gehaat, een dichter met onschatbaar talent en een intens jodentreiteraar, zat omgeven door boeken aan een vermolmde leestafel. Hij schreef bij het licht van een kerosinelamp in wat een enorm, leren journaal leek te zijn. Achter hem, scheef opgehangen aan de gepleisterde muur vol barsten, hing een werkje van Poussin, een klein, magnifiek olieverfschilderij in een goedkope houten lijst.

Een zacht briesje voerde de geur van blauweregen mee en majoor Angleton besefte dat hij zijn adem had ingehouden, al wist hij niet hoe lang. De hand die het pistool vasthield was klam van het zweet.

Hij liep weg van het raam en ging naar de deur van de villa, zoog de koude nachtlucht in zijn longen, duwde de deur open en stapte naar binnen. De dichter keek op, geschrokken omdat hij opeens een gewapende man voor zich zag. Toen richtten zijn ogen zich op het gezicht van de militair en zijn schrik werd ongeloof. 'Jim?' vroeg hij.

Angleton knikte.

'Zo... kom je me arresteren?'

Angleton schudde zijn hoofd. Zijn mond was droog. 'Stuurman,' zei hij, waarbij hij zich op één knie liet vallen en zijn ogen neersloeg, *'Maestro di color che sanno...'*

8 mei 1945
VAN: 15de legeronderdeel
92ste divisie
OSS, X-2

AAN: Bevelvoerend generaal
Mediterraan Operatieterrein

GETEKEND: maj. James J. Angleton

Amerikaans staatsburger EZRA LOOMIS POUND, schrijver, renvooi FBI-telegram 1723, door Kamer van Inbeschuldigingstelling aangeklaagd wegens landverraad, op 6 mei te Sant' Ambrogio gevangengenomen door Italiaanse partizanen. Gedetineerd in het disciplinair opleidingscentrum van het Mediterraan Operatieterrein van het Amerikaanse leger (MTOUSA) in afwachting van instructies aangaande beschikking. Alle veiligheidsmaatregelen ter voorkoming van ontsnapping of zelfmoord zijn getroffen. Geen publiciteit. Geen voorrechten. En *geen verhoor*.

I

13 december 1998
Londen
Dunphy lag opgerold onder de warme lakens, half wakker, met zijn
rug naar Clementine. Hij voelde de kou van de kamer buiten het
bed en was zich vaag bewust van het grijze Londense licht dat als
een wolk door de ramen naar binnen sijpelde. Joost mocht weten
hoe laat het was. 's Morgens vroeg. Of laat. Zaterdag, in elk geval.

Hij mompelde iets over opstaan (of toch maar niet) en luisterde
naar haar reactie. 'Mmm,' prevelde ze en met gekromde rug rolde
ze van hem weg. 'Droom...'

Hij ging met een diepe brom zitten en knipperde een paar keer
met zijn ogen. Hij zwaaide zijn benen van het bed, wreef de slaap
uit zijn ogen en stond op. Clementine kreunde en knorde achter
hem terwijl hij rillend over de koude vloer naar de badkamer ging
om zijn tanden te poetsen en zijn mond te spoelen. Hij liet het kom-
metje van zijn handen vol kraanwater lopen en doopte zijn gezicht
in de kou ervan. 'Jezus,' hijgde hij. En nog een keer.

De man in de spiegel was tweeëndertig jaar, breedgeschouderd
en hoekig. Ruim één tachtig lang, groene ogen, sluik zwart haar.
Vanaf het spiegelende oppervlak glinsterden de ogen hem toe voordat Dunphy druipend een handdoek van het rek trok en zijn gezicht begroef in de omhoogstaande letters van witte pool.

Dolder Grand.

Louter Zwitserse luxe, waardoor hem te binnen schoot dat hij
Luxemburg had beloofd dat hij Credit Suisse zou faxen om te informeren naar een mislukte telegrafische overboeking.

Scheren hoefde niet. Het was weekend. Hij kon naar kantoor joggen, de fax sturen, de administratie in orde brengen en op tijd voor de lunch met de ondergrondse teruggaan naar de flat. Weer in de slaapkamer haalde hij een rafelig sweatshirt uit de la en trok het over zijn hoofd.

Clementine lag nog steeds in de foetushouding met het beddengoed onhandig boven haar knieën opgefrommeld. Er lag een geamuseerde trek op haar gezicht in haar slaap, haar mond stond een beetje open. In de roerloze, koude lucht van de kamer verbaasde Dunphy zich even over haar gave teint, de witte huid, als van papier, met roze accenten en omlijst door een stortvloed van zwarte krullen.

Het kwam in hem op om de liefde met haar te bedrijven, hier en nu, maar de kou had haar tol geëist. Rillend schoot hij in zijn sweatpants en ramde zijn voeten in een paar hardloopschoenen. Hij strikte zijn veters zonder ook maar één keer weg te kijken van de zoete parabool die haar heup onder de lakens vormde.

Clementine bewoog en draaide zich op haar rug. Dunphy ging staan. Later, misschien... tenzij ze, wat er wel in zat, weer terug was naar haar eigen flat.

Een zucht ging door hem heen toen hij de deur uit ging.

Hardlopen was belangrijk voor hem. Ofschoon hij in Londen een goed leven had, was het overgoten met een laagspanningsonrust die nooit echt wegging. Hij leefde met een voortdurende statische spanningslading en een licht adrenalineverlies die, wist hij, werden veroorzaakt doordat hij zijn dagen doorbracht in het goedkope pak van de valse identiteit.

Dus liep hij hard.

Hij liep vijf keer per week hard, ongeveer tien kilometer per dag, waarbij hij dezelfde route aanhield van zijn flat in Chelsea voorbij de woonboten aan Cheyne Walk, langs het Embankment en over de Albert Bridge. Dat was het onplezierige deel van de looproute. Zelfs op zaterdagochtend was de lucht zwaar van de dieseldampen, de straten bomvol trucks – *vrachtwagens*, hielp hij zichzelf herinneren – en taxi's. Er was een tiental straten dat hij moest oversteken voordat hij bij het Embankment was en hoe je het ook bekeek, het was een gevaarlijke manier om in vorm te blijven. Zelfs na een jaar in Engeland keek Dunphy instinctief naar links voor auto's, die uiteraard luid toeterend van rechts op hem afkwamen.

Het middenstuk van de route was echter heerlijk. Het voerde hem door Battersea Park, langs de zuidelijke Theemsoever en voorbij de onwaarschijnlijke pagode in het park. Er was tussen de bomen een soort wildedierenasiel dat te leuk was om dierentuin te heten. Er waren gevlekte herten en schapen en een kudde wallaby's die sprekend op prehistorische konijnen leken.

In de stilte en het halfduister van de vroege ochtend deden de wallaby's hem denken aan de beelden van Paaseiland die onbeweeglijk vanaf hun helling op hem neerkeken, onaangedaan en onverschillig. Dunphy lachte toen hij de dieren passeerde, gemakkelijk bewegend en met het heilzame gevoel dat de gelopen kilometers hem bezorgden.

Hij was nu halverwege zijn looproute, vanwaar hij gewoonlijk weer op huis aan ging via de weg die hij was gekomen. Vandaag ging hij echter verder het park in, naar de Chelsea Bridge, over de Theems naar Millbank, op weg naar zijn kantoor in het Gun House.

Het was niet erg professioneel om elke dag dezelfde route te lopen, maar daar stond tegenover dat dit Londen was, niet Beiroet. Op zijn hardlooptocht door het park was Dunphy helemaal op zijn gemak, niet alleen met zichzelf, maar ook met degene die hij voorgaf te zijn.

Onder het lopen raakte hij bedekt met een lichte nevel die zijn sweatshirt doorweekte maar nooit voluit in regen overging. Hij luisterde naar het geluid van zijn ademhaling en dacht aan Clementine.

Hij had haar pas drie maanden geleden leren kennen, toen ze achter de kassa stond in een tweedehands boekwinkel aan Sicilian Avenue, die met die grappige naam. *Skoob.*

En alhoewel Dunphy niet iemand was die zich aan boekwinkelpersoneel opdrong, wist hij direct dat hij het zichzelf nooit zou vergeven als hij niets tegen haar zou zeggen (of, zoals Merry Kerry het zou uitdrukken, *haar zou versieren*). Het kwam niet alleen doordat ze mooi was of de langste taille had die hij ooit had gezien. Het kwam niet alléén daardoor, hield hij zichzelf voor. Er was iets anders, een zoete kwetsbaarheid waardoor hij zich schuldig voelde vanwege het dekmantelverhaal dat hij haar had verteld en omdat zijn naam, wanneer ze die fluisterde, niet zijn échte naam was maar een schuilnaam.

Hij zou het goedmaken met haar, zei hij in zichzelf, al kon hij niet zeggen hoe. Aangekomen bij Grosvenor Road, in gedachten ronddobberend in het Eden tussen Clementines navel en haar knieën, keek Dunphy vluchtig naar links en ontketende door de straat op te stappen een fuga van claxons en piepende remmen die hem tot een bedachtzaam spurtje aanzette. Een colonne auto's, taxi's, bussen en vrachtwagens die van rechts naderde ging vierkant op de rem en barstte, terwijl ze huiverend tot stilstand kwam, uit in gevloek.

Dunphy wuifde vaagjes en bleef rennen, geërgerd omdat hij zich had laten afleiden. Oppassen, joh, bedacht hij. In zijn vak werd je toch al zo makkelijk door een verrassingsaanval overrompeld.

2

Dunphy wist precies wanneer hij kippenvel had gekregen.

Hij zat aan zijn bureau op de computer een brief te tikken aan Credit Suisse toen de telefoon ging: het korte, scherpe, boze rinkelsalvo waardoor je weet dat je in Engeland bent en niet in de Verenigde Staten. Toen hij de hoorn naar zijn oor bracht, hoorde Dunphy een onvast klinkende Tommy Davis met op de achtergrond aankondigingen van vertrekkende vliegtuigen.

British Airways vlucht 2702...

'Ja-ack?' vroeg Tommy.

... met bestemming Madrid.

'Ja-aaa-ck?'

Christus, dacht Dunphy. Drie lettergrepen en zijn stem die op het einde omhooggaat. Daar zul je het krijgen.

Syrian Arab Airlines...

Daar hoefde je geen genie voor te zijn. Ook als Tommy gewoon had geklonken was er geen goede reden – geen prettige reden – om te bellen. Hun werk zat erop en Tommy was betaald. Daar had het bij moeten blijven.

'Jack! Allemachtig! Zeg eens wat! Ben je daar, ouwe kerel?'

'Ik ben er, Tommy. Wat is er loos?'

'Er is een piepklein probleempje,' zei Tommy, die met zijn zware Ierse accent een toonloos understatement debiteerde. 'Ik heb 't zelf ook nog maar net gehoord. Een uur geleden.'

'Oké,' merkte Dunphy met ingehouden adem op. 'En wat voor probleempje is dat dan, dat je erdoor op het vliegveld bent beland?'

'Je kunt het zelf horen,' antwoordde Tommy. 'Het is op de BBC.'

Dunphy's kippenvelhuid kwam overeind en ging er snel vandoor, met achterlating van zijn tot op de zenuwen afgestroopte karkas in de draaistoel van Harrod's.

Diep ademhalen. Hij knipperde twee keer, ging overeind zitten en bracht zijn lippen tot vlak bij het mondstuk. Zijn houding was opeens perfect, zijn stem laag en kil.

'Ik heb toevallig geen radio op kantoor, Tommy. Dus waar hebben we het over? Wat is het onderwerp?'

'Onze professor.'

'Wat is er met hem?'

'Tja, de arme man... Hij is helaas gewond geraakt.'

'Hij is gewond geraakt.'

'Nou... hij is dus dood, hè.'

'Was het een ongeluk, Tommy?'

'Een ongeluk? Nee, dat niet, nee. Gezien de omstandigheden. Niet nu zijn ballen eraf liggen... lijkt me niet.'

'Zijn *ballen*...'

'Ik moet die vlucht halen. Als je me nodig hebt, zit ik bij Frankie Boylan in de bar te hijsen. Daar kun je me bereiken.'

En toen was de verbinding verbroken en voelde Dunphy zich niet lekker.

Francis M.S. Boylan was een keiharde, die in de Maze had gezeten vanwege een reeks bankovervallen die hij en Tommy hadden gepleegd. Die overvallen hadden misschien geen politiek motief gehad (al beschreef de politie ze als 'inzamelingsacties voor de IRA'), maar Boylan had er de tijd voor genomen om genoeg buit apart te houden dat hij er een bedoeninkje mee kon aanschaffen. Een bar aan de zuidkust van Tenerife met uitzicht op het naaktstrand van Playa de las Americas. Tommy en zijn maten zochten hem altijd op als hun problemen uit de hand aan het lopen waren – met andere woorden, als die niet konden worden opgelost met een advocaat, een wapen of geld (of een combinatie van die drie). The Broken Tiller was simpel gezegd een schuilplaats aan de Atlantische Oceaan, op honderdvijftig kilometer van de Afrikaanse kust, vierhonderd kilometer van de Rots, een gat in de twintigste eeuw.

Godnondeju, dacht Dunphy. De *Canarische Eilanden. Tenerife.* Zijn *ballen.*

Zijn maag kromp ineen, draaide zich om en kromp nogmaals ineen. Het is op de BBC.

Hij liet zijn ogen door de kamer dwalen. Zijn kantoor lag op de tweede verdieping in een gebouw zonder lift, een vervallen bolwerk midden in het beroete Millbank. Het beviel hem wel. Het uitzicht uit het met regen bespikkelde raam was somber en deprimerend: een bakstenen muur, een stukje grauwe lucht, een afbladderend, verschoten aanplakbord. ROTHMANS CIGARET E, stond erop.

Dunphy was bijna een jaar geleden opgehouden met roken, maar hij wist dat er een oud pakje Silk Cut in de bovenste la van zijn bureau lag. Gedachteloos kreeg hij er een te pakken, stak hem op en inhaleerde. Eén ogenblik lang gebeurde er niets, en vervolgens kreeg hij het gevoel dat hij op het punt stond op te stijgen. Toen hoestte hij.

Er was geen reden om in paniek te raken, ook al had Tommy dat wel gedaan. Objectief bekeken was het dus zo dat Dunphy Tommy had betaald om een Infinity-zendertje op de telefoon van de professor te monteren. Dat was gebeurd en het had langer dan een maand zijn werk gedaan. De professor was vervolgens inderdaad, of in elk geval kennelijk, vermoord, maar er was geen reden om te denken dat zijn dood op enigerlei manier voortvloeide uit Dunphy's afluisterpraktijken. Klaarblijkelijk, hield hij zichzelf voor, bevond hij zich midden in een gruwelijke samenloop van omstandigheden.

Pijnlijk, ja, maar...

Dit soort.

Dingen.

Gebeuren.

Alleen gebeurden ze, zoals Dunphy maar al te goed wist, niet in Engeland, en als ze wel gebeurden, deden ze dat niet helemaal op deze manier. Als de professor door beroepslui was aangepakt, door een eenheid van de SAS of zo, waren het er twee in het hoofd, één in de borst geweest – en klaar is Kees. Maar als Tommy gelijk had, was de arme vent gecastreerd – wat betekende dat het een seksueel misdrijf was of zo.

Hij keek naar het roet dat langs het vensterglas omlaagstroomde, totdat de telefoon voor de tweede keer ging en hem met een schok bij de les bracht. Hij wilde niet opnemen. Zijn maag was een ballonnetje dat, terwijl het langzaam volliep met lucht, aarzelend naar zijn keel waggelde. De telefoon rinkelde doordringend. En nogmaals. Ten slotte nam hij op en hield de hoorn voor zich alsof het een slang was.

'Hallo?' Hij hoorde het *biep-biep-biep-biep* van een openbare telefoon, het geluid van vallende munten en toen: 'Wegwezen.'

Het was Curry, dacht Dunphy, alhoewel hij amper de stem herkende die hem door een ononderbroken reeks gesmoord klinkende, gelijktijdige transmissiesalvo's bereikte. 'Ga-naar-huis!/Nu-met-een!/Begrijp-je?'

Jezus, dacht Dunphy, hij staat in een cel te bellen met een zakdoek over het mondstuk. 'Ik denk dat we moeten praten,' zei Dunphy.

'Naar huis.'

'Wélk huis?'

'Helemaal naar huis.'

'Wat?!'

'Einde verhaal. Met ingang van nu. Je hoeft niet te pakken en niet naar je flat gaan. Ik zorg dat er over een halfuur een huishoudelijke ploeg staat. Die stuurt je over een dag of wat je spullen.'

Dunphy was verbijsterd. 'Het is zaterdag,' zei hij. 'Ik zit hier in mijn joggingpak! Ik... ik heb mijn pas niet eens bij me. Hoe moet ik dan...'

'Heb je het nieuws gehoord? Ik bedoel, heb je godverdomme het nieuws van tien uur gehoord?'

'Ja... min of meer. Ik bedoel... mijn Ierse vriend heeft net gebeld en – Jesse, ik heb ook een leven! Godsamme! Ik kan niet zomaar...'

'Jij werd verondersteld op te ruimen!'

'Dat hébben we gedaan. Ik bedoel, hij... mijn mannetje heeft dat gedaan. Ik heb gezegd dat hij erheen moest gaan, wanneer ook weer...? Eergisteren.'

'Ze hebben apparatuur aangetroffen.'

'Wát?'

'Ik zeg: de po-li-tie heeft ap-pa-ra-tuur aangetroffen.' Er viel een stilte en Dunphy merkte dat Jesse Curry aan het hyperventileren was. 'Luister, vriend. Terwijl wij aan het praten zijn, probeert men – de politie – erachter te komen van wie die apparatuur is. Er wordt "if-fe-má-tie" ingewonnen en volgens mij heeft men een naam. Snap je waar ik naartoe wil?'

'Jawel.'

'Hoe lang denk je dan dat de MI5 erover doet die Ierse lulhannes van jou te vinden en via hem achter jou aan te komen? Eén dag? Twee?'

'Die vinden ze niet. Hij is het land al uit.'

'Goed. Da's precies waar ik jou wil hebben. Niet naar je flat gaan. Gewoon wegwezen met de eerste buitenlandse vlucht.'

'Hoe... Ik zei je al, ik heb verdomme niet eens mijn portefeuille bij me! Ik ben naar kantoor komen hárdlopen.'

'Ik zorg dat er een koerier in de aankomsthal staat. Terminal 3, net buiten Niets-aan-te-geven. Met een kartonnen bord.' Curry wachtte even en Dunphy hoorde de radertjes draaien in zijn hoofd. '"Meneer Torbitt". Dat is jouw mannetje.'

'En dan?'

'Hij heeft alles wat je moet hebben: paspoort...'

'Contanten...'

'... ticket voor de Verenigde Staten en een koffer vol kleren van deze of gene. Van hemzelf, waarschijnlijk.'

'Wat moet ik met de kleren van iemand anders?'

'Wanneer heb jij voor 't laatst iemand zonder bagage over de Atlantische Oceaan zien vliegen?'

'Hoor eens, Jesse...'

Biep-biep-biep. De telefoon wilde nog een muntje.

'Ga naar huis!'

'Hoor eens, ik vind dit niet zo'n fantastisch idee!'

Biep-biep. 'Gewoon doen.'

'Maar...'

Biep-biep. 'Ik heb geen muntjes meer!'

Er was wat geratel te horen aan de andere kant van de lijn, een gesmoorde vloek, een verre boventoon en dat was het dan. Jesse Curry was weg.

Dunphy leunde verbouwereerd achterover in zijn stoel. Hij zoog zijn longen vol rook, hield die lange tijd vast en ademde uit. Voorovergeleund drukte hij zijn sigaret uit in de asbak en staarde naar de muur.

Niet naar je flat gaan. Ik zorg dat er een schoonmaakploeg...

Een schoonmaakploeg. En Clementine dan? Sliep ze nog? Zouden ze haar met de vuile was mee naar buiten sjouwen? Hij greep naar de telefoon, toetste zijn eigen nummer in en wachtte. De langgerekte, aanstootgevende uitbarstingen van gerinkel werden onderbroken door ruime periodes van krakende stilte. Na een minuut die wel een uur leek hing hij op en ging ervan uit dat ze naar haar eigen flat was gegaan. Moest hij haar daar bellen?

Dunphy schudde zijn hoofd en mompelde in zichzelf dat Clementine te belangrijk was om gauw gauw af te handelen. En de operatie stond hoe dan ook op instorten en er waren dingen die – nu en door hem – gedaan moesten worden. Uiteindelijk zou hij zelf zijn huishouden op orde brengen. Hij zorgde zelf wel voor zijn 'verwijderingen'.

Met een zucht raakte hij de trackball naast het toetsenbord aan en klikte op *Start*. Klikte nogmaals, op *Uitschakelen*, en een derde keer op *Opnieuw opstarten in MS-DOS modus*. Vervolgens boog hij zich over het toetsenbord en begon de cybernetische variant van een lobotomie uit te voeren.

cd/dos

Hij kreeg er het misselijkmakende gevoel bij dat een parachutist voelt wanneer hij voor het eerst de lucht in stapt. Daar gaat-ie, daar is... niets:

debuggen
g=c800:5

De computer begon een serie vragen te stellen die Dunphy met mechanische tikken op het toetsenbord beantwoordde. Na een poos begon de harde schijf te knarsen. Er ging een eeuwigheid voorbij die Dunphy rokend doorbracht, totdat het knarsen eindelijk ophield en de commandoregel knipperde:

formattering voltooid

Het apparaat met de dof knipperende cursor was hersendood. Dunphy transpireerde. Een jaar werk verdwenen in de ozon.

En om te zorgen dat het in de ozon bleef, voerde hij een programma uit dat DiskWipe heet en dat elke byte op de harde schijf vervangt door het cijfer 1.

De computer was het belangrijkste waarmee hij zich moest bezighouden, maar er waren andere details, inclusief een paar brieven die klaarlagen om te worden verstuurd. Het merendeel van de correspondentie was onbelangrijk, maar een van de brieven was dat in elk geval niet. Gericht aan een cliënt genaamd Roger Blémont bevatte deze de gegevens over een pas geopende bankrekening op het Kanaaleiland Jersey. Zonder de brief kon Blémont niet bij het geld – en dat was toevallig erg veel.

Dunphy dacht erover na. Blémont op zijn geld laten wachten was zo stom nog niet. Niet per se, en waarschijnlijk helemaal niet. Het ging tenslotte om vuil geld dat voor kwalijke plannen was bestemd. *Evengoed*, dacht hij, het was *Blémonts* vuile geld en...

Hij had geen tijd om hierbij stil te staan. Niet nu. Om hem heen donderde de wereld in elkaar. Dus gooide hij de brieven in zijn diplomatenkoffertje met het vage denkbeeld dat hij ze op het vliegveld op de bus zou doen. Hij haalde een toegetakelde Filofax uit de bovenste la van zijn bureau, liet hem in zijn koffertje vallen en kwam overeind. Toen ging hij naar de andere kant van de kamer, naar een gehavende archiefkast die de brokstukken van zijn dekmantel bevatte: zakenbrieven en bedrijfsdossiers. Voor het merendeel ging het om papieren die hij veilig kon achterlaten.

Maar er waren een paar dossiers die Dunphy als vertrouwelijk beschouwde. In één ervan zaten pagina's van het afsprakenboek van het voorbije jaar. In een ander nota's van Tommy Davis wegens 'nasporingsdiensten'. Een derde dossier bevatte bonnetjes voor 'zakelijke representatie', waaronder zijn regelmatige ontmoetingen met Curry, een paar lunches met de FBI-attaché en de DEA-projectcoördinator voor het Verenigd Koninkrijk. De vertrouwelijke dossiers, die her en der in de vier lades van de archiefkast zaten, waren snel en eenvoudig te traceren omdat ze als enige een blauw label hadden.

Een voor een haalde hij de gemarkeerde dossiers eruit, die een ruim vijftien centimeter hoge stapel vormden. Toen dat was gedaan, ging hij met de stapel naar de open haard, waar hij aan de voet van de beschadigde antieke schoorsteenmantel neerhurkte en de dossiers op de grond legde. Terwijl hij de nephaardblokken wegtrok, kwam de gedachte in hem op dat er misschien in geen dertig jaar een lucifer bij het rooster was gehouden – niet sinds de

Schone Lucht Verordening de smog in de binnenstad een halt had toegeroepen.

Wat kon het hem ook verdommen. Het zat er dik in dat hij binnenkort wegens afluisterpraktijken werd vervolgd en misschien ook nog wegens medeplichtigheid aan moord. Dan had je nog de spionagekwestie, om maar te zwijgen van het witwassen. Stel dat ze hem ook nog op luchtverontreiniging pakten, dat maakte dan niet meer uit.

Dunphy reikte omhoog, de schoorsteen in, tastte rond totdat hij een handgreep vond en trok met één ruk het rookkanaal open. Hij pakte de dossiers bijeen en zette de manilla omslagen tegen elkaar aan op het rooster als een soort tipi die hij vervolgens op de hoeken aanstak. De kamer lichtte op. Vuur, bedacht Dunphy, is de manier waarop de natuur bewijslast vernietigt.

Hij warmde even zijn handen en kwam toen overeind. Terug bij het bureau haalde hij er de bovenste la uit en zette die op de grond. Toen reikte hij naar binnen en kreeg op de tast een bruine envelop te pakken. Hij maakte de sluitingen los en haalde er een bespeelde microgeluidscassette uit.

Tommy had die hem de dag ervoor gegeven. Het was het elfde en laatste door stemgeluid geactiveerde bandje, de opbrengst van een elektronisch toezicht dat vijf weken had geduurd. Dunphy had het bandje aan Curry willen geven wanneer ze elkaar weer zagen, maar nu... wat moest hij doen? Hij kon het bandje in het vuur laten smelten, per post naar Curry sturen of meenemen naar Langley en de Dienst laten beslissen.

Het was een moeilijke beslissing, want het ging om een ongeregistreerd toezicht, een niet-reguliere operatie van het vestigingshoofd. Zelf had Dunphy de opnamen niet beluisterd en hij had dus geen idee wat erop stond of wat er op het spel kon staan. En dat wilde hij ook niet weten. Naar zijn idee was hij een tussenpersoon geweest, meer niet: hij had Tommy ingeschakeld om de flat van de professor van afluisterapparatuur te voorzien en hij had twee keer per week het product naar Curry gebracht. Hij bewees er het vestigingshoofd een dienst mee, meer niet.

Toch kwam Jesse Curry op Dunphy niet als een solist over. Niet echt. Eigenlijk helemaal niet. In feite, bedacht Dunphy, die zich door zijn paranoia liet overmannen, kwam Curry op hem over als het soort eikel dat zich het best op zijn gemak voelde in het gezel-schap van stromannen.

Zo had moeder Dunphy haar zoon niet opgevoed.

Dus schoof Dunphy het bandje in een luchtkussenenvelop, niet-te hem dicht en adresseerde hem aan zichzelf:

K. Thornley
p.a. F. Boylan
The Broken Tiller
Playa de las Americas
Tenerife, Islas Canarias
España

Hij plakte een postzegel van twee Engelse ponden op de envelop en keek om zich heen.

Wat Curry niet wist, deerde Curry niet.

Zo luidde althans Dunphy's theorie.

3

Om per trein naar het vliegveld te gaan had Dunphy precies anderhalve pond nodig. Hij vond die in de onderste la van zijn bureau waar hij maandenlang muntjes van een, vijf en tien pence in had gegooid. Er lag ongeveer twintig pond aan kleingeld in de la, schatte hij, maar alles wat het benodigde bedrag te boven ging zou zinloos zijn omdat er in zijn sweatpants natuurlijk geen zakken zaten. Even overwoog hij de muntjes in zijn diplomatenkoffertje te gooien, maar... nee. Een belachelijk idee.

Hij pakte dus precies wat hij moest hebben en liep snel naar het station van de ondergrondse in Liverpool Street. Uitgedost in afgetrapte Nikes en versleten sportkleding voelde hij zich opvallend Amerikaans. En, gezien de omstandigheden, zeer gespannen.

De trein dreunde een kwartier onder en door de binnenstad en kwam toen ratelend bovengronds in de naargeestige westelijke buitenwijken. Gevangen in zijn verbijstering merkte hij niets van de rit totdat de trein zonder opgaaf van redenen buiten de dienstregeling om bij Hounslow stopte en acht minuten roerloos op de rails stond te knarsen terwijl het zachtjes regende.

Dunphy voelde zich een duveltje in een doosje, om zichzelf heen gerold en klaar om door het dak te gaan. Hij staarde door het smerige vensterglas naar een doorweekt voetbalveld en was er half van overtuigd dat de politie door de ene coupé na de andere liep, op zoek naar hem. Maar toen schokte de trein voorwaarts en kwam weer in beweging. Een paar minuten later was hij verdwenen in de stroom van de aankomsthal bij Terminal 3.

Hij zag de koerier op bijna twintig meter afstand. Een lange, gespierde jonge vent in een goedkoop zwart pak en met motorlaarzen aan: schorem uit Carnaby Street met een pokdalige huid en gitzwart haar dat zo kort was geknipt dat het als een schaduw op zijn hoofdhuid lag. Hij stond roerloos in een menigte begroeters en chauffeurs, precies waar Curry had gezegd dat hij zou staan. Zoals hij stond, stokstijf, met ogen die van de ene kant naar de andere flitsten, deed hij Dunphy denken aan 'Dertien manieren om naar een merel te kijken' van Wallace Stevens:

> Het enige wat bewoog
> Was het mereloog.

Dunphy kwam dichterbij. De koerier hield een bordje met plakletters voor zijn borst: MR. TORBITT. Doordat de jongen het bordje op die manier omhooghield, waren zijn polsen te zien en Dunphy zag dat op allebei een grove blauwe lijn was gestippeld; een amateurtatoeage (waarschijnlijk aangebracht door de drager). Hij wist dat hij bij nadere inspectie op de huid van beide polsen de tekst 'Hier snijden' ingekerfd zou zien staan.

Wat inhield dat de koerier perfect was: een Londense alleman.

En daar moest Dunphy om glimlachen. Waar haalt Curry ze in jezusnaam vandaan?, vroeg hij zich af. Knapen als deze. Zo gewoon dat ze onzichtbaar zijn.

'Jesse zei dat je iets voor me had.'

De jongeman draaide zich glimlachend om, waarbij een wirwar van grijze tanden werd ontbloot. Tot zover de Britse gezondheidszorg.

'Ah! Daar is meneer zelf,' zei hij. 'Die koffer daar is van u, en dan is er dit nog.' Hij gaf hem een grote manilla envelop waarin, wist Dunphy, geld, tickets en een paspoort zaten.

'Dank je.'

De jongeman veerde op de bal van zijn voet en liet zijn grijze grijns zien. 'Nog een fijne kutdag verder,' zei hij. En toen was hij ervandoor; zijn hoofd stuiterde als een slome snookerbal door de mensenmassa.

Dunphy maakte de envelop open, zocht op het ticket naar zijn vluchtnummer en wierp een blik op het vertrektijdenbord. Met nog een uur wachttijd ging hij op zoek naar een krant en had er snel een

gevonden. SLACHTING IN CHELSEA! PROF KING'S COLLEGE AFGE-
MAAKT!

Hij voelde zijn maag loom naar zijn borstkas drijven. Het stond
op de voorpagina en werd nog eens onderstreept door een vierko-
lomsfoto waarop agenten en voorbijgangers naar een brancard stonden te gapen die een ambulance in gedragen werd. De vracht op de
brancard was ongebruikelijk klein, ongeveer het formaat van een
grote hond, en er lag een gevlekt wit laken overheen.

Volgens het bericht was professor Leo Schidlof om vier uur
's morgens in de Inns of Court aangetroffen door een dronken rech-
tenstudent. De mannenromp – een term waar Dunphy even bij bleef
hangen – lag op een grasveldje vlak bij de Inner Temple.

Dunphy keek op. Hij kende de Inner Temple. Dat grasveldje kende hij ook. De tempel was een rond kerkje midden in de Londense advocatenwijk, niet ver van Fleet Street vandaan. Het kantoor
van zijn eigen advocaat was om de hoek, in Middle Temple Lane.
Dunphy liep een of twee keer per maand voorbij het kerkje als hij
bij hem langsging.

Het had iets engs, zoals de meeste anachronismen.

Wat genoeg zou moeten zijn om zich een beeld te vormen, maar
Dunphy wist van geen ophouden. Hij zat in de ontkennende fase
en hoe meer hij nadacht over de Inner Temple, hoe langer hij zijn
ogen bij het krantenbericht vandaan kon houden.

De tempel was dertiende-eeuws, zo min of meer. Ze hadden hem
gebouwd voor de tempelridders. En die ridders hadden uiteraard
iets te maken gehad met de kruistochten. (Of misschien ook niet.)

Dunphy wachtte even en dacht na. Dat was het. Meer wist hij
niet. En dus ging hij terug naar het bericht in de hoop dat een ander monument hem zou afleiden. In plaats daarvan kreeg hij politiekringen, '*niet nader omschreven* politiekringen' die meedeelden dat
de professor van King's College was gecastreerd, naar verluidt in vi-
vo. Er was tussen de onderkant van de rug en de nek een reep huid
van ongeveer zeven en een halve centimeter breed verwijderd. Vervolgens waren zijn genitaliën weggenomen en was zijn rectum 'chirurgisch weggesneden'.

Dunphy's ogen vlogen van de pagina af. Godallemachtig, dacht
hij. Wat is dít godverdomme? En waar waren de benen en armen
van die arme man? Hij werd licht in zijn hoofd van het verhaal.

Maar veel meer was er niet. De politie kon niet zeggen hoe 'de romp' op deze plek was beland: het door een smeedijzeren hekwerk omsloten grasveldje lag niet ver van het Theems Embankment.

En dat was alles. Het bericht besloot met de mededeling dat Schidlof een geliefd docent was bij de vakgroep psychologie van King's College en dat hij toen hij stierf werkte aan een biografie van Carl Jung.

Dunphy gooide de krant in een prullenbak en ging in de lange rij bij de TWA-balie staan. Hij wilde niet aan Leo Schidlof denken. Nog niet, en misschien nooit. Schidlofs dood was niet zijn schuld en als Dunphy daar iets over te zeggen had, had hij er ook niets mee te maken. Hoe dan ook, hij had zijn eigen problemen. Met zijn voet schoof hij de koffer naar voren terwijl hij de manilla envelop openmaakte en er het paspoort uit haalde om de informatie die erin stond in zijn geheugen te prenten.

Maar tot zijn grote ellende hoefde er niets in zijn geheugen te worden geprent. Het paspoort stond op zijn naam – zijn échte naam – wat inhield dat zijn dekking was verbroken en dat de operatie, zíjn operatie, was beëindigd. Er stond één stempel op de eerste pagina van de pas, die een zekere John Edwards Dunphy – *Dunphy!* Christus nog aan toe – toegang verschafte tot Engeland voor de duur van maximaal zes maanden. De stempel was vals, natuurlijk, en gaf aan dat hij het land pas zeven dagen geleden was binnengekomen.

Nu hij merkte dat zijn dekking zo nonchalant was verbroken, was hij perplex. Iets langer dan een jaar had hij in Londen gewoond als de Ier Kerry Thornley. Buiten Jesse Curry was Tommy Davis de enige die voldoende op de hoogte was om hem met zijn echte voornaam aan te spreken. Tommy was te zeer iemand uit Kerry om om de tuin geleid te worden als het over Ierland ging. Toen hun samenwerking nog geen week oud was, was hij erachter gekomen dat zijn pas verworven vriend en voormalige werkgever eigenlijk een schimmige Amerikaanse zakenman was die Jack heette.

Intussen stond op Dunphy's visitekaartje dat Thornley bestuursvoorzitter was van

Anglo-Erin Business Services NV
Gun House

Die valse identiteit had hem als een tweede huid omsloten, met hem hoog en droog in de immuniteit van haar plooien. Want omdat Thornley alleen in naam bestond en door een computer in het souterrain van het hoofdkwartier in Langley was bedacht, hoefde Dunphy niet op te draaien voor de gevolgen van Thornleys daden; wat betekende dat Dunphy, als Thornley, vrij was geweest op een manier die Dunphy, als Dunphy, nooit kon zijn.

Doordat zijn immuniteit zo plotseling wegviel, werd hij ontmaskerd op het moment dat hij zich het meest bedreigd voelde. Onbewust begon hij in zichzelf af te dalen en liet de gevatte Ier – Merry Kerry – het veld ruimen voor de wat gereserveerder, zorgelijk kijkende Amerikaan Jack Dunphy.

Het duurde nog twintig minuten voordat hij vooraan in de rij stond en toen het zover was, deden zijn voeten zeer en bonsde zijn hoofd. Het was net tot hem gaan doordringen dat hij in één enkele ochtend bijna alles was kwijtgeraakt waar hij iets om gaf, met inbegrip van Clementine.

Clementine! Godverdomme, dacht hij, hoe moet het met Clem?

4

Negen uur later liet Dunphy zich inschrijven in de Ambassadors Club op de eerste verdieping van de B-promenade op de luchthaven John F. Kennedy International. De club was vrijwel leeg. Hij liet zijn koffer naast een versleten leren bank vallen, graaide een handvol pretzels, bestelde een Bushmills bij een rondlopende serveerster en ging een cel in om het meldnummer van de wachtpost in Langley te bellen.

De telefoon ging twee keer over, net als altijd, en daarna kreeg hij een jonge mannenstem aan de lijn.

'Hallo.'

Sommige dingen veranderen nooit. 'Je spreekt met...' Als altijd aarzelde hij wanneer hij volgens het reglement zijn crypto moest gebruiken. Het was gênant. Volwassen mannen die met codenamen spelen. 'Oboe,' besloot hij. 'Heb je iets voor me?'

Na een stilte klonk het aan de andere kant: 'Ja, meneer. U staat genoteerd voor acht uur 's morgens op het hoofdkantoor.'

'Maandag dus.'

'Nee, meneer. Morgen.'

Dunphy steunde.

'Iemand wil u vast graag spreken.'

'Ik ben net aangekomen,' klaagde Dunphy. 'Ik heb geen kleren. Ik heb een jetlag. Ik heb niet eens onderdak.'

'Ik kan u een paar aanbeve...'

'Morgen is het godverdomme zondag. Dan is er geen mens op kantoor. Dan zijn ze...' Dunphy zocht naar de term. 'Dan zijn ze *naar de dienst*. Dan ben ík naar de dienst. Dan zit ik de hele dag in de dienst.'

'Er staat zondag, meneer. Om acht uur 's morgens. Misschien kunt u naar een latere dienst gaan.'

'Nou moet je oppassen, jongeman.'

'Ik geef alleen de boodschap door, meneer.'

Dunphy verbrak de verbinding en belde het reserveringsnummer voor het Marriott. Hij nam een kamer voor het weekend in het hotel bij Tysons Corner en belde toen Hertz. Toen dat geregeld was, belde hij de telefoniste voor internationale verbindingen en gaf haar het nummer van Clementines flat in Bolton Gardens.

'Kerry?'

Hij kon geen woord uitbrengen.

'Kerry? Waar zit je?'

'Hé Clem! Ik ben...'

'Waar zit je?'

'Op reis. Er was iets. Heel plotseling.'

'O, nou... En waar zit je dan?'

Dit meisje liet zich niet afwimpelen. 'Ik ben in de States. In New York. JFK. De Ambassadors Club. Tweede cel.'

'Beetje uit je humeur?'

'Ja, ach, 't was een lange dag.'

'En... wanneer ben je weer terug?'

'Dat is het dus. Dat weet ik niet. Het kan wel... even duren.'

'Oooo, neeee!'

'Ja, maar... hoor eens, ik moet ophangen... ik moet een aansluiting halen. Wat ik wil weten is of er vanmorgen iemand bij de flat is geweest.'

'Niet toen ik er was. Is alles goed met je?'

'Ja, natuurlijk. Hoe dat zo?'

'Zo klink je niet.'

'Hoezo niet?'

'Nou, om te beginnen,' zei ze lachend, 'je hebt opeens een Amerikaans accent.'

Dunphy rolde met zijn ogen en viel terug op een goed geoliede Ierse tongval. 'Kan 't niet helpen, liefje. Ik ben een geboren imitator. Maar het belangrijkste is dit: doe wat ik vraag en dan leg ik het naderhand wel uit.'

'Kut!'

Dunphy was uit het veld geslagen. 'Hoezo "kut"? Ik heb nog niets gezegd.'

'Omdat "het naderhand wel uitleggen" altijd wil zeggen dat er iets fout zit.'

'Nou ja, luister eens, wat ik graag wil is dat je gewoon eh... wegblijft bij de flat.'

'Wát?'

'Wegblijven bij de flat tot ik je heb gesproken.'

'Waaróm?'

'Blijf er nou maar weg, Clem. Het is belangrijk.'

'Maar mijn spullen liggen er! Waarom kan ik er niet heen? Mijn make-up ligt er! Heb je soms een ander?'

'Doe niet zo stom.'

'Waarom moet ik er dan wegblijven?'

'Nou – ten eerste – omdat ík er nu niet ben. En ten tweede...'

'Ja? Wát dan?'

'Omdat het gevaarlijk is.'

'Het is "gevaarlijk"?'

'Clem... vertrouw me nou.'

Toen Dunphy de verbinding had verbroken, ging hij terug naar de clubruimte, zocht een stoel uit en ging erin zitten om zijn wonden te likken en te piekeren. Hij keek naar de vliegtuigen die weggingen. En naar andere vliegtuigen die landden. En toen de serveerster langsliep, bestelde hij de tweede van wat te veel Ierse whiskeys zouden worden.

Niemand had Clementine ooit laten zitten. Daar was hij behoorlijk zeker van. Dan was je wel gek.

5

Op G.W. Parkway stuurde Dunphy de T-bird rechts de afslag bij de Chain Bridge op en volgde de lusvormige afrit naar Dolley Madison Boulevard. Hij richtte de T-bird naar het westen en sloeg na anderhalve kilometer rechts af, een met bomen omzoomde weg op die naar het poortgebouw aan de rand van het CIA-complex voerde. Een enorme zwarte bewaker stapte met een klembord en een lachend gezicht uit het wachthuisje. 'Morgen,' zei hij. 'Hebt u een afspraak?'

'John Dunphy. Ik ben aan de late kant.'

De bewaker keek op het klembord, liep naar de achterkant van de auto, schreef het kenteken op en liep weer naar het raampje aan de bestuurderskant. 'Ik moet uw huurovereenkomst even zien,' zei hij met een knikje naar de Hertz-sticker op de voorruit. Dunphy gaf hem de papieren en keek toe hoe de bewaker de gegevens met precieze, zorgvuldige halen op zijn klembord begon over te nemen. Het leek wel of hij de letters tekende in plaats van ze te schrijven.

Niet dat Dunphy haast had. De lucht was helder, koud en verkwikkend, precies wat hij nodig had. Alles welbeschouwd vond hij het hoofdkwartier een leuke plek. Er hing de sfeer van een kleine, provinciale universiteit in de staat New York. Het was een geheel van in bouwkundig opzicht weinig opzienbarende, min of meer moderne gebouwen die, niet zichtbaar vanaf de weg, waren neergezet te midden van veertig hectare gras en bomen, verborgen camera's en dipoolantennes.

'Dank u wel,' zei de bewaker en hij gaf de papieren terug. 'Weet u waar u moet zijn?'

'Geen probleem.'

'U kunt vrijwel overal parkeren vandaag.'

'Goed zo,' zei Dunphy en hij schakelde.

'Bijna geen mens hier op zondag.'

Dunphy knikte alsof hij het interessant vond.

'Dan vraag je je toch af,' voegde de bewaker eraan toe.

Toen ging de slagboom omhoog en Dunphy liet de T-bird optrekken.

Terwijl hij over de parkeerplaats reed, verwonderde hij zich als altijd over de vele Corvettes en de bizarre verzameling bumperstickers.

REAGAN IN '84   GREENPEACE   O.J. MOET VRIJ!
BUSH IN '85   RED DE BALVIS

Hij reed langs het standbeeld van Nathan Hale, parkeerde de auto op de plek waar DIRECTEUR stond en stapte voor het hoofdgebouw uit.

In de hal werd hij opgewacht door een tere blondine die wijdbeens op het CIA-wapen in het atrium stond met een adelaar in reliëf op het marmer onder haar voeten.

'Meneer Dunphy?'

Hij kromp ineen, wat een vragende blik opleverde.

'Jack Dunphy?'

'Ja,' zei hij. 'Af en toe.'

'Doet u dit op uw revers,' zei ze en ze gaf hem een gelamineerd geel plaatje, 'dan breng ik u weg.'

Dunphy deed wat van hem werd verlangd, maar blij was hij er niet mee. Op het hoofdkwartier moest iedereen, van de conciërges tot de directeur-generaal, op een goed zichtbare plek een identificatieplaatje dragen. De plaatjes hadden een kleurcode, net als de hal van elk gebouw: midden op elke gang was een lijn aangebracht in een bepaalde kleur, waardoor de bewaking in één oogopslag kon zien of iemand zich bevond waar hij niet thuishoorde.

Met een blauw plaatje kon je vrijwel overal heen, met een rood plaatje alleen naar gebouw A en een groen plaatje was nog beperkter. Daarmee mocht je in gebouw A alleen in de gangen met een groene streep op de vloer komen. Een geel plaatje was het meest beperkend van allemaal, want daarmee moest je overal onder begeleiding heen. Het was bedoeld voor bezoekers en media – mensen die er niet bij hoorden – en het opspelden was hetzelfde als een bel meeslepen. De mensen keken weg alsof je de plek was waar een ongeluk was gebeurd.

Maar de aanwezigheid van de blondine maakte de onuitgesproken belediging van het gele plaatje goed. Onder het lopen zwaaide haar paardenstaart als een metronoom in volmaakt contrapunt met haar deinende billen. Het viel Dunphy, die de zaak uitvoerig in ogenschouw nam, in dat je haar achterste het treffendst kon duiden als een met tweed omgoten lokkertje. Het was een lust voor het oog en duidelijk geen toeval dat zij als begeleidster was aangewezen. Als ze had gewild, zou Dunphy zonder klagen achter haar aan naar de hel zijn gelopen, en terug.

En als je wist hoe hij zich voelde, zei dat heel veel. Volgens hem zou een olympische jury zijn kater niet meer dan een 5,6 geven. Maar evengoed voelde hij zich beroerd. Hij droeg hetzelfde sweatshirt en dezelfde sportsokken die hij de dag ervoor in Londen had gedragen. De winkels gingen niet voor tienen open en in de koffer die ze hem hadden gegeven zaten GWAR-shirts, een paar afgetrapte Doc Martens en een spijkerbroek met gaten in de knieën. Niets voor hem. Nu niet, toen niet, nooit niet. Het waren trouwens niet alleen kleren die de man maakten: Dunphy's ogen waren een beetje troebel, hij moest zich scheren en de achterkant van zijn hoofd leek meer te wegen dan de voorkant. Zeg maar een 5,9.

Dunphy's begeleidster ging hem voor door een doolhof van lichtblauwe gangen in bijgebouw B tot ze uiteindelijk bij een kleine ontvangstbalie aankwamen. Een jonge bewaker in een zwart uniform waarvan het galon van de epauletten oplichtte, kwam overeind en gebaarde naar een in linnen gebonden registratieboek op de balie. 'Als u zich wilt inschrijven... uw vrienden zijn een poosje geleden gearriveerd.'

Dunphy boog zich over het registratieboek en deed wat er van hem werd verlangd. De namen boven de zijne waren *Sam Esterhazy* en *Mike Rhinegold*: *7.50* en °.

De bewaker draaide hen zijn rug toe en drukte toetsen in op het cijferslotpaneeltje in de deur. Er klonk een zachte klik en de deur draaide geluidloos open.

Op het moment dat hij achter hem dichtging, voelde Dunphy zich nog slechter. Hij was in een echovrije ruimte ofwel 'dode kamer' – een met tl-lampen verlichte kubus zonder ramen die op onzichtbare, maar enorme veren stond. Afluisteren was onmogelijk in een kluis als deze, bedekt met een dikke laag klankbord van zodanig aangebracht puntvormig schuim dat iedere verstoring van de lucht erdoor werd geabsorbeerd en geneutraliseerd. Geen signaal, resonantie of echo ging het vertrek uit, ongeacht of die door mens, machine of elektronica werd voortgebracht.

Omdat de kamer helemaal zonder resonantie was, klonk alles wat binnen werd gezegd leeg, hol en vals. *Plat.* Het was een plek waar zelfs Moeder Teresa onecht zou overkomen. Dunphy was nog nooit in zo'n kamer geweest, maar hij had erover gehoord. De meeste ambassades hadden er een en Moskou had er drie. Ze hadden hem verteld dat je niet kon musiceren in zo'n kamer. Het Juilliard String Quartet had de proef op de som genomen in het Amerikaanse bureau voor de statistiek; binnen enkele seconden waren de musici lachend en wel vals gaan spelen.

Maar Dunphy had geen zin om te lachen. Integendeel, er spoelde een golf misselijkheid door hem heen terwijl hij in de kamer naar zijn ondervragers stond te kijken.

Ze zaten aan een lange vergadertafel en zagen er merkwaardig en onaangenaam eender uit. Onwaarschijnlijk lang en even uitgemergeld hadden ze een ongezonde, grauwe huidkleur gemeen, alsof ze in een mijnschacht hadden gebivakkeerd. Hun haar was in een lage kuif gekamd en aan de zijkant kortgeknipt en ze droegen een glanzend zwart pak, een wit polyester hemd, zwarte molières en een veterdas met turkooizen clip. Allebei hadden ze een grote pilotenkoffer vol bruine dossiermappen bij zich. In Dunphy's ogen leken ze een kwaadaardige variant op de Blues Brothers. Zijn maag kwam omhoog en hij voelde zich licht in het hoofd.

'Meneer Dunphy,' zei de een.

'Meneer Thornley,' zei de ander.

Kut, dacht Dunphy. Ik kan het wel schudden.

Esterhazy en Rhinegold haalden diverse voorwerpen uit hun aktetas die ze zorgvuldig op de tafel rangschikten: twee schrijfblokken, twee balpennen, een pakje Virginia Slim en een Bic-aansteker.

De choreografie maakte Dunphy, hoe hij zich ook voelde, aan het lachen. 'Jullie hebben veel gemeen, wisten jullie dat?'

Ze keken wezenloos naar hem op.

'Pardon?' zei de oudste.

'Hoe bedoelt u?' vroeg de jongste. Ze leken verbijsterd, alsof het idee nooit in hen was opgekomen.

Dunphy begon het uit te leggen, maar door hun humorloze gezichtsuitdrukking veranderde hij van gedachten. 'Laat maar,' zei hij. Het ergerde hem dat ze zichzelf niet voorstelden, al kon hij aan het monogram op de manchetknopen van de jongste man zien dat hij Rhinegold was.

Hij ging ervan uit dat ze van hem alles, maar dan ook álles afwisten: wie hij was, wie hij voorgaf te zijn enzovoort. Daar gingen al die dossiers over, dat veronderstelde Dunphy althans. Zij moesten het weten. En hij niet. Zo waren de regels.

Esterhazy deed zijn horloge af en legde het op tafel, zodat het tijdens het vraaggesprek te zien zou zijn. Toen dat achter de rug was, staken zijn partner en hij een sigaret op, bliezen bedachtzaam de rook uit en keken Dunphy vol verwachting aan.

Dunphy zuchtte. Ik ben, bedacht hij, in gezelschap van

Twee.

Formidabele.

Eikels.

'We beginnen bij uw alias, meneer Dunphy.'

'Welk?'

'De Ierse dekmantel. Vertelt u ons eens, tot in hoeverre werd meneer Thornleys identiteit ondersteund?'

Dunphy begon te praten en al doende luisterde hij naar zichzelf en naar het geluid van zijn woorden in de merkwaardige ruimte. Naar zijn idee kwam zijn stem van een punt net buiten zijn lichaam vandaan en werden de woorden een centimeter of vijf voor zijn lippen gevormd. Van de andere kant van de tafel zweefden er vragen op hem af die merkwaardig stembuigingloos waren en volstrekt onpeilbaar.

Het was een vreemde informatiewals waar Dunphy snel genoeg van had.

'Dus,' zei Tweedledum, 'uw belangrijkste taak was het verwezenlijken van zakelijke dekmantels...'

'En bankfaciliteiten...'

'In het buitenland.'

'Klopt.'

'En hoe ging u daarbij te werk?' vroeg Tweedledee.

'Ach,' zei Dunphy, 'elk geval is anders, maar over het algemeen koos ik afhankelijk van waar de cliënt behoefte aan had een locatie uit en dan...'

'Hoe bedoelt u, u koos een locatie uit?'

'De plek waar de NV zou worden opgericht. Er zijn vele mogelijkheden en ze zijn allemaal anders. Sommige hebben meer aanzien en zijn duurder dan andere.'

'Zoals?'

'Luxemburg, Liechtenstein, Zwitserland.'

'Die hebben meer aanzien?'

'Ja, vergeleken met Panama, Belize en Vanuatu hebben ze heel wat meer aanzien. Er zit 'n luchtje aan Panama. Als je Panama in het briefhoofd ziet staan is "kartel" het eerste woord dat in je opkomt.'

'En dan...?'

'Vulde ik de formulieren in om een nieuwe onderneming op te richten, of ik pakte er een van de plank als de cliënt haast had.' Voordat ze hem de voor de hand liggende vraag konden stellen, legde hij het uit. 'Ik was de helft van de tijd bezig met het opzetten van vennootschappen, dus ik had er altijd een stuk of twintig klaar voor gebruik. Op die manier kon een cliënt die zomaar kwam binnenlopen en meteen iets moest hebben, het meteen krijgen – meteen, ter plaatse – waar hij maar wou.'

'En wat kreeg hij dan precies?'

Dunphy zuchtte. 'Wat hij in handen kreeg was een grote envelop. En daarin zaten dan twee kopieën van de oprichtingsakte en de statuten van de onderneming. Plus ongedateerde brieven waarin het aftreden werd aangekondigd van de oprichters en de secretaris...'

'En dat waren...?'

'Plaatselijke bewoners. Liberianen, inwoners van Man, maakt niet uit. Mensen die tegen een kleine vergoeding hun naam ter beschikking stelden. Ze hadden niet echt iets te maken met de bedrijven. Ze waren alleen maar namen. En eens kijken... wat nog meer? Er waren wat blanco aandelenoverdrachten, een verklaring van geen bezwaar... en natuurlijk stonden er overal stempels op en zegels en de hele boel werd met rode linten bijeengehouden. Zodra de oprichtingskosten waren betaald was de onderneming een feit.'

'En dan?'

'Dan moesten ze een bankrekening hebben.'

'En hoe werd dat gedaan?'

'Ze gaven mij een aanbetaling. En dan opende ik een rekening op naam van de onderneming. Meestal maakte ik gebruik van de Midlands Bank in St. Helier, op de Kanaaleilanden.'

'U beheerde dus alle rekeningen.'

Dunphy lachte. 'Maar een paar dagen. Wanneer ik de papieren naar de cliënt had gestuurd, schrapten ze mijn naam bij de rekening. Niet dat dat uitmaakte. Die rekeningen opende ik meestal met nog geen honderd pond. Ik werd heus niet *in verleiding gebracht* of zo.'

'Meestal.'

'Ja. Er waren uitzonderingen. Ik had een paar cliënten voor wie ik vaak iets deed, die gaven me soms een behoorlijk forse cheque die ik moest storten. Maar dat waren uitzonderingen – en ze wisten me te vinden. Zal ik maar zeggen.'

'En dat waren?'

'Wij.' Rhinegold en Esterhazy keken onzeker. 'Ik heb een stuk of zes ondernemingen opgericht voor de Dienst en daar kwamen telkens op voorhand aanzienlijke aanbetalingen bij kijken. En dan? Ik ervandoor gaan?'

'Maar u deed hetzelfde voor individuele personen. En particuliere bedrijven.'

'Natuurlijk. Dat was mijn dekmantel. Dat dééd Anglo-Erin Business Services. In het openbaar.'

'En volkomen vertrouwelijk.'

'Dat was ook de bedoeling,' zei Dunphy.

'Maar...' spoorde Esterhazy aan.

'Ik werkte in opdracht – niet rechtstreeks, natuurlijk – voor een stuk of zes bureaus.'

'Zoals?'

'De DEA, de fiscus, de douane...' Dunphy stopte even om adem te halen en vervolgde: '... de ISA...'

Esterhazy legde hem wapperend het zwijgen op. 'En hoe ging dat in zijn werk?'

'Ik hield de boel in de gaten. Als er iets gewilds binnenkwam, was het de bedoeling dat ik de vestiging daarover inlichtte. Jesse – het vestigingshoofd – gaf het dan door aan de relevante instantie. Of niet. Dat bepaalde hij.'

'U zegt "gewild"... wat houdt dat zo'n beetje in?'

Dunphy dacht erover na. 'Gewild is bijvoorbeeld wanneer Alan Greenspan komt binnenlopen om samen met Saddam Hussein op Jersey een onderneming op te zetten met de Moscow Narodny Bank als statutair agent.'

Rhinegold sperde zijn ogen open.

'Dat zou erg gewild zijn,' voegde Dunphy eraan toe.

'Is dat gebeurd?' Rhinegold begon bijna te zweven.

Dunphy schudde zijn hoofd. 'Nee. Dat was maar een voorbeeld. Een hypothetisch voorbeeld. Zoiets doorzichtigs heb ik nooit aan de hand gehad.'

'Bij wie legde u verantwoording af op de ambassade?' vroeg Esterhazy. 'Wie gaf de opdrachten?'

'Jesse Curry.'

'En die andere instanties waren van uw dekmantel op de hoogte?'

'Die kenden me helemaal niet en als ze me wel kenden, dachten ze dat ik een aanwinst was uit het buitenland: Merry Kerry, zoiets. Het enige wat ze in praktisch opzicht wisten, was in feite dat de Dienst zo nu en dan met iets interessants van Anglo-Erin kwam aanzetten. En dat doorgaf.'

'Was het rendabel?' vroeg Rhinegold.

'In welk opzicht?'

'Maakte Anglo-Erin financieel gezien winst?'

'Dat begon net te komen toen ik werd teruggeroepen.'

Dunphy wou dat hij een kop koffie had. En een beschermende bril: de kamer stond vol sigarettenrook en er was nul ventilatie. Zijn hoofd voelde alsof het in de kern van een positief ion zat vastgeklemd. Een groot, beige ion.

'... en u zette deze ondernemingen op voor...?'

41

'Voor degene die het vrachtgeld betaalde. Ik had Amerikaanse clientèle. Een paar Mexicanen, wat Italianen. Stuk of wat Turken, een Frans-Libanees. Eén vent uit Buenos Aires zette in acht districten vijfendertig rechtspersonen op. God weet wat hij van plan was. Wapens, coke of edelstenen. Alle drie, waarschijnlijk.'

'En u gaf de Dienst – en via hen andere instanties – afschriften van de oprichtingsdocumenten?'

'Die, en de bankgegevens, en elk interessant gegeven dat ik zoal opving onder de lunch of bij een biertje. En als het om aandelen aan toonder ging, wat meestal het geval was, en als ik wist wie die aandelen in portefeuille had, wat ik meestal niet wist, dan kregen ze dat er ook nog bij.'

'Uw cliënten kwamen... uit de lucht vallen?'

'Zoiets. Er werd het een en ander doorverteld; mijn tarieven waren ongelooflijk gunstig. En ik adverteerde.'

'Waar?'

'*Herald Tribune. Economist. Sunday Times.* Op een hoop plaatsen. De bonnen liggen op kantoor.'

'Tja,' zei Esterhazy, 'de inhoud van dat kantoor staat helaas niet meer tot onze beschikking. We hebben vernomen dat die is overgedragen aan de Londense politie. En, naar ik vermoed, aan de MI5.'

'Ik begrijp het.' Hij had het verwacht, maar nu het zover was, voelde hij zich opeens slechter. In feite voelde hij zich opeens klote.

Om elf uur kwam er een meisje met koffie en broodjes dat met haar ogen rolde vanwege de sigarettenrook. 'We zullen even pauzeren,' verkondigde Esterhazy en Dunphy knikte, blij met de koffie.

Hij deed zijn best een broodje pastrami naar binnen te werken, maar door de paarse zweem die over het vlees lag speelde zijn maag op. Hij duwde het broodje weg en ondernam een halfslachtige poging om met zijn ondervragers over koetjes en kalfjes te praten ('Wat hebben de Wizards gedaan?'), maar geen van beiden was geïnteresseerd.

'Ik houd het sportnieuws niet bij,' zei Esterhazy. Rhinegold haalde zijn schouders op.

'Sport is tijdverspilling,' zei Esterhazy. Rhinegold gromde.

Misschien lag het aan de akoestiek.

Terwijl ze in stilzwijgen verzonken, keek Dunphy toe hoe zijn metgezellen hersluitbare plastic zakjes uit hun pilotenkoffers haalden en op tafel zetten. In elk zakje zaten zeker twaalf tabletten en zes capsules, die ze voor zich groepeerden in een soort farmacologische slagorde.

'Vitaminen,' merkte Esterhazy op.

'Deze neutraliseert de nicotine,' legde Rhinegold uit terwijl hij een dikke pil tussen duim en wijsvinger nam. Een voor een namen ze de tabletten, pillen, dragees en capsules in met kleine slokjes koffie.

En vervolgens keerden ze, kennelijk verfrist, terug naar het gespreksonderwerp.

De tijd vloog niet om.

'Kunnen we ervan uitgaan dat uw dekking nauwgezet bleef gehandhaafd?' Esterhazy wachtte even, sloeg een blad van zijn schrijfblok om en keek op.

'Natuurlijk.'

'Er zit toch niets in uw archief waaruit blijkt dat u Jack Dunphy bent en dat u met deze Dienst in verband brengt?'

'Nee. Niets. Het archief was er enkel en alleen om de dekmantel te steunen.'

'Een telefoonrekening of...'

'Ik belde op kantoor nooit naar huis. Ook niet vanuit mijn flat. Als ik naar de States moest bellen – als Jack Dunphy – ging ik naar een telefooncel. Idem als ik Curry moest spreken.'

'Gebruikte u een computer?'

'Ja. Een Amstrad.'

'Gênante vraag, maar u hebt toch geen vertrouwelijke documenten – memo's, rapporten en dergelijke – op de harde schijf laten staan?'

'Nee. Ten eerste was alles op de schijf versleuteld. Zwaar versleuteld. Ik gebruikte een 140-bit algoritme...'

'PGP?'

Dunphy schudde zijn hoofd. 'RSA. En toen ik wegging, heb ik hem gewist.'

Rhinegold leunde met gefronst voorhoofd naar voren. 'Toen je uit Londen wegging, Jack – heb je toen niets meegenomen? Alles min of meer achtergelaten zoals het was, bedoel ik?'

Jack? 'Ik heb mijn koffertje meegenomen,' zei Dunphy. 'Daar zat mijn adressenboekje in. Verder heb ik een hele hoop kleren niet meer...'

'Gisteravond is er een opruimploeg in je flat geweest. Die is "bezemschoon". Je hebt op z'n laatst vrijdag je kleren en je persoonlijke bezittingen terug.'

Dunphy hield zonder iets te zeggen zijn adem in.

'Wat wij zeker moeten weten is dat er in Londen niets is, op kantoor of elders, wat jou in verband kan brengen met... eh, met jezelf. Geen...'

'Pas de cartes. Pas de photos. Pas de souvenirs.'

'Waar heb je het over?' vroeg Rhinegold met een stem waar een mengeling van achterdocht en wrevel vanaf droop.

'Dat is een gezegde. Het betekent dat ik niets heb achtergelaten.'

'Je zegt dat je de harde schijf van je computer hebt gewist. Wat zou de MI5 aantreffen als ze die schijf bekijken met de speciale toepassingsprogramma's die ze daar hebben?'

'Het is een opnieuw geformatteerde schijf. Het is een tabula rasa.'

'Van een opnieuw geformatteerde schijf kunnen data worden teruggehaald – ook als die data versleuteld zijn,' zei Esterhazy. 'De DOS-opdracht haalt alleen de adressen weg. De data zijn er nog, als je weet waar je ernaar moet zoeken.'

Dunphy schudde zijn hoofd. 'Ik heb een lagere formattering laten draaien met foutopsporing en daarna alles overschreven met DiskWipe. Ik had er ook een permanente magneet overheen kunnen halen. Er staat niets meer op.'

Esterhazy leek voor het eerst onder de indruk.

'Hersendood,' voegde Dunphy eraan toe.

Rhinegold glimlachte.

'Waarom kwam Curry naar jou om professor Schidlof in de gaten te laten houden?'

'Dat zou je Curry moeten vragen.'

'Het was niet iets wat je gewoonlijk deed.'

'Het was iets wat ik nog nóóit had gedaan. Ik had er totaal geen verstand van.'

'Dus haalde je er die man bij...?'

'Tommy Davis. Met wie ik al samenwerkte.'

'Hoe dat zo?'

'Ik gebruikte hem als koerier. Hij had goede contacten in Beiroet, wat nuttig was omdat ik daar een heel lucratieve klantenkring had. Tommy kon het land in en uit, dat was ook toen het destijds minder goed ging geen probleem. Maar wat hier van belang is, is dat hij bekendstond als een goede bedradingsman. En ik kon hem vertrouwen. Toen Curry me die opdracht gaf, ben ik naar Tommy gegaan.'

'En hij is nog in Londen?'

Dunphy haalde zijn schouders op, plotseling niet op zijn gemak. 'Dat denk ik niet. Volgens mij is hij de stad uit.'

Rhinegold en Esterhazy keken hem strak aan, maar Dunphy gaf geen krimp. Als de Dienst hem iets had geleerd, was het kalm te blijven of, als dat niet ging,

alles te ontkennen.

Niets toe te geven.

Tegenbeschuldigingen te uiten.

Ten slotte verbrak Esterhazy de stilte. 'Want het is belangrijk,' zei hij, 'dat wij hem vinden voordat de Londense politie hem vindt.'

Dunphy knikte. 'Dat begrijp ik,' zei hij.

Rhinegold fronste zijn voorhoofd en schraapte zijn keel. 'Weet je, Jack, op de telefoonleiding van de professor is afluisterapparatuur aangetroffen.'

'Dat weet ik,' zei Dunphy. 'Daar had Jesse het over.'

'En... tja, nu denkt de politie dat er een verband bestaat met het, eh, incident.'

'Oké.'

'Wat natuurlijk belachelijk is.'

'Natuurlijk.'

Weer een stilte. Rhinegold trommelde met een potlood op tafel. Esterhazy fronste zijn voorhoofd, drukte zijn sigaret uit en schudde zijn hoofd.

'Van mij mag je best wat behulpzamer zijn,' zei hij. 'Omdat dit eh... eerlijk gezegd niet zo geweldig is voor jou.'

Dunphy keek perplex.

'Wat je carrière aangaat.'

'Ik kon niets doen,' zei Dunphy. 'Kán niets doen.'

'Toch...'

'Gedane zaken nemen geen keer,' zei Rhinegold. 'Waar het om gaat, is dat de apparatuur professor Schidlof in verband brengt met meneer Davis en er is een verband tussen meneer Davis en jou. Enzovoort.'

'En zo verder.'

'Enzovoort. Moeilijk te zeggen waar het ophoudt.'

'Het is een van die dingen die helemaal naar de top kunnen gaan,' voegde Esterhazy eraan toe.

Dunphy knikte, hield zijn hoofd schuin, trok zijn wenkbrauwen op en liet ze zakken. Er kwam een zacht, verontschuldigend 'tsk' uit zijn mond. 'Ik zie het probleem,' zei hij, 'maar... ik weet niet waar Davis is. Dat wéét ik gewoon niet.'

De oudste man fronste zijn wenkbrauwen. Schouderophalend veranderde hij van onderwerp. 'Vertel eens over de professor.'

Dunphy bromde.

'Waarom werd hij in de gaten gehouden?'

Dunphy schudde zijn hoofd. 'Dat is me niet verteld.'

'Maar je luisterde zijn telefoongesprekken af. Je moet toch enig idee hebben.'

'Geen enkel.'

'Ja, maar...'

'Echt niet. En je zit ernaast wat betreft dat afluisteren van zijn telefoongesprekken. Het enige wat ik deed was de bandjes testen om er zeker van te zijn dat er iets op stond voordat ik ze aan Curry doorgaf. Voor zover ik heb gehoord en gelezen gaf de man les aan King's College. In de krant stond volgens mij dat hij verbonden was aan de psychologische faculteit. Zoiets.'

Esterhazy leunde naar voren. 'Vertel daar eens iets over.'

'Waarover?'

'Over professor Schidlofs belangstelling voor psychologie.'

Dunphy keek van de ene ondervrager naar de andere. Ten slotte zei hij: 'Hoe moet ik daar verdomme iets vanaf weten?'

'Nou...'

'Ik zeg toch, het enige wat ik over die kerel weet is wat ik in de krant heb gelezen.'

'Was je niet nieuwsgierig naar degene die je afluisterde?'

'Nieuwsgierig? Waarnaar? Een docent psychologie? Dacht het

46

niet. Het enige interessante aan hem is voor zover ik kan zien dat hij is afgeslacht.'

'*Afgeslacht?*' vroeg Rhinegold.

'Ja.'

'Waarom gebruik je dat woord?'

'In plaats van?'

'Vermoord.'

'Omdat hij niet zomaar "vermoord" is. Hij is uiteengereten. Armen, benen – ze hebben hem gecastreerd. Willen jullie weten wat *ík* vind? Die smerissen moeten naar de supermarkt om aan iedereen van de afdeling fijne vleeswaren te vragen waar ze die nacht hebben uitgehangen! Want dit was geen gewone moord. Het leek wel een... een *dissectie*.'

Dunphy's ondervragers fronsten hun voorhoofd. 'Ja, nou... ik ben ervan overtuigd dat het afschuwelijk was,' zei Rhinegold.

Esterhazy keek weg en het bleef een hele tijd stil in de kamer.

Uiteindelijk vroeg Dunphy: 'En wat is het verband?'

'Het verband?'

'Tussen het in de gaten houden en de moord.'

'Er wás geen verband,' antwoordde Esterhazy. 'Waarom zou er een verband moeten zijn?'

'Nou, dan is het wel ongelooflijk toevallig. Ik bedoel, niemand zegt toch nog iets vertrouwelijks door de telefoon! Het enige wat het toezicht opleverde was het huiselijke doen en laten van die vent. Had hij een hond of een kat? Als hij een hond had, wanneer liet hij die dan uit... en wáár? Ging hij naar de tandarts, liet hij zijn botten kraken? Had hij een minnares?'

'Dit is geen productieve invalshoek, meneer Dunphy.' Rhinegold zag er aangeslagen uit, maar niets kon de steeds sneller pratende Dunphy nog tegenhouden.

'Wat deed hij? Waar deed hij het? Wanneer deed hij het? Want – laten we eerlijk zijn – gaandeweg bedenkt iemand dus een manier om deze vent in hartje Londen op te pikken en hem te *opereren* – chirurgisch te bewerken – totdat hij godverdomme een *romp* is – die ze...'

'Meneer Dunphy...'

'... voor een kérk achterlaten, godsamme...'

'Jack...'

'En dan ben ík godverdomme een verdachte? Wat bedoel je met dat er geen verband was?!'

Dunphy keek zijn ondervragers woest aan. Niemand zei iets. De seconden tikten verder. Ten slotte schraapte Esterhazy gegeneerd zijn keel.

'Dat ben je dus niet,' zei hij.

'Wat ben ik niet?'

'Een verdachte.'

'En hoe zit dat dan?' vroeg Dunphy.

'Tenzij en totdat meneer Davis wordt gevonden, sta jij niet onder verdenking. Je bent meer een, uh, mogelijk *raakpunt*.'

'En daarom is het belangrijk dat we meneer Davis vinden,' legde Rhinegold uit.

'Precies,' zei Esterhazy. 'Hij heeft misschien onze hulp nodig.'

De stilte was enorm. Niemand knipperde met zijn ogen.

Ten slotte draaide Dunphy zijn handpalmen naar de lampen aan het plafond en liet ze weer neerkomen. 'Spijt me, jongens. Ik weet niet waar hij is.'

6

De ondervraging was nog aan de gang toen Rhinegolds horloge
hem er om zeven uur 's avonds met een hoog schettergeluidje aan
herinnerde dat hij ergens anders moest zijn.

De ondervragers borgen hun aantekeningen op, klikten hun koffers dicht en kwamen overeind. 'Ik denk dat je in je hotel moet eten,'
zei Rhinegold.

'Uitstekend idee,' kwam Esterhazy tussenbeide. 'Roomservice!
Over ontspannen gesproken!'

'We komen hierop terug om acht uur nul,' voegde Rhinegold
eraan toe.

'Zou het wat later mogen?' vroeg Dunphy. 'Twaalf uur zou mooi
zijn.'

Esterhazy en Rhinegold keken hem blanco aan.

'Ik moet kleren hebben,' legde hij uit. 'Schone sokken. De winkels gaan pas om tien uur open.'

Niets. Nog geen lachje.

Dunphy zuchtte. 'Oké. Geen probleem. Ik was ze verdomme wel
in de badkuip.'

En dat deed hij ook. Hij kocht een fles Woolite in de supermarkt
en liet op zijn hotelkamer het bad vollopen. Uitgekleed knielde hij
op de badkamervloer en waste vloekend zijn sweatshirt, sokken en
ondergoed. Hij wrong het water er met zijn handen uit en hing de
kleren over een stoel voor de radiator. Toen keek hij naar een film
op tv, bestelde een hamburger bij de roomservice en viel in slaap
met een handdoek om.

De ondervraging werd 's morgens hervat, met Dunphy in een

trainingspak dat nog vochtig was van de wasbeurt. Ze gingen er tot het donker mee door, toen ze voor de tweede keer opbraken, en hervatten haar nogmaals op dinsdag, waarbij het onderwerp hetzelfde bleef.

Het was uitputtend, irritant en op het eind werd het plichtmatig. Met uitzondering van de verblijfplaats van Tommy Davis, die Dunphy per se niet wilde onthullen, had hij geen enkel antwoord waarnaar ze op zoek waren. Op dinsdagmiddag leunde Esterhazy achterover in zijn stoel en zei met opgetrokken wenkbrauwen: 'Ik denk dat we het uiterste punt wel hebben bereikt.'

Rhinegold knikte. 'Mee eens. Volgens mij zijn we *finito*.'

Samen kwamen ze overeind en borgen hun pennen, blocnotes, lucifers en sigaretten op. Esterhazy pakte zijn horloge van de tafel en deed het om zijn pols.

Opgelucht omdat de beproeving eindelijk achter de rug was, duwde Dunphy zijn stoel lachend achteruit en kwam overeind.

Rhinegold keek hem blanco aan terwijl hij de sloten van zijn koffer dichtklikte. 'Waar ga jíj naartoe?' vroeg hij.

Dunphy gebaarde alsof hij wilde zeggen: *Weg*.

'Jíj bent niet klaar,' zei Rhinegold. 'Wij zijn klaar.'

Bijna een uur verstreek voordat de deur opensprong en een man met een horrelvoet en omfloerste ogen binnenkwam die twee niet bij elkaar passende attachékoffers droeg. Zonder een woord knikte hij naar Dunphy, zette de koffers op tafel en trok zijn sportjack uit, dat hij zorgvuldig over een stoelrug hing. Een van de koffers was dun, glad en van leer; de andere was groot, onverwoestbaar en asgrauw.

Bijna ceremonieel haalde de bezoeker een tweetal kitscherige voorwerpen uit de American Tourister en zette die voor Dunphy op tafel neer. Het eerste was een pocket met een primitieve tekening op het omslag. Er stond een betraande blondine op die in kort broekje en haltertop op haar knieën de keukenvloer schrobde terwijl op een meter van haar af een Deense dog toekeek. De titel van het boek, zag Dunphy, was *Man's Best Friend*.

Het tweede voorwerp was een overdadig verguld Christusbeeldje dat vanonder een kroon van bloed en doornen hemelwaarts blikte. Dunphy keek van het een naar het ander, hield zijn hoofd schuin en proestte het uit vanwege de goedkope tactiek.

De man met de horrelvoet vertrok geen spier. Hij opende de kunststof koffer en wond de draad af van het apparaat dat erin zat. Hij wendde zich tot Dunphy en knikte, met twee handen op tafel steunend, naar het beeldje terwijl hij fluisterde: 'Ik weet wat je hebt gedaan en ik weet wat jij weet... Als je tegen mij liegt, klootzak, lieg je tegen Hem. En nou je mouw oprollen.'

De rest van de dag en de hele woensdag verdwenen langzaam in een nevel van vragen die Dunphy's volledige loopbaan omvatten. Het was natuurlijk een zinloze bezigheid. Zoals iedere beroepsofficier was Dunphy getraind in manieren om de leugendetector zo niet één slag voor te zijn, dan toch om de uitkomsten ervan te verknoeien. Als het een lange proef was, wat deze bleek te zijn, was het vóór blijven een slijtageslag die van het subject een behoorlijk concentratieniveau vergde dat urenlang moest worden volgehouden. Moeilijk, maar niet onmogelijk. En zeker de moeite waard als iets belangrijks verborgen moest blijven.

Het zat hem in het uitbuiten van de pauze tussen vraag en antwoord; een pauze die degene die het onderzoek verrichtte bewust oprekte om de galvanische responsen te meten. Om het apparaat één slag voor te zijn, moest je zorgen dat je een nepgrondlijn had voor de waarheid. En dat deed je door elk waar antwoord te voorzien van een hoeveelheid stress, waardoor het niet van een leugen te onderscheiden was.

Stress opwekken was niet moeilijk. Daar hoefde je alleen maar een beetje rekenwerk voor te doen, iets in de geest van veertien keer elf, voordat je een vraag naar waarheid beantwoordde. En wanneer vervolgens het moment aanbrak om te liegen, deed je dat zonder nadenken, wat min of meer hetzelfde resultaat opleverde. De leugendetector concludeerde dat je bijna alles had gelogen of in het andere geval dat je de waarheid had gesproken. En aangezien van een aantal vragen het antwoord bekend was, luidde de logische conclusie dat het subject de waarheid sprak.

'Is het vandaag woensdag?' vroeg de onderzoeker, die de vraag vanaf een waaiervormige computeruitdraai voorlas.

Dunphy dacht na. Zestien keer negen is... negentig plus vierenvijftig; honderdvierenveertig. 'Ja,' zei hij. Zijn ondervrager vinkte de vraag af.

'Bent u wel eens in Londen geweest?'

Veertien keer twaalf is, eh... honderdveertig plus achtentwintig: honderdachtenzestig! 'Ja.' Weer een vinkje.

En zo maar door.

'Kent u het cryptoniem MK-IMAGE?'

Zevenentwintig keer acht: tweehonderdzestien. 'Nee,' zei Dunphy, die het mentaal opsloeg. Zijn hoofdrekenen werd beter. (Maar wat ís MK-IMAGE?)

'Heeft meneer Davis contact met u opgenomen op de dag dat hij uit Londen wegging?'

Driehonderdééénenveertig gedeeld door acht is... tweeënveertig en – Dunphy wist niets meer. Tweeënveertig en nog wat. Tweeënveertig en... *ik pas.* 'Ja,' zei hij. Vinkje.

'En heeft hij u gezegd waar hij naartoe ging?'

Dunphy liet zijn hoofd leeglopen. 'Nee,' zei hij. Zomaar.

Weer een vinkje.

En hij was zeker van de overwinning.

7

Dunphy's oude paspoort, portefeuille en kleren lagen die avond in een koffer in zijn hotel op hem te wachten. En een plastic zakje waar zijn tandenborstel en scheermes in zaten, een handvol oude bonnetjes, losse muntjes die op zijn toilettafel hadden gelegen, een Mason Pearson-haarborstel en ander klein goed. Met een zwarte textielstift was op de zak 'persoonlijke eigendommen' geschreven, wat Dunphy een rare déjà vu gewaarwording bezorgde. Zo gaat het, dacht hij, dit gebeurt er als je dood bent. Ze doen je tandenborstel en wisselgeld in een zakje en sturen dat naar de nabestaanden. Uitgeput ging hij op bed zitten, ging even liggen en... dommelde in.

Het hardnekkige deuntje van de telefoon haalde hem zo'n tien uur later uit een diepe slaap. De stem aan de andere kant zei dat hij zich onmiddellijk bij het Korps Dekmantelcentrale moest melden en 'al uw documentatie' moest meebrengen.

Dunphy deed wat hem was gezegd. Een zwarte functionaris met grijzend haar en een checklist verzocht hem 'afstand te doen' van het paspoort op naam van Kerry Thornley, zijn Ierse rijbewijs en alles wat hij 'los in jas- of broekzak' had. Elk voorwerp werd, nadat het op de lijst was afgevinkt, in een rode metalen mand gegooid waar VERBRANDEN op stond.

Voor het eerst wist hij zonder enige twijfel dat de Dienst hem niet naar Engeland zou terugsturen.

Ontsteld ging hij met de lift naar Personeelszaken, waar hij in een lindegroene wachtkamer een uur door een beduimeld exemplaar van *The Economist* zat te bladeren. Ten slotte dook er een grijs vrouwtje in een katoenen jurk op dat zei dat B-209 'voorlopig' zijn kantoor was.

Dunphy kende het hoofdkwartier zo goed als ieder ander, maar... 'Waar is dat?'

'Dat weet ik eigenlijk niet,' zei ze, echt onzeker. 'Dat moet u maar aan Beveiliging vragen.'

B-209 lag dus in de kelder van het Noordgebouw, aan een brede gang tussen twee laadplatforms. De gang fungeerde ook als een soort opslagruimte voor nieuwe computerapparatuur, kantoorartikelen en (zoals snel tot Dunphy doordrong) prutsers van de Dienst en aan de Divisie Internationale Activiteiten verbonden paramilitairen.

Vorkheftrucks denderden door de gang van het ene platform naar het andere, waarbij ze tegen elkaar en tegen de muren aan smakten. Vanwege de herrie praatten de mensen hier harder dan elders op het hoofdkwartier en er was te allen tijde een zekere mate van 'viriel gestoei' (ofwel puberale ongein) gaande. Sterker nog, volgens Dunphy was het alsof er een wolk testosteron in de gang hing, net als de dwaallichtjes op een achterafweggetje in Maine. Denken was onmogelijk op een plek als deze – als er al iets om over te denken was geweest. Maar er was niets. Hij stond in de wacht.

Zijn kantoor was een bruingeel hokje met sidderpanelen die als scheidingswand dienstdeden. Het was gemeubileerd met een beige draaistoel, een hoedenrek en een vaalwitte boekenkast. In de hoek stond een lege archiefkast naast een gloednieuw VERBRANDEN-mandje. Er stond een telefoon op de grond en er lag een exemplaar van *Roget's Thesaurus*, maar er was geen vloerbedekking en nog relevanter: er was geen bureau.

Dunphy greep naar de telefoon om de Facilitaire Dienst te bellen, maar er kwam geen kiestoon. Woedend stormde hij het hokje uit ('kamer' kon je het echt niet noemen) en ging op weg naar Personeelszaken – maar raakte in een doolhof van gangen het spoor bijster. Nadat hij de vernedering had ondergaan dat hij iemand in zijn eigen hoofdkwartier de weg moest vragen, bereikte hij Personeelszaken, waar hij zijn woede zag verwelken tegenover het medelijdende schouderophalen van het grijze dametje in de katoenen jurk. 'Geduld,' zei ze. 'Ze zijn de boel aan het organiseren.'

Dunphy vorderde een telefoon en zei tegen de centralist dat hij verbonden moest worden met zijn sectiehoofd bij het Directoraat

Planningen, Fred Crisman. Als iemand hem kon vertellen wat er gaande was, was dat Fred; Dunphy had bijna een jaar via Jesse Curry aan hem gerapporteerd.

'Spijt me, joh,' zei een stem aan de andere kant. 'Je bent hem misgelopen. Fred zit sinds vorige week in Oost-Afrika, tijdelijke uitzending.'

Dunphy probeerde andere nummers, maar de mensen die hij zocht waren allemaal onbereikbaar: in bespreking, niet op hun plaats, op reis, de hele middag aan het vergaderen. De Facilitaire Dienst zei dat ze 'het probleem zouden inboeken', alsof zijn baan een hotel was, en beloofden hem over een paar minuten terug te bellen. 'Hoe wou je dat doen?' vroeg Dunphy. 'Ik zeg toch net dat de telefoon het niet doet!'

Stuurloos en smeulend begon hij aan wat na verloop van tijd routine werd, op drift tussen zijn 'kantoor' en Personeelszaken, van Personeelszaken naar de kantine, tussen de kantine en de sportzaal. Om de andere dag ging hij touwtjespringen, gewichtheffen en boksen. Een week verstreek. Twee weken. Drie. Voor zijn conditie was het goed, maar hij voelde zich als de Vliegende Hollander van het technocratische tijdperk die anoniem door de brede gangen van een clandestiene bureaucratie doolde. 's Middags ging hij naar de bibliotheek van de Dienst, waar je de kranten van alle landen ter wereld kon lezen. Elke dag installeerde Dunphy zich in dezelfde leunstoel en las de Britse nieuwsberichten tevergeefs na op nieuws over professor Schidlof. Na de eerste golf media-aandacht was de berichtgeving over het onderzoek verstomd, waardoor Dunphy vermoedde dat de Britse regering het incident op de lijst met verboden onderwerpen had geplaatst. Zijn maag zweefde en kolkte zuur van angst en bezorgdheid. Uiteindelijk moest het onvermijdelijke gebeuren. Maar wanneer? En waar? En ten koste van wie?

Dunphy was het hotel aan Tysons Corner beu. Hij miste zijn flat in Chelsea en de gewoonten die, als je ze allemaal bij elkaar optelde, een Leven hadden gevormd. Clementine miste hij het meest van alles, maar eigenlijk was er niets wat hij haar kon melden. Behalve: 'Ik ben op de vlucht. Ik laat wel iets van me horen. Groetjes.' Als basis voor een relatie stelde dat niet veel voor. En het denkbeeld dat hij misschien nooit meer in Engeland zou komen, nooit meer bij Clementine, vond hij ontstellend.

Net als de naoorlogse CIA, trouwens. In de nasleep van de Koude Oorlog was de Dienst op drift geslagen, gedemoraliseerd omdat de vijand zich had overgegeven, met een missie die achterhaald en een bestaansgrond die onduidelijk was. Jarenlang had men het zonder 'symmetrische vijand' gesteld en genoegen genomen met types als Noriega en Hussein, wat terroristen met vertroebelde blik en voortvluchtige Colombiaanse *pistoleros*. Nu roerde het Congres zich. Er was sprake van snoeien in de geheime dienst en 'kostbare bronnen herbestemmen'. Een van de kostbaarste bronnen waren de agenten zonder officiële dekmantel, de zogeheten ZOD'ers, waar Dunphy er een van was. Ze werden geleidelijk van het veldwerk afgehaald en vervangen door spionnen van de Defense Human Intelligence Services, de contraspionagedienst van het Pentagon. Voor het eerst sinds het bestaan van de CIA lag het budget onder vuur – en was het niet leuk om in Langley te zijn.

Als de malaise die het hoofdkwartier beheerste een innerlijk heiligdom had, was het de kantine. Dat was de laatste halte van de opgebranden, de zuiplappen, neuroten en dwarsliggers, de informanten en 'beschadigde partijen' die de Dienst (om de een of andere reden) niet kon of niet wilde ontslaan.

Er hingen op elk willekeurig moment wel een stuk of twintig van dit soort 'wegwerpgevallen' rond. De meesten hadden helemaal niets omhanden, terwijl een enkeling, zoals Roscoe White, gewoon geen passend werk had.

White was een klassiek geval. Afgestudeerd aan Princeton met een graad in de oosterse talen (hij sprak vloeiend Mandarijn en Koreaans) en in 1975 bij de Dienst gaan werken. Onder militaire dekking naar Seoul overgeplaatst en op wat zijn eerste opdracht moet zijn geweest opgepakt in de gedemilitariseerde zone. Bijna het hele jaar erna onderging hij een reeks wrede verhoren en schijnexecuties totdat zijn beulen er ten slotte genoeg van kregen. White werd overgebracht naar een gevangenisboerderij in het uiterste noorden en blijkbaar vergeten. Uiteindelijk werd hij in 1991, als een soort postscriptum bij de Koude Oorlog, naar de gedemilitariseerde zone gebracht en zonder plichtplegingen vrijgelaten op precies dezelfde plek waar ze hem meer dan vijftien jaar eerder hadden gearresteerd. Door het gebaar of de grap of wat het ook mocht wezen raakte hij bijna de kluts kwijt. Daar stond hij dan, tot aan zijn enkels in de modder, vastgenageld aan de plek waar zijn leven was verdwenen, verlamd door de gedachte (of de hoop) dat de afgelopen zestien jaar een hallucinatie waren geweest. Ten slotte werd hij door een soldaat van het Republikeinse Koreaanse Leger in camouflagetenue gegrepen en hardhandig in veiligheid gebracht.

Bij terugkomst in Amerika kwam hij tot de ontdekking dat hij tien jaar ervoor van rechtswege dood verklaard was.

Inmiddels was White nog maar drie jaar van zijn pensioen vandaan. Tot dan fungeerde hij als verbindingsofficier tussen het Directoraat Operaties en de Coördinator Informatie en Privacy. Dit hield in de praktijk in dat het zijn taak was om verzoeken tot vrijgave van informatie uit te delen aan de 'documentatieanalisten' van het directoraat, een klusje dat hem zelden meer dan een uur per dag kostte, waarna hij in de kantine kon gaan zitten lezen totdat het tijd was om naar huis te gaan.

Het was zonde van het talent, maar iets anders zat er niet op. Na een zorgvuldige voorbereiding aan de beste scholen had White bijna zijn hele arbeidzame leven misgelopen. Nu zat hij met een raadselachtig lachje in de kantine de *Tragicall History of Dr. Faustus* van Marlowe te lezen.

Hij fascineerde Dunphy.

'Ik probeerde de achterstand weg te werken,' legde White op een dag uit, 'maar er ontbrak gewoon te veel. Ik wil maar zeggen... glasnost, de Muur, aids, internet. Net als in die song van Billy Joel, alleen... mij zei het allemaal niets. Ik had alleen maar wat horen fluisteren. Maar teflon en vershoudfolie, alleslijm en compactdiscs... allejezus, zijn me dát dingen. Hoe dan ook, na een tijdje kreeg ik in de gaten dat oude nummers van de *Times* lezen niet genoeg zou zijn. Ik kon van elke speler die ooit bij de Orioles had gehonkbald de staatjes in mijn hoofd stampen, maar ik had ze niet zien spelen. Ik bedoel maar, wie is in godsnaam Cal Ripken en waar is Juan Pizarro gebleven? In elk geval,' zei White met een knikje naar het boek dat hij vasthield, 'vind ik het minder... veeleisend om geschiedenis te lezen, klassiekers − *tijdloze* boeken. Snap je?'

Dunphy knikte. Want Whites leven zat zo vol met hiaten dat zelfs het normaalste gesprek in een avontuur kon veranderen. Dunphy mocht hem graag en hij aarzelde dus niet toen Roscoe White hem vroeg of hij 'woonruimte zocht'.

'Ja. Weet jij iets?'

'Nou,' zei Roscoe, 'als je het niet erg vindt om te delen, ik heb een boerderijtje en twee hectare grond op Belleview Place. De huur is te doen. Interesse?'

'Jawel,' antwoordde Dunphy, 'maar... ik moet erbij zeggen dat ik misschien niet al te lang blijf.'

'Waarom niet?'

'Ik heb een vriendin in Londen en... niet doorvertellen, maar ik ben niet zo kapot van mijn baan. Bovendien ben ik de netste niet, weet je.'

Roscoe grinnikte. 'Daarom heb ik een werkster. Een keer per week – zou niet weten wat ik zonder haar moest beginnen.'

'In dat geval... zorg jij dat we op tijd opstaan?'

8

Dunphy's nieuwe opdracht werd hem een paar weken nadat hij bij Roscoe White was gaan wonen verstrekt, en hij was er niet over te spreken. Naar Londen teruggaan was dan waarschijnlijk niet mogelijk, maar er was geen duidelijke reden waarom dezelfde werkwijze niet vanuit een andere stad kon worden opgezet – met evenveel succes. Genève bijvoorbeeld, of beter nog, Parijs. Hij had een typemachine geleend en het ene memo na het andere over de kwestie geschreven, maar een reactie bleef uit. Ten slotte werd hem in bondige bewoordingen opgedragen een driedaagse instructie voor medewerker informatiebeoordeling ofwel MIB te volgen.

Eén blik om zich heen leerde Dunphy dat zijn toekomst er somber uitzag. Hijzelf uitgezonderd waren alle MIB'ers parttimers die de zestig waren gepasseerd. Het waren 'gepensioneerde lijfrenteniers' die de gelegenheid aangrepen om met een paar uurtjes inzet per dag op het hoofdkwartier hun maandelijkse toelage aan te vullen. Dat het werk niets voorstelde deed er niet toe. Het was, zeiden ze (telkens weer), 'gewéldig om weer in de running te zijn'.

Zelf was Dunphy klaar om eruit te stappen. Het enige wat hem daarvan weerhield was het mysterie van zijn rampspoed. Om de een of andere reden probeerde de Dienst hem ontslag te laten nemen en hij had geen flauw idee waarom. Het enige waar hij wél zeker van kon zijn was dat hij nooit achter de waarheid zou komen als hij nu opstapte.

En dus bleef hij, knarsetandend, en luisterde naar de corpulente MIB-instructeur die uitleg gaf over de Wet op de Vrijheid van Informatie voor zover van toepassing op de CIA. Het was een 'strontvervelende' wet, volgens de instructeur, want de – al dan niet loyale – gewone man kreeg erdoor het recht overheidsdossiers op te vragen over elk onderwerp dat hem interesseerde. In de praktijk hield dat in dat een verbindingsofficier (zoals Roscoe White) een binnengekomen verzoek (en de Dienst kreeg er dagelijks zeker tien) aan een van de MIB'ers toewees. Die zocht dan in het Centraal Register in gebouw B de locatie op van de betreffende dossiers. Deze dossiers werden vervolgens gefotokopieerd en dan ging de MIB'er ze lezen, waarbij hij gegevens die volgens de reglementen niet mochten worden vrijgegeven met een viltstift onleesbaar maakte: bijvoorbeeld compromitterende informatie over bronnen of methoden van de inlichtingendienst. Ten slotte gingen de bewerkte kopieën naar het kantoor van de Coördinator Informatie, waar een documentatieanalist ze nogmaals beoordeelde. Pas daarna werd de informatie ter beschikking van de aanvrager gesteld.

Niet dat de Dienst veel wenste vrij te geven. Zoals de instructeur zei: 'Wat je moet onthouden is dat de I in CIA staat voor de *inlichtingen* die de Dienst verzamelt, niet voor de *informatie* die we zouden moeten verstrekken.' En dat onderscheid bleek inderdaad uit de wijze waarop WVI-aanvragen werden afgehandeld. De Dienst was weliswaar wettelijk verplicht om binnen tien dagen na ontvangst van een aanvraag te reageren, maar het was niet wettelijk vast te leggen hoe lang het kon duren ook maar één enkel dossier te lokaliseren, te beoordelen en vrij te geven. Dát hing dan weer af van hoeveel middelen de CIA aan zijn WVI-medewerkers toewees.

En hier grijnsde de instructeur. 'Helaas,' zei hij, 'beschikken we níét over veel middelen... dus volgens mij kun je stellen dat we voortdurend bedolven zijn.'

'Hoe groot is de achterstand?' vroeg Dunphy.

'De laatste keer dat ik keek,' zei de instructeur, 'lagen er pakweg vierentwintigduizend aanvragen te wachten.'

'Dus een nieuwe aanvraag...'

'... zou over een jaar of negen materiaal moeten opleveren. Zoals ik al zei, de CIA verzámelt inlichtingen.'

9

Roscoe bracht hem op het idee.

Ze zaten aan de bar in O'Toole's, een ranzige Ierse kroeg in het winkelcentrum in McLean, niet ver van het CIA-hoofdkwartier (en dus een plek waar spionnen elkaar troffen), toen Roscoe met een sluwe grijns informeerde naar de WVI-aanvraag die hij die middag aan Dunphy had toegewezen.

'Welke?' vroeg Dunphy, die er niet echt bij was. Hij tuurde naar een foto aan de muur die net als de andere memorabilia daar wel eens afgestoft mocht worden. Er hing een verschoten IRA-vaantje, een dartbord met een foto van Saddam Hussein erop, een paar ansichten uit Havana (met de groeten van *Frank & Ruth*) en een Japans ritueel zwaard waar iets op zat wat er als opgedroogd bloed uitzag. Er waren wat vergeelde krantenkoppen (JFK STUURT ADVISEURS NAAR VIETNAM) aan de muur geplakt naast gesigneerde, ingelijste foto's van George Bush, William Colby en Richard Helms.

Maar de foto die Dunphy's aandacht vasthield was een kiekje van drie lachende mannen op een open plek in de jungle. Voor hen op de grond was het hoofd te zien van een Aziatische man die onthoofd leek. In werkelijkheid was hij staande begraven, en ofschoon zijn ogen glazig stonden, kon je zien dat hij nog leefde. Er was een getypt bijschrift aan de foto geniet: MAC/SOG, stond erop. *25-12-66 – Laos. Vrolijk Kerstfeest!*

'Die over wortelkanalen,' zei Roscoe.

Met zijn blik nog op de foto schudde Dunphy zijn hoofd.

'Weet je het niet meer?' vroeg Roscoe.

Toen hij Roscoe's ongeloof hoorde, draaide Dunphy zich naar hem toe. 'Wat?'

'Ik vroeg je wat over de wvi-aanvraag die ik had doorgestuurd – over de wortelkanaalbehandelingen bij adelborsten in Annapolis van 1979 tot heden.'

'O ja,' antwoordde Dunphy. 'Die kreeg ik vanmiddag. En waarom zou de Dienst zoiets in vredesnaam hebben?' vroeg hij. 'Ik bedoel, waar heeft die vent het over?'

Roscoe haalde zijn schouders op. 'Nou... waarschijnlijk kan ik je dat heel precies vertellen. Hij is een van de mensen die de meeste aanvragen indienen.'

'Oké,' zei Dunphy. 'Voor de dag ermee, dan.'

'*Mind control*. Dat obsedeert de heer McWillie. Dat obsedeert een heleboel mensen.'

Dunphy's hoofd knakte naar links en zijn wenkbrauwen gingen omhoog. 'Misschien ontgaat me iets, maar... ik dacht dat we het over tandheelkunde hadden.'

'Nou ja, in zekere zin wel. Hij vraagt naar tandheelkundige dossiers, maar hij hoeft ons niet te vertellen waarom. Hij hoeft ons niet te vertellen wat hij vermóédt. Maar als je net zoveel aanvragen hebt behandeld als ik, weet je na een tijdje wel genoeg. En afgaand op het soort dingen dat de heer McWillie in het verleden heeft aangevraagd, zou ik zeggen dat hij denkt dat we miniatuur radio-ontvangers aanbrengen bij...'

Dunphy spuugde zijn bier bijna uit. 'Bij mensen in hun kiezen?'

'Ja.' Roscoe knikte.

'Waaróm in godsnaam?'

'Weet ik niet. Subliminale boodschappen. Dat soort dingen. Wie wéét wat Lewis McWillie vermoedt? De man is duidelijk schizofreen, wil ik maar zeggen. Heb je toevallig de afzender gezien op zijn brief?'

'Nee,' zei Dunphy, 'daar heb ik niet echt op gelet.'

'Nou, tenzij hij verhuisd is, is zijn adres '86 Impala, Lot A, Fort Ward Park, Alexandria.'

Dunphy rolde met zijn ogen. 'Ik moet van deze baan af. Dit is het stompzinnigste kutbaantje dat ik ooit heb gehad.'

'Misschien,' zei Roscoe. 'En misschien ook niet.'

'Geloof me. Voor mij is het zo duidelijk als wat.' Hij wachtte even.

'Weet je waarom ik bij de Dienst ben gaan werken?'

Roscoe knikte. 'Vaderlandsliefde.'

Dunphy grinnikte. 'Nee, Roscoe. Geen vaderlandsliefde. "Vaderlandsliefde" had er niets mee te maken.'

'Wat dan?'

'Ik ben bij de Dienst gaan werken omdat ik daarvoor altijd historicus had willen worden. En toen ontdekte ik – kwam ik er op de universiteit achter – dat je geen historicus meer kúnt worden.'

Roscoe keek hem in verwarring aan. 'Waarom zeg je dat?'

'Omdat historici feiten verzamelen en documenten lezen. Ze doen empirisch onderzoek en analyseren de bijeengebrachte informatie. Dan publiceren ze hun bevindingen. Dat noemen ze de wetenschappelijke methode, en daar kun je niet meer mee aankomen op een universiteit.'

'Waarom niet?'

'Omdat de structuralisten – of de poststructuralisten, of de postkolonialisten, of hoe ze zich deze week ook mogen noemen – van het standpunt uitgaan dat de werkelijkheid ontoegankelijk is, feiten onderling uitwisselbaar zijn en kennis onmogelijk is. Wat de geschiedenis reduceert tot fictie en tekstanalyse. Wat ons opscheept met...'

'Met?' vroeg Roscoe.

'Genderstudies. Culturele studies. "Vagologie", als je 't mij vraagt.'

Roscoe trok de aandacht van de barman en tekende met zijn wijsvinger een rondje in de lucht boven hun glazen. 'Jij bent dus voor de CIA gaan werken omdat je genderstudies "vaag" vond? Zit je me dat te vertellen?'

'Nou, dat speelde een grote rol. Ik besefte dat ik nooit een aanstelling als docent zou krijgen, in elk geval niet aan een goede universiteit... de poststructuralisten hebben het zowat overal voor het zeggen. En wat ook een rol speelde – ik was er eentje van de moderne militaire geschiedenis – ik heb aan de universiteit van Wisconsin gestudeerd – en een van de dingen die duidelijk werden was dat een heleboel materiaal dat beschikbaar had moeten zijn... dat niet was.'

'Waar heb je het over?' vroeg Roscoe.

'Informatie. De gegevens waren niet beschikbaar.'

'Waarom niet?'

'Omdat ze vertrouwelijk waren. En als aankomend historicus hoefde ik ze niet te weten. Niemand van ons hoefde dat. En dat maakte me woest, want... nou, het lijkt wel of we in een cryptocratie leven in plaats van in een democratie.'

Roscoe was onder de indruk. 'Cryptocratie,' herhaalde hij. 'Da's een goeie. Dat bevalt me wel.'

Dunphy lachte.

'Daarom ben je dus bij de Dienst gaan werken,' vroeg Roscoe. 'Ertoe gedreven door het poststructuralisme en de cryptocratie.'

'Zo zit dat,' zei Dunphy. 'En er was nog een reden.'

Roscoe nam hem sceptisch op. 'Welke dan?'

'Het vaste voornemen om groots te leven.'

Roscoe grinnikte terwijl de barman hun van een rondje voorzag. 'Die kerel over wie je het had,' zei Dunphy. 'Hoe-heet-ie-ook...'

'McWillie.'

'Oké. We hadden het over McWillie en de implantaten. Dat klinkt als een rockband, als je erbij stilstaat. Harry en de Hoektanden. Maar waar ik naartoe wil is dat ik, hoe je het ook wendt of keert, zijn onderzoeksassistent ben. Daar komt het op neer. Als je het goed bekijkt, ben ik gewoon een P.A. voor een willekeurige schizofreen...'

'Wat is een P.A.?'

'Persoonlijk assistent. Ik ben gewoon een P.A. voor elke willekeurige schizofreen die zich een postzegel kan veroorloven. En dan nog eens iets. Dat is geen toeval. Iemand zit me te naaien. Iemand wil me weg hebben.'

Roscoe knikte en nam een slok bier. 'Vast een van die poststructuralisten.'

Dunphy fronste zijn voorhoofd. 'Ik meen het.'

Roscoe grinnikte. 'Dat weet ik wel.'

'En dat doet me eraan denken,' zei Dunphy. 'Hoe kwám ik trouwens aan die aanvraag?'

'Hoe bedoel je? Die kreeg je via mij. Dat is mijn werk.'

'Dat weet ik, maar...'

'Ik ben de verbindingsofficier. wvi-aanvragen toewijzen aan MIB'ers als jij is mijn levenstaak.'

'Dat bedoel ik niet. Wat ik me afvraag is waarom je 'm zo snel hebt afgehandeld. Ik dacht dat er een wachtlijst was van negen jaar.

Jij kreeg McWillies brief op dinsdag en stuurt hem dezelfde dag nog door. Waarom?'

Roscoe bromde. 'In zijn brieven vraagt de heer McWillie altijd of zijn aanvraag versneld afgehandeld kan worden. Als de aanvraag stupide genoeg is, zoals die van vandaag, versnel ik die met alle plezier, want onze overzichten zien er beter uit als we iets zo snel kunnen afronden.'

'Kun jij dat?'

'Wat?'

'Aanvragen versneld afhandelen.'

'Jazeker, als me dat wordt gevraagd en als ik vind dat er goede redenen zijn om dat in te willigen.'

Dunphy nam bedachtzaam een slok bier. Na geruime tijd brak er een lachje door en wendde hij zich weer tot Roscoe. 'Wil je me een plezier doen?' zei hij.

'Wat?'

'WVI-aanvragen van iemand die... weet ik 't – eh – Eddie Piper heet! Ik wil dat je alle aanvragen die je van ene Eddie Piper krijgt, versneld afhandelt, oké?'

Roscoe dacht erover na. 'Oké.'

'En je stuurt ze naar mij. Alles waar Eddie Piper om vraagt, wil ik afhandelen.'

Roscoe knikte en keek toen behoedzaam Dunphy's kant uit. 'Wie is Eddie Piper?' vroeg hij.

Dunphy schudde zijn hoofd. 'Weet ik 't,' zei hij. 'Ik heb hem net verzonnen. Waar het om gaat is of je het wilt doen.'

'Ja. Waarom niet? Zoveel heb ik toch niet meer te verliezen, hè.'

10

Een postadres huren onder een valse naam was moeilijker dan Dunphy had verwacht, maar voor zijn plan was het essentieel. Niet dat hij ook maar één document wilde vrijgeven, maar een briefwisseling tussen de Dienst en Edward Piper was onvermijdelijk. Iedere wvi-aanvraag moest schriftelijk worden bevestigd en iedere weigering bracht een uitleg of een opsomming van ontheffingen met zich mee. Die brieven moesten worden verstuurd. En als ze vervolgens met 'Onbekend op dit adres' erop werden geretourneerd, zou de afdeling Privacy en Informatie nieuwsgierig worden. En vragen gaan stellen.

De moeilijkheid bij het bemachtigen van een postadres was echter dat het postkantoor een paspoort of rijbewijs wilde zien voordat er van postbusverhuur sprake kon zijn. Zelfs commerciële bedrijven vroegen naar een identificatie 'om onszelf te beschermen' – al werd nooit gezegd waartegen. Dunphy bedacht dat er aan het opzetten van een Panamese vennootschap of het openen van een bankrekening op het eiland Man minder voorwaarden waren verbonden.

Toch was het probleem niet onoverkomelijk. Hij tikte een vals adres op naam van Edward Piper op een etiket en plakte dat over zijn eigen naam en adres op de voorkant van een gebruikte envelop. Vervolgens tufte hij richting Key Bridge over G.W. Parkway naar Kinko's Copies in Georgetown.

Het was een van die zeldzame sprankelende dagen in Washington wanneer de lucht vanuit het noorden komt aanwaaien en een frisse wind de Potomac belaagt. De torenspitsen van de universiteit van Georgetown rezen op aan de rand van waar hij een zee van lou-

che boetiekjes wist en intussen roeiden achtkoppige teams stroomopwaarts in een regatta.

De sculls deden Dunphy denken aan de tijd dat hij als student
op het Mendotameer had geroeid en voordat hij er erg in had, neuriede hij het melodramatische universiteitslied – *Hoeoeoe raa raa
WisCONNNsin* – en vroeg zich af waar zijn clubjack was gebleven.
Bij Kinko betaalde hij vijfenveertig dollar voor vijfhonderd visitekaartjes en koos de Times Roman cursief uit voor

E.A. Piper
Consulent

Met de bewerkte envelop en een van de visitekaartjes in zijn hand
reed hij dezelfde weg terug en stopte bij de bibliotheek van Fairfax
County, waar hij de envelop gebruikte om een derde legitimatiebe-
wijs in de vorm van een bibliotheekpas te bemachtigen.

Tegen het eind van de middag had de gefingeerde Eddie Piper
een postadres in Great Falls: een 'suite' van (wist Dunphy) tien bij
tien bij dertig centimeter.

De eigenlijke wvi-aanvraag schrijven was nog gemakkelijker. Inmiddels kon Dunphy de clichétaal waaruit zulke aanvragen waren
opgebouwd uit zijn hoofd oplepelen. En terwijl het uiteraard niet
verstandig zou zijn om zijn eigen loopbaandossier op te vragen, was
er niets wat hem ervan weerhield te informeren naar bijzonderheden over wijlen professor Schidlof. Al doende vond hij misschien
wel een aanwijzing over de situatie waarin hijzelf verkeerde. Dus
schreef en verstuurde hij die middag zijn eerste aanvraag. Drie dagen later kwam ze op zijn bureau, doorgestuurd door zijn nieuwe
huisgenoot, de gedienstige R. White van de afdeling Privacy en Informatie.

Nu hij zichzelf op deze manier opdracht had gegeven om een onderzoek in te stellen naar wat neerkwam op zijn eigen neerwaartse
carrière, was Dunphy voor het eerst in maanden opgetogen. Met de
brief van E. Piper in de hand ging hij met de lift naar het Centraal
Register. Hij floot noch huppelde, maar het wijsneuzige lachje wilde maar niet van zijn gezicht verdwijnen.

Bij het register aangekomen zette hij zijn naam zwierig in het
gastenboek en ging aan een terminal zitten om de benodigde sys-

teemnummers voor het dossier op te halen. Ofschoon de Dienst voor veel van zijn dagelijkse werkzaamheden van dataprocessingapparatuur afhankelijk was, werden de meeste operationele dossiers nog steeds op papier bewaard, zoals dat altijd was gedaan. Er waren krachtige beweegredenen geformuleerd om alle gegevens waar de Dienst over beschikte in de computer in te voeren, maar daar had de Veiligheidsdienst zijn veto over uitgesproken. Het probleem was dat de CIA-computers weliswaar niet van buiten konden worden gekraakt, maar onschendbaarheid tegen aanvallen van bínnen kon domweg niet worden gegarandeerd. En aangezien de doctrine van het 'moeten-weten' van groter belang werd geacht, bleven de operationele dossiers wat en waar ze waren: opgeborgen in archiefkasten in bruine mappen die meer of minder materiaal bevatten, al dan niet harmonicaplooien hadden, er beter of slechter aan toe waren. Om een dossier te ontsluiten moest hij in de computer het benodigde systeemnummer ophalen, dat hij vervolgens aan een zogeheten Drone gaf, een medewerker dataontsluiting wiens taak het was dossiers op te sporen voor MIB'ers als Dunphy. Ofschoon ze allebei een baan hadden die hen ver van het epicentrum verwijderd hield, waren de MIB'er en de dataontsluiter vrijwel de enige CIA-werknemers die rechtstreeks toegang hadden tot de computers van het Centraal Register en de operationele dossiers in de ondergrondse kluis van de Dienst.

Nu hij medewerker informatiebeoordeling was, was Dunphy's 'moeten-weten' in beginsel ongelimiteerd, waardoor hij zo ongeveer de hoogste vergunningen had die binnen het nationale veiligheidsapparaat werden verstrekt. Het ironische van zijn situatie was dat er terwijl zijn carrière kelderde alsmaar meer informatie binnen zijn bereik kwam. Met de vergunningen die hij had, kon hij in feite wat *rondneuzen* in CIA-dossiers (nadat hij ze van een Drone had gehad).

Voor de terminal gezeten, drukte Dunphy zijn rechterduim tegen het scherm van de monitor aan, waardoor het programma opstartte en de computer tegelijkertijd zijn duimafdruk opzocht in de databanken van de Veiligheidsdienst. Na een paar seconden verschenen de woorden:

welkom, John Dunphy, bij Aegis. Druk op 'enter' om door te gaan.

Dunphy drukte op de ENTER-toets en een menu kwam flakkerend op het scherm.

onderwerp?

Hij dacht na. Welke andere mysteries er nog bij kwamen, één ding was zeker: zijn eigen wereld was uiteen gaan vallen toen Leo Schidlof was vermoord. Dat dat geen toeval was, was duidelijk. Curry had tegen hem geschreeuwd en had hem weggestuurd. De oplossing voor zijn problemen of althans een verklaring ervoor was dus op de een of andere manier een functie van die ene vraag: *Wie heeft Schidlof vermoord en waarom?*

Naast 'Onderwerp' tikte Dunphy:

/schidlof, Leo/+alle verwijz/

En de cursor begon te knipperen.

II

Tot Dunphy's verbazing was het een dun dossier dat bijna alleen maar voor iedereen beschikbare documenten bevatte. Er zat een necrologie in uit *The Observer*, een handvol knipsels over de moord en een verfomfaaid exemplaar van de eerste aflevering van een oud tijdschrift: *Archaeus: A Review of European Viticulture.*

Teleurgesteld bladerde Dunphy door het tijdschrift. Dat weliswaar aan de wijndruiventeelt was gewijd, maar vol stond met verhandelingen en artikelen over een heel assortiment merkwaardige, uiteenlopende onderwerpen. Religieuze iconografie ('Johannes Paulus II en de Zwarte Madonna van Częstochowa'), volkshuisvesting ('Opties wederopbouw Westelijke Jordaanoever') en scheikunde ('Perfectioneren van niet-edele metalen: vorm en methode') waren evengoed koren op *Archaeus'* molen. Net als een verhandeling over de zogeheten 'duistere' vroege middeleeuwen die draaide om de eigenaardige vraag: 'Wie heeft het licht uitgedaan?' Bij wijze van antwoord stond er een foto bij van de paus met als bijschrift: 'Wat wilde de Kerk verbergen?'

Ergens anders kwam Dunphy een pagina tegen met bizar geïllustreerde horoscopen die hem op het idee bracht dat de redacteur dronken moest zijn geweest toen het blad in elkaar werd gezet. Het enige artikel dat zo te zien iets met wijnbouw te maken had, was een verhandeling over 'de Magdalena-cultivar: oude wijn uit Palestina', door ene Georges Watkin. Aangezien Dunphy zich alleen in praktisch opzicht voor wijn interesseerde, legde hij het blad weg en bekeek het laatste stuk in het dossier, een systeemkaart van 13x18 cm waar het volgende op was getypt:

Dit is een beperkt toegankelijk programma (BTP) dat onder Andromeda valt en waarvan de inhoud geheel of gedeeltelijk is overgebracht naar het MK-IMAGE-archief van verzekeringsmaatschappij Monarch (Alpenstrasse 15, Zug, Zwitserland). (Zie verwijzing aan ommezijde.) Alle navraag met betrekking tot dit dossier rapporteren bij het Korps Veiligheidsonderzoek (KVO) in de directiekamer (Suite 404).

Dit stemde Dunphy tot nadenken. Die eikels die hem verhoord hadden – Rhinegold en hoe-heette-hij-ook-weer – hadden hem naar het cryptoniem MK-IMAGE gevraagd. En hij had gezegd dat hij er nog nooit van had gehoord. Wat klopte. Tot nu toe.

Ook van de KVO had hij nog nooit gehoord. Maar dat zei niets. De CIA was waarschijnlijk de meest onderverdeelde regeringsdienst. Met talloze onderdelen die voortdurend van naam veranderden. Wat hij verwarrender vond dan het bestaan van de KVO was het feit dat de Dienst vertrouwelijke dossiers in het buitenland bewaarde en dat er een speciale dienst op de hoogte gesteld moest worden als iemand naar die dossiers vroeg. Vanuit het standpunt van de contraspionage was dat een problematische gang van zaken. En wat nog belangrijker was, vanuit Dunphy's standpunt (dus vanuit dat van een dief in de nacht) kon zo'n melding bij een 'Korps Veiligheidsonderzoek' uiterst gênant zijn. Stel dat hij naar aanleiding van enkele vragen die hem bezighielden een rééks dossiers opvroeg die onder Andromeda vielen? Wat zou er dan gebeuren? Daar dacht hij even over na, tot hij ergens diep in zijn binnenste een schouderophalen voelde. Dan liet hij ze de WVI-aanvragen van Eddie Piper zien en dan wisten ze dat hij gewoon deed wat hem was opgedragen. Als dat hun niet aanstond, konden ze hem terugsturen naar Londen.

Nu hij deze op het eerste gezicht zo penibele kwestie had opgelost, draaide hij de kaart die hij vasthad om.

SCHIDLOF, PROF. LEO (Londen)
Verwijz. – Zug

Gomelez (familie)	Davis, Thomas
Dagobert II	Curry, Jesse

Dulles, Allen	Optical Magick, Inc.
Dunphy, Jack	Pound, Ezra
Jung, Carl	Sigebert IV

143ste Luchtmobiele Precisie-eenheid

Dunphy bestudeerde de kaart, eerder ongerust dan gevleid toen hij zichzelf tussen Allen Dulles en Carl Jung aantrof. Dulles was natuurlijk legendarisch. In de Eerste Wereldoorlog was hij spion geweest, superspion in de Tweede; beide keren met Zwitserland als uitvalsbasis. Toen Hitler capituleerde, had Dulles met oss-voorman Wild Bill Donovan bij president Truman gelobbyd om het Central Intelligence Agency in het leven te roepen – dat Dulles later was gaan leiden.

Maar over Jung wist Dunphy minder. Een Zwitserse psychiater of analist. Schreef over het collectieve onbewuste. (Wat dat ook mocht wezen.) En archetypes. (Wat dat ook mochten wezen.) En mythes. En vliegende schotels. Of wacht even: was dat Carl Jung of Wilhelm Reich? Of Joseph Campbell? Dunphy wist het niet meer. Hij was op de universiteit zo vaak 'rakelings' met eruditie in aanraking gekomen dat het soms leek of hij van alles een beetje af wist – anders gezegd, nagenoeg nergens iets vanaf wist. Hij zou Jung bij gelegenheid wel eens opzoeken.

Intussen kreeg het geheel een uitgesproken Zwitsers aanzien. Volgens het impressum van *Archaeus* werd het blad in Zug uitgegeven, dat ook de standplaats was van het Speciaal Archief. In de atlas die hij erbij had gepakt, zag Dunphy dat de plaats een kilometer of dertig van Zürich lag.

Terug bij het dossier liep hij snel de andere namen op de lijst na. Naast Davis en Curry was Ezra Pound de enige die hem iets zei. Hoewel hij na zijn eerste jaren aan de universiteit geen Pound meer had gelezen, herinnerde Dunphy zich dat de dichter de hele oorlog in Italië was gebleven en propaganda-uitzendingen voor Mussolini en de fascisten had gemaakt. Toen de oorlog ten einde liep, was hij gevangengenomen en naar de Verenigde Staten teruggestuurd, waar men ervan uitgegaan was dat hij wegens hoogverraad terecht zou staan. Maar er kwam geen proces. Invloedrijke vrienden kwamen tussenbeide, psychiaters werden geconsulteerd en de dichter werd krankzinnig verklaard. In plaats van opgehangen werd hij opgeborgen, waardoor hij de Koude Oorlog goeddeels doorbracht aan de overzijde van de rivier van waar Dunphy zich nu bevond, en bezoekers ontving in een privésuite in het Sint-Elizabeth Hospitaal.

Dunphy stond stil bij de andere namen op de lijst. Sigebert en Dagobert klonken als historische figuren. Gomelez kende hij niet. Dan bleven Optical Magick, Inc. en de 143ste Luchtmobiele Precisie-eenheid over. Hij kende geen van beide, maar 'Inc.' en 'Luchtmobiel' waren termen waarmee hij uit de voeten kon.

Alles bij elkaar was het een teleurstellend dossier – maar ook interessant. Terwijl de inhoud, een tijdschrift en wat krantenknipsels, op het oog zo onbetekenend was dat niemand zich tegen vrijgave zou verzetten, werd Dunphy's nieuwsgierigheid geprikkeld door het feit dat de Dienst het nodig had gevonden om zijn functioneringsdossier in Zwitserland te stallen en hem tegelijkertijd binnen het bereik te plaatsen van het wat mysterieuze Korps Veiligheidsonderzoek.

Dunphy wenkte een van de Drones en tikte met zijn wijsvinger op de systeemkaart. 'Wat doe ik hiermee?' vroeg hij.

Schouderophalend keek de Drone even naar de kaart. 'Dan moet je een formulier invullen,' zei hij. 'Ik ga er meteen een voor je halen. Maar al dat MK-IMAGE-gedoe is zo simpel als wat. Er zitten krantenknipsels in, meer niet, dus kopieer wat je wilt en stuur het zonder redactie door naar de aanvrager. Het enige wat je achterhoudt is de verwijskaart. Die valt onder ontheffing B-7-C.'

Dunphy knikte. 'Komt dit vaak voor?' vroeg hij.

'Wat?'

'MK-IMAGE.'

De Drone schudde zijn hoofd, liep naar de andere kant van de kamer en kwam terug met een formulier. 'Ik krijg zo'n driehonderdvijftig dossieraanvragen per week en het is een paar maanden geleden dat ik zo'n kaart heb gezien. Dus reken zelf maar uit.'

Dunphy bekeek het formulier dat hij had gekregen. Er stonden een paar regels op die hij invulde.

Onderwerp: Schidlof, Leo
Aanvrager: Piper, Edward
MIB: Dunphy, Jack
Datum: 23 februari 1999
CVI-verbindingsofficier: R. White

Dunphy overhandigde het formulier weer aan de Drone, liep naar een batterij kopieerapparaten aan de andere kant van de kamer en begon te kopiëren. Daar, terwijl hij door verblindende lichtflitsen werd omgeven, drong voor het eerst tot hem door dat wat hij deed wel eens gevaarlijk kon zijn.

12

De adelaars op Murray Fremaux' uniform stegen op toen hij zich schouderophalend naar voren boog in de bar van het Sheraton Premiere.

'Er is geen 143ste Luchtmobiele Precisie-eenheid,' zei hij. 'Die bestaat niet. Heeft nooit bestaan.'

Dunphy nam een slok bier en zuchtte.

'Officieel,' voegde de kolonel eraan toe.

'Aha,' zei Dunphy en hij boog zich naar voren. 'Vertel.'

'Het is een geheime eenheid. Hoofdkwartier zat vroeger in New Mexico.'

'En nu?'

'In een of andere uithoek.'

Dunphy fronste zijn voorhoofd. 'Klinkt nogal betrekkelijk. Ik bedoel maar, met de auto...'

'Dichtstbijzijnde stad is Vegas, maar da's meer dan driehonderd kilometer naar het zuidwesten. Hartje woestijn, daar hebben we 't over. Rook-*sticks* en amarant. *Jackalopes.*'

Dunphy dacht na. 'Wat doen ze daar?'

'Voodoo!'

'Met die jackalopes?'

Murray lachte. 'Weet ik veel. Jij vraagt, ik geef antwoord. Dat doen ze dus. Voodoo, met twee keer dubbel o.'

'Murray...' zei Dunphy.

'Oké! Het is een helikoptereenheid. Maar verder kan ik niet gaan. Ik kan je echt niet meer vertellen.'

Dunphy ademde diep in en boog naar voren. 'Wij kennen elkaar al lang, Murray.'

'Weet ik.'

Stilte.

'We hebben samen op de universiteit gezeten,' zei Dunphy.

'Weet ik, weet ik.'

'Dit is belangrijk voor me. Waarom wil je het niet zeggen?'

'Omdat ik dat niet kan – ik wil wel, maar ik kán niet. Ik weet het gewoon niet.'

'Gelul! Jij weet het fijne van elke geheime Pentagon-operatie.'

'Ik ben accountant...'

'Jij controleert hun boekhouding!'

'Deze boekhouding niet!'

'Waarom niet?'

'Omdat die niet van ons is. Ze is van de Dienst.'

Dunphy was perplex. 'Een luchtmobiele precisie-eenheid?'

Murray haalde zijn schouders op. 'Ja-a. Dat probeer ik je te zeggen.'

'Dan... Wat moet de Dienst daarmee? Ik bedoel...' Dunphy kon de vraag niet eens formuleren. 'Wat ís een luchtmobiele precisie-eenheid?'

'Weet ik niet,' zei Murray. 'Als je wilt, kan ik wat navraag doen, of misschien moet ik mezelf maar voor mijn kop schieten. Het resultaat is in beide gevallen hetzelfde, maar met een pistool gaat het vast sneller. Hoe dan ook... wat voor jóú 't beste is. Ik zeg maar zo, wij kennen elkaar al lang, of niet soms?'

De klok sloeg middernacht toen Dunphy thuiskwam en de hordeur naar de keuken achter zich dichtgooide.

'Weet je,' riep Roscoe, 'dit is eigenlijk best interessant.'

'Wat is "dit"?' vroeg Dunphy en hij keek in de koelkast.

'*Archaeus*... of hoe je het ook moet uitspreken.'

'O, ja, oké... dat blad.' Hij opende een Budweiser en duwde met zijn voet de koelkast dicht. 'Ik dacht wel dat het je zou interesseren.' Toen liep hij de huiskamer in waar Roscoe onderuitgezakt in een luie stoel hing met het tijdschrift op schoot. 'Staan er goeie tips in?'

'Waarover?'

'Wijn.' Dunphy liet zich op de sofa vallen en nam een slok.

'Nee,' zei Roscoe. 'Hier staat helemaal niets in over wijn.'

76

Dunphy keek hem aan. 'Op het omslag staat dat het over wijn-bouw gaat. Druiven. Wijnstokken. Er staat een artikel in over... eh...'

'De Magdalena-cultivar.'

'Precies!'

'Ja, maar dat gaat niet over wijnstokken,' zei Roscoe. 'Dat lijkt maar zo. Het gaat eigenlijk over...'

'Waarover?'

'Genealogie.'

Dunphy's tweede wvi-aanvraag, die dinsdag op naam van E. Piper was verstuurd, kwam via Roscoe op vrijdag op zijn bureau terecht.

Met deze aanvraag (551 ASC, zoals geamendeerd) wordt in het kader van de Wet op de Vrijheid van Informatie (wvi) verzocht om alle mogelijk in uw bezit zijnde inlichtingen aangaande de 143ste Luchtmobiele Preci-sie-eenheid...

De Drone ging met de aanvraag naar de afdeling dossiers en kwam een paar minuten later terug met een dunne map en het formulier om te melden dat een 'onder Andromeda vallende inlichtingenver-zoek' was ingediend. Net als een paar dagen eerder beantwoordde Dunphy de weinige vragen op het formulier:

Onderwerp: <u>143ste Luchtmobiele Precisie-eenheid</u>
Aanvrager: <u>Edward Piper</u>
MIB: <u>Jack Dunphy</u>
Datum: <u>1 maart 1999</u>
cvi-verbindingsofficier: <u>R. White</u>

en gaf het aan de Drone terug.

Er zaten een krantenknipsel en een systeemkaart van 13x18 cm in het dossier. Dunphy keek naar de kaart waarop, zoals hij verwacht-te, dezelfde bekendmaking stond die hij in Schidlofs dossier had gelezen:

Dit is een beperkt toegankelijk programma (BTP) dat onder Andromeda valt en waarvan de inhoud geheel of gedeeltelijk is overgebracht naar het MK-IMAGE-archief van verzekeringsmaatschappij Monarch (Alpenstrasse 15, Zug, Zwitserland). (Zie verwijzing aan ommezijde.) Alle navraag met betrekking tot dit dossier rapporteren bij het Korps Veiligheidsonderzoek (KVO) in de directiekamer (Suite 404).

Op de achterkant van de kaart vond Dunphy onderstaande verwijzingen:

Optical Magick, Inc.	Boviene Census
	(New Mexico)
Boviene Census (Colorado)	Allen Dulles
Carl Jung	

Er stond eigenlijk niets nieuws bij, behalve de verwijzingen naar de Boviene Census. Dat verbaasde Dunphy. Waarom zou de Dienst koeien tellen? Hij legde de kaart neer en bekeek het knipsel.

Het was een trouwfoto, het soort opname dat je in de plaatselijke krant aantreft. Deze kwam uit de *Roswell Daily Record* van 17 juni 1987 en er was een gelukkig paartje op te zien. Er was niets vreemds aan het tweetal – behalve misschien de veterdas die de bruidegom droeg. Dunphy bekeek het knipsel aandachtiger. De bruidegom kwam hem bekend voor. Hij begon te lezen:

De heer en mevrouw Ulric Varange uit Los Alamos maken met genoegen het huwelijk bekend van hun dochter Isolde met de heer Michael Rhinegold uit Knoxville, Tennessee.

Mej. Varange heeft in 1985 de opleiding verpleegkunde aan Arizona State University afgerond.

De heer Rhinegold is in 1984 cum laude afgestudeerd aan de Bob Jones University.

Bruid en bruidegom hebben beiden een civiel dienstverband bij de 143ste Luchtmobiele Precisie-eenheid.

De wittebroodsweken worden in Zwitserland doorgebracht.

Dunphy's derde WVI-aanvraag, om inlichtingen aangaande Optical Magick, Inc., leverde de bekende waarschuwing op, plus een afschrift van de vennootschapsstatuten van de onderneming. Een bundel krantenknipsels over meldingen van vliegende schotels in verschillende delen van het land zat er – kennelijk per abuis – ook bij. Dunphy keek met een half oog naar de knipsels, die soms heel oud waren, maar er stond niets in waar hij wijzer van werd. Het ging merendeels om AP-berichten over voorvallen in New Mexico, Washington, Michigan en Florida.

In de statuten zag hij dat Optical Magick een bedrijf was uit Delaware dat in het voorjaar van 1947 was opgericht. Jean DeMenil uit Bellingham in de staat Washington werd genoemd als vennootschapsdirecteur en gemachtigde. Voor het overige louter clichés.

In de volgende weken vroeg 'Edw. Piper' in het kader van de WVI inzage in Carl Jung en de Boviene Census in New Mexico en Colorado. Deze aanvragen zaten tussen legitieme verzoeken van derden: echtgenotes die naar vermiste echtgenoten informeerden (van wie ze vermoedden dat ze CIA-agent waren geweest); mensen die de moord op Kennedy onderzochten en op zoek waren naar een culturele Steen van Rosette te midden van de gebeurtenissen op Dealey Plaza; geologen die van afgelegen gebieden satellietfoto's wilden hebben; historici die op zoek waren naar sporen van verraad in de hoogste kringen; en een verontrustend aantal mensen dat beweerde het slachtoffer te zijn van mind control. Dunphy gaf al zijn aanvragen aan de Drone, die het statistisch onwaarschijnlijke aantal Andromeda-aanvragen niet leek op te merken en elke kopie maakte die Dunphy nodig had.

Alles bij elkaar had zijn strategietje het effect van een toverspreuk, maar dan nog was het resultaat gering. In Jungs dossier zaten alleen krantenknipsels en de bekendmaking van 13x18 cm, plus een handvol verwijzingen die Dunphy al had weten thuis te brengen. De dossiers over de Boviene Census waren al net zo armzalig. In elk ervan zat een catalogus van een leverancier van chirurgische artikelen uit Chicago – weer een opbergfout, volgens Dunphy – en een aankondiging op 13x18-formaat, verder niets. Het was frustrerend.

Dunphy's frustratie sloeg echter om in een bang voorgevoel toen hij in zijn kantoortje in de B-gang een memo op zijn bureau vond.

Aan: J. Dunphy, MIB
Van: Korps Veiligheidsonderzoek

Bericht: Melden bij Suite 404.

Dunphy gaf het memo aan de beveiligingsmedewerker die in zwart uniform aan een tafeltje zat waar je direct bij binnenkomst door de glazen deuren van suite 404 bij uitkwam. De medewerker schreef Dunphy's naam in een logboek, liet het memo in een VERBRANDEN-mand op de vloer vallen en gebaarde naar een zware houten deur aan de andere kant van de wachtkamer. 'De heer Matta verwacht u.'

Toen Dunphy naderbij kwam, sprong de deur met een metalen klik open, en tot zijn verbazing zag hij dat wat eikenhout leek, in feite staal was, ruim zeven centimeter dik. Hij liep naar binnen en de deur viel achter hem in het slot.

Zijn ogen moesten even wennen aan het licht en toen dat eenmaal was gebeurd, was het alsof hij een Ralph Lauren-catalogus was binnengelopen. De tl-buizen die je overal in het hoofdkwartier zag waren vervangen door staande lampen met perkamenten kap en sfeerverlichting. De muren van het vertrek waren betimmerd met licht grenen, waar in leer gebonden boeken voor stonden. Vlakbij flakkerde onder de houten mantel met kalfstand een vuur in de haard waarboven een donker verkleurd olieverfschilderij aan de muur hing: twee verdwaald ogende herders bij een tombe. Aan de overzijde van het vertrek stond een mechanische Remington-typemachine, zelf al antiek, op een zwaar geornamenteerd eiken bureau. Het parket was bedekt met lagen tapijt, Perzisch en Azeri, en er hing een geur van houtvuur.

'Meneer Dunphy.'

De stem deed hem schrikken. Nu pas zag hij een man bij het raam staan die met zijn rug naar hem uitkeek over het Virginiaanse landschap. 'Ga zitten,' zei de man, die zich omdraaide en naar zijn bureau toe liep.

Dunphy ging in een leren fauteuil zitten en sloeg zijn benen over elkaar. De man tegenover hem was op leeftijd, grijs en droefgeestig. Onberispelijk gekleed in wat Dunphy inschatte als een pak van duizend dollar en handgemaakte schoenen, straalde hij hoffelijkheid, gezag en oud geld uit. Voor het eerst viel het Dunphy op dat het onaangenaam warm was in het vertrek.

De man glimlachte flets. 'We hebben een ernstig probleem, Jack.'

'Dat is vervelend, meneer Matta.'

'Zeg maar Harold.'

'Oké... Harold.'

'Zoals je vermoedelijk al geraden hebt, ben ik het hoofd van het Korps Veiligheidsonderzoek.'

Dunphy knikte.

'Ik had gehoopt dat we eens konden praten over meneer Piper. Edward Piper. Zegt die naam je iets?'

Dunphy tuitte zijn mond, fronste zijn wenkbrauwen en schudde uiteindelijk zijn hoofd. 'Niet echt,' antwoordde hij.

'Mag ik je geheugen wat opfrissen? Hij heeft een aantal wvi-aanvragen ingediend.'

Dunphy knikte en probeerde uitdrukkingloos te kijken – geen sinecure nu zijn hart op zijn ribben tapdanste. 'Oké. Althans, jij zegt het.'

'Inderdaad.'

'En... toen? Heb ik iets enorms onthuld of...'

'Nee. Helemaal niet! Een paar krantenknipsels. Een stuk of wat tijdschriftartikelen. Niets wat niet openbaar was.'

Dunphy krabde op zijn hoofd en grijnsde. 'Dan... zie ik het probleem niet.'

'Het probleem is... eigenlijk moet ik zeggen dat het probleem begínt met het feit dat de heer Piper waarschijnlijk niet bestaat.'

'O.' Dunphy begon te hyperventileren terwijl de stilte tussen hen voortduurde. 'Dus jij denkt...'

'Hij is verzonnen.'

'Ik begrijp het,' zei Dunphy. 'Alhoewel... ik begrijp wel wat je zegt, maar het probleem zie ik echt niet. Ik bedoel, volgens mij zeg je dat ik eigenlijk niets heb vrijgegeven aan eigenlijk niemand.'

Matta bekeek Dunphy in stilte terwijl hij een pijp stopte en de tabak met zijn duim aandrukte. 'Het adres van de heer Piper is een postbus... bij het filiaal van de pakketverzenddienst in Great Falls.'

'Huh!' zei Dunphy.

'Maar wat echt interessant is,' voegde Matta eraan toe, 'en wat een van de dingen is die ons echt dwarszitten, is dat hij zijn post nooit ophaalt.'

Dunphy snakte naar adem. 'Je meent het.'

'Ik meen het! Het is net of hij er niet in geïnteresseerd is. Wat vreemd lijkt. Ik bedoel, na al die wvi-aanvragen zou je toch denken... wat vind jij ervan, Jack?'

'Waarvan?' vroeg Dunphy.

'Het gebrek aan belangstelling van de heer Piper.'

'Ik weet het niet,' zei Dunphy, in afwachting van een ingeving. 'Misschien is hij wel dood! En is er iemand die zijn naam gebruikt!'

Matta trok bedachtzaam aan zijn pijp. Ten slotte zei hij: 'Dat is een heel domme veronderstelling, Jack. Dat zou niets verklaren. De vraag is waarom wie dan ook al deze wvi-aanvragen zou indienen als de informatie die we vrijgeven hem niet interesseert?'

'Ik weet het niet,' antwoordde Dunphy. 'Het is raadselachtig.' Hij begon in paniek te raken.

'Op zijn minst! Het is op zijn minst raadselachtig. Eigenlijk is het nog merkwaardiger!'

'O?!' vroeg Dunphy met een stem die een beetje te hoog en een beetje te hard uitviel.

'Ja. Ofschoon jij je het niet schijnt te herinneren, heeft de heer Piper tot op heden zes aanvragen ingediend, die ieder voor zich hadden kunnen worden toegewezen aan een van de elf mib'ers op het hoofdkwartier. Maar – ongelooflijk – al die aanvragen zijn naar jou gegaan! Nou, heb jij enig idee hoe groot de kans is dat zoiets gebeurt?'

'Nee,' zei Dunphy.

'Ik ook niet,' antwoordde Matta en hij nam een trekje. 'Maar me dunkt dat de kans miniem is, denk je ook niet?'

'Ik denk het, maar...'

'Microscopisch, welbeschouwd,' zei Matta.

'Je hebt vast gelijk, maar... Ik weet niet wat ik moet zeggen. Ik heb niets te zeggen over de aanvragen die ik krijg. Ze worden aangeleverd door... ik weet niet waar ze vandaan komen. Ze komen van bóven.'

'Kom, zo hoog zou ik het niet zoeken. Ze worden "aangeleverd" door de heer White.'

'Oké. Door de heer White, dus.'

'Met wie jij, als ik het goed begrijp, door weer een opmerkelijk toeval, een woonruimte deelt.'

Het viel Dunphy nu pas op dat er aan de andere kant van het vertrek een klok tikte. Hard tikte. Althans, zo klonk het terwijl de stilte voortduurde en de kamer vulde met de verwachting van geluid. Uiteindelijk zei Dunphy: 'Wacht eens even. Je bedoelt... Roscoe?'

'Ja.'

'Dus dát doet hij!' Dunphy produceerde een afgeknepen lachje.

'Mmm... dat doet hij. Ik neem aan dat je het met de heer White nooit over de heer Piper hebt gehad?'

'Nee. Natuurlijk niet. Wij praten nooit over ons werk.'

Matta leunde brommend voorover. 'Dat siert je, Jack. Maar zal ik je eens iets zeggen? Ik geloof je niet.'

Dunphy verstrakte. Hij werd niet graag voor leugenaar uitgemaakt, vooral niet wanneer hij er een was. 'Wat vervelend nu,' zei hij.

Matta haalde een manilla map uit zijn bureaula. Zonder iets te zeggen schoof hij hem over het bureaublad.

Dunphy pakte de map en deed hem open. Er gleed een handvol hoogglansfoto's van 20x25 op zijn schoot. Hij bekeek ze. Op iedere opname stond MK-IMAGE gestempeld. Ze waren allemaal genummerd en op elke foto leek hetzelfde te staan: close-ups van mannenogen met een verticaal meetlatje over de pupillen heen. Het meetlatje gaf millimeters aan. Dunphy fronste zijn wenkbrauwen. 'Ik snap het niet.'

'De proef met de leugendetector heb je doorstaan,' zei Matta.

'Goed.'

'Nou... Aldrich Ames doorstond hem ook.'

Dunphy bromde vanwege de toespeling. Ames had levenslang zonder kans op voorwaardelijke invrijheidstelling wegens het bespioneren van de CIA. Uiteindelijk tikte hij op de foto's en vroeg: 'En wat is dit?'

'De ogentest heb je verknald, Jack.'

'Welke ogentest?' Dunphy bekeek de foto's aandachtiger. Langzaam drong het tot hem door dat het zijn ogen waren en dat besef bezorgde hem koude rillingen.

'We stellen niet zoveel vertrouwen in de leugendetector. Niet meer. We hebben ons te vaak in de vingers gesneden. Retinaalmetingen zijn veel moeilijker te omzeilen. Veel betrouwbaarder.'

Dunphy was oprecht verbijsterd en zo zag hij er ook uit. Hij schudde zijn hoofd en haalde zijn schouders op.

'Wil je een leugen zien, Jack?'

Dunphy knikte. Een miniem knikje.

'Kijk eens naar nummer dertien.'

Dunphy deed wat van hem werd gevraagd. De foto zag er hetzelfde uit als de andere. Alleen waren de ogen, zag hij, groter: de pupillen waren groter. Verwijd.

'Draai hem eens om,' zei Matta.

Dunphy draaide hem om.

Verklaring ondervraagde:

'Het spijt me, ik weet niet waar Davis is.'

(Tegen) Rhinegold, Esterhazy

Kut. Het woord galmde als een gongslag door zijn hoofd en Dunphy was even bang dat Matta het had gehoord. Maar nee: de oude man zat in zijn stoel met zijn wangen weggetrokken in een soort geriatrische grimas of zelfgenoegzame grijns. Dunphy draaide de foto in zijn hand weer om en keek in zijn eigen ogen. Waar had de camera gezeten? Het antwoord kwam direct in hem op: de turkooizen clip aan Esterhazy's veterdas. 'Dit is gelul,' zei Dunphy. 'Ik heb tegen niemand gelogen.'

Matta trok bedachtzaam aan zijn pijp en leunde toen vertrouwelijk naar voren. 'Ik denk dat een paar daagjes vrijaf een goed idee zouden zijn, vind je ook niet, Jack? Hebben wij even de tijd om orde op zaken te stellen.' Toen Dunphy begon te protesteren, wimpelde Matta hem af. 'Maak je niet druk... het zal niet lang duren. Ik zet er mijn beste mensen op. Dat beloof ik je.'

13

Dunphy haalde aan het begin van de oprit de post op, parkeerde en liep het huis in. Het was een afgezaagd grapje, maar hij kon het niet laten en riep: 'Ik ben er, schat!'

Roscoe zat aan de eettafel in de *Archaeus* te lezen. Hij reageerde op het grapje met een lach die hem niet spontaan afging en zei: 'Ze hebben me met geautoriseerd verlof gestuurd.'

'Jezus,' zei Dunphy. 'Dus zo noemen ze dat. Mij ook.'

'Wil je weten wat ik vind?' vroeg Roscoe. 'Matta heeft me de stuipen op het lijf gejaagd. Ik denk erover om met vervroegd pensioen te gaan.'

'Maar Roscoe... we kennen je nog maar zo kort.'

Roscoe grinnikte.

'Hé, het spijt me echt, joh,' zei Dunphy. 'Je bent hier door mij in beland.' Er viel een lange stilte. 'Ik weet niet wat ik er nog aan toe kan voegen. Mijn fout, zou ik zeggen.'

Roscoe haalde zijn schouders op. 'Maak je niet druk. Je moet weten dat ik niet zo optimistisch tegen spionage aan kijk.'

Dunphy schudde zijn hoofd.

'Dat meen ik! WVI-aanvragen verdelen onder de kneuzen van de Dienst...' Roscoe kromp ineen onder Dunphy's blik, hapte lucht en ging verder. 'De hier aanwezigen uiteraard uitgezonderd...! Maar hiervoor ben ik niet in dienst gegaan. Dit is toch deprimerend. De Koude Oorlog is voorbij. De vijand is weggegaan. Dat zouden we moeten vieren, maar dat doen we niet. En waarom niet? Omdat de overgave van de Russen het ultieme verraad was. Nu we geen vijand meer hebben – maak daar maar "symmetrische vijand" van –

die even sterk is als wij of die op deze manier aangepakt kan worden, hoe moeten we dan onze budgets verantwoorden? Drugs? Terrorisme? De Middellandse-Zeevlieg? Ho even zeg. Ik stap er met alle plezier uit.' Roscoe wachtte even en knikte naar de post die Dunphy vasthield. 'Iets voor mij?'

Dunphy keek. Er was een grote envelop met een foto van Ed McMahon erop en in enorme letters MET TROTS VERKONDIGEN WIJ DAT ROSCOE WHITE $10 MILJOEN WINT, in een kleinere letter gevolgd door 'als hij het bijgesloten deelnameformulier invult en het winnende nummer heeft'. Dunphy gooide de brief naar Roscoe. 'Gefeliciteerd,' zei hij en hij plofte in een leunstoel neer om de rest van de post te bekijken. Het waren bijna allemaal rekeningen, maar er zat een envelop zonder postzegel bij, die persoonlijk was bezorgd. Hij was aan Dunphy geadresseerd en hij maakte hem open.

'Jack,' las hij, 'dit weet je niet van mij, maar...

Ik heb het nagezocht in de computer en waar het op neerkomt is dat er in de archieven van het Pentagon één openlijke verwijzing naar de 143ste te vinden is. Die gaat over een invaliditeitsuitkering voor een inwoner van Dodge City in Kansas, ene Gene Brading, die een ziekte die het creutzfeldt-jakobsyndroom (?) wordt genoemd heeft opgelopen toen hij met de 143ste Jeweetwel op pad was. Als het onderwerp je nog interesseert, wil je misschien contact met hem opnemen. Ik heb gekeken, hij staat erin.

Onder aan het kattenbelletje, dat onmiskenbaar van Murray was, stond: 'Omar the Tentmaker.'

'Jezus,' fluisterde Dunphy.

Roscoe keek op uit *Archaeus*. 'Wat?'

'Hij heeft de ziekte van Creutzfeldt-Jakob.'

Roscoe fronste zijn wenkbrauwen. 'Wie? En wat is dat?'

Dunphy negeerde de eerste vraag. 'De gekkekoeienziekte,' zei hij. 'Bij mensen heet het anders, maar in Engeland, waar ze er veel last van hebben – ze zijn er wel honderdduizend dieren door kwijtgeraakt – noemen ze het zo. En kuru. In Nieuw-Guinea krijgen de kannibalen het en daar noemen ze het kuru.'

'Hum,' mompelde Roscoe. 'Denk je eens in.'

'Heb je misschien een paar kwartjes?' vroeg Dunphy.

'Ja... volgens mij wel. Op mijn bureau, bij het wisselgeld. Hoeveel heb je er nodig?'

'Weet ik niet... tien, twaalf. Hoeveel heb je er?'

Roscoe haalde zijn schouders op. 'Een heleboel, maar... waarom moet je kwartjes hebben?'

'Ik moet bellen.'

Roscoe keek hem eens aan. 'Daar hebben we dat ding in de gang voor, hoor. Met al die drukknoppen en die plastic spiraaldraad.'

Dunphy schudde zijn hoofd. 'Ik moet denk ik niet van hieruit bellen. Ik moet denk ik vanuit een telefooncel bellen. Heb jij nog iets uit de supermarkt nodig?'

Brading had geen zin om te helpen.

'Daar kan ik niet over praten,' zei hij. 'Dat is allemaal geheim.'

'Akkoord,' antwoordde Dunphy. 'Dan zet ik dat in mijn verslag en dan zetten we er een punt achter.'

'Hoezo zet je er een punt achter? Waarachter?'

Dunphy zuchtte hoorbaar. 'Nou, niet achter je pensioen, hopelijk.'

'Mijn pensioen?!'

'Of de gezondheidszorg, maar...'

'Wát?'

'Kijk, meneer Brading – Gene – je weet hoe het eraan toe gaat in Washington: de publieke rekenkamer jaagt op frudeurs. Dat is hun werk. Ze selecteren steekproefsgewijs pensioen- en uitkeringsgerechtigden – niet alleen bij het Pentagon, maar bij alle instellingen – en lopen die na. Elk jaar. Dus dan gaat het om ongeveer één op de tweeduizend mensen van wie de boeken worden gecontroleerd, en dat doen we om erachter te komen of de regering cheques uitschrijft voor iemand die dood is. Hoe dan ook, de computer hoestte jouw naam op en...'

Brading kreunde geërgerd.

'... je snapt het probleem wel. In de ogen van de accountant betaalt het leger een arbeidsongeschiktheidsuitkering aan iemand met een niet-bestaand militair dossier die beweert dat hij arbeidsongeschikt werd toen hij bij een eenheid diende die in de hele boekhouding niet voorkomt. Dat ziet er dus uit als fraude, en dat is slecht voor jou en slecht voor ons. Want zoals je weet kunnen we geen publiciteit gebruiken.'

'O, je zou er toch wat van krijgen... kun je ze niet zeggen...'

'We kunnen ze helemaal níéts zeggen. We kunnen met ze práten, maar voor ik dat doe... moet ik een paar basisgegevens hebben over de omstandigheden van je ziekte, en...'

'Waar zei je ook weer dat je bij zat?'

'Korps Veiligheidsonderzoek.'

Brading gromde. 'Jij weet net zo goed als ik dat we dit niet door een gewone telefoon kunnen bespreken. Ze maken ons allebei af.'

'Natuurlijk,' zei Dunphy. 'Ik wilde alleen even contact maken. Tenzij je het druk hebt, kan ik morgen het vliegtuig pakken en...'

'Nee, nee, morgen is prima. We moeten er maar vaart achter zetten.'

Dunphy vloog de dag erna naar Kansas, huurde een auto en ging diezelfde middag nog bij Brading langs. Hij woonde in een koopflatenclave naast een 18-holes golfbaan, een oase van gazons die in de richting van het nabijgelegen winkelcentrum golfde.

Eugene Brading bleek een magere, bleke zestiger te zijn. Hij deed open in een rolstoel met een deken over zijn knieën. Zijn eerste woorden waren: 'Mag ik je identificatie even zien?'

Dunphy haalde een zwart etuitje uit zijn binnenzak dat hij liet openvallen. Brading keek even naar de gelamineerde adelaar, tuurde naar de naam en gebaarde, kennelijk tevredengesteld, dat zijn bezoeker naar de woonkamer kon doorlopen.

'Wil je limonade?' vroeg hij terwijl hij naar de keuken reed.

'Is goed,' zei Dunphy, die de kamer in zich opnam. 'Limonade is prima.' Zijn blik viel op een ansicht die in een goudkleurig lijstje naast een kleine boekenplank aan de muur hing. Het was een plaatje van een religieus beeld, een in een goudkleurig gewaad gehulde Madonna die staande in een kapel van zwart marmer naar de camera staarde. Omgeven door bliksemschichten en wolken en met armenvol anjers aan haar voeten was de Madonna zelf onverklaarbaar zwart. Gitzwart. Bij haar voeten was een inscriptie afgedrukt:

La Vierge Noire
Protectrice de la ville

In een handgeschreven notitie stond op een witte sierrand te lezen: *Einsiedeln, Zwit., juni 1987.*

Vreemd, dacht Dunphy. Maar verder niets. De ansicht zei hem eigenlijk niets, dus liet hij zijn ogen weer over de muur dwalen. Er hing een schilderij van Keane met het gebruikelijke zwervertje erop, de grote ogen vol met één enkele traan, en verderop iets vreemders: een vierkante lap zwarte stof die als een gordijn aan de muur hing en iets verborg wat Dunphy erg graag wilde zien.

'Zelfgemaakt,' zei Brading, die de kamer in kwam rijden met een glas limonade. 'Allemaal natuurlijke ingrediënten.'

'Je meent het.' Dunphy pakte het glas en nam een slokje. Hij wachtte even en proefde op zijn gemak. 'Dit noem ik nou verrukkelijk.'

'Ik en een paar maten,' zei Brading met een knikje naar een verbleekt kiekje in een effen goudkleurige lijst. Op de foto stonden vier mannen in zwart parachutistenpak op een korenveld. Hun armen waren om elkaars schouders geslagen en ze lachten naar de camera. Dunphy zag dat Brading er een van was, en Rhinegold een ander. De inscriptie bij de foto luidde:

Men in Black!
Ha Ha Ha!!!

Brading keek met een grijns naar de foto. 'Grapje voor insiders,' zei hij.

Dunphy knikte en deed alsof hij het begreep. 'Jij werkte dus samen met Mike, zie ik.'

Brading grinnikte, aangenaam verrast. 'Ja! Jij kent Mike ook, hè?'

'Iedereen kent Mike.'

'Dat zal best. Wat 'n vent!'

Met een stupide grijns en zonder iets te zeggen keken Dunphy en Brading naar de foto. Uiteindelijk verbrak Brading de stilte. 'En wat kan ik voor je doen?'

'Nou,' zei Dunphy, die een aantekenboekje tevoorschijn haalde en in een leunstoel ging zitten, 'je kunt me over de 143ste vertellen.'

Brading fronste zijn voorhoofd. 'Tja, ik neem aan... ik bedoel maar, aangezien jij Mike al een hele tijd kent...' Toen schudde hij zijn hoofd. 'Maar... sorry dat ik het vraag, op welk niveau liggen jouw bevoegdheden eigenlijk?'

Dunphy kuchte. 'Het gebruikelijke. De Q-vergunningen heb ik via Cosmic...'

'Met Q-vergunningen kom je er niet, hoor. We hebben het hier over behoorlijk afgeschermde materie.'

'En daarbovenop heb ik mijn Andromeda-volmacht...'

Brading bromde, opeens tevredengesteld. 'O, nou ja, Andromeda. Dat dacht ik wel. Dat moest wel, aangezien je bij het KVO zit, toch. Maar ja... ik moest het vragen. Dat begrijp je toch wel.'

Dunphy knikte. 'Zeker.'

'Hoe dan ook,' vervolgde Brading, 'ik heb geloof ik wel een jaar of vierentwintig bij de 143ste gezeten. Ben in Roswell begonnen – maar toen was het niet de 143ste. In een van die naamloze eenheden die bij de 509de hoorden.'

'De 509de?'

Brading fronste zijn voorhoofd. 'De 509de nucleaire bommenwerpersgroep. Heb je niet opgelet bij geschiedenis?'

'Jawel, hoor,' zei Dunphy met een geruststellende glimlach naar de oude man.

'Die de atoombom op de Jappen heeft gegooid,' legde Brading uit, en hij voegde er met een knipoog aan toe: 'Onder andere.'

Er leek een blik van verstandhouding verwacht te worden en daar zorgde Dunphy voor. 'O... oké,' zei hij en hij wierp de blik.

'Hoe dan ook, dáár heb ik... even zien hoor, zeker twaalf jaar bij gezeten.'

'Vanaf wanneer?'

'Zestig. Tot en met eenenzeventig, misschien tweeënzeventig. Toen kregen we onze naam. De 143ste.'

Dunphy knikte.

'Moet je dat niet opschrijven?'

'Jawel,' zei Dunphy en hij maakte een aantekening.

'Want toen is de 143ste begonnen. Zelfde jaar als Watergate. Makkelijk te onthouden.'

'Klopt.'

'En natuurlijk kon je zo'n 143ste niet vanuit Roswell laten opereren... Ik bedoel maar, daar wordt godsamme gewerkt! Er wonen mensen!'

Dunphy knikte begrijpend. 'Dus...'

'Hebben ze ons een standplaats in Dreamland gegeven.'

Dunphy keek hem blanco aan.

'Weet je niet wat Dreamland is?'

'Nee.'

'Tss! Ik dacht dat iedereen dat wist. Het is op tv geweest!'

'Ja, ach... ik kijk niet vaak tv.'

'Er zullen intussen boeken ook wel over zijn. Hoe dan ook, Dreamland ligt in de Nellis Range, pakweg honderdnegentig kilometer ten noordwesten van Vegas. Emigrant Valley. Ze hebben er vierhonderd vierkante kilometer...'

'Ze?'

'De luchtmacht. Drie of vier hangars, stuk of zes landingsbanen.'

'Heb jij daar gewoond?'

'Er "woont" eigenlijk niemand. Het is niet meer dan een boerderij met een zendmast en ratelslangen... en rare vliegtuigjes, natuurlijk. Het merendeel van het personeel woonde in Vegas en pendelde heen en weer.'

'Is er een pendeldienst?'

'Er werd zes keer per dag gevlogen vanaf McCarran Airport – doen ze nog steeds, denk ik. Duurt ongeveer een halfuur. Er wordt gevlogen door een dochteronderneming van Lockheed. Hoe die heet, weet ik niet meer. Hoe dan ook, ze vliegen met zwart geschilderde 767's met een rode streep over de romp.'

'Hoeveel mensen gingen er dan elke dag heen?'

'Een man of duizend. Heen en terug.'

'En die zitten allemaal bij de 143ste...'

'Nee, nee, nee. Absoluut niet. Toen ik er werkte, waren we met z'n tienen... hooguit.'

'En de rest...'

Brading haalde laatdunkend zijn schouders op. 'Proefdraaien, oefenen... er zit een eskader Aggressors, MiG-23's en Sukhoi Su-22's... die zitten bij Groom Lake. En ze zullen wel met een vervanger voor de Blackbird op de proppen zijn gekomen...'

'Echt!'

'Jazeker! Het schijnt een Tier III-straaljager te zijn, een verkenner die mach zes haalt op een radarprofiel dat op jouw hand past.'

'Wauw,' zei Dunphy.

'Jazeker wauw. Het was allemaal heel indrukwekkend en bovendien een goede dekmantel voor wat wij deden. Alhoewel, alles welbeschouwd waren de helikopters die wíj hadden geavanceerder dan de vliegtuigen.'

Dunphy knipperde met zijn ogen, niet zeker of hij het goed had gehoord. Hij wilde Brading vragen of hij wat hij over die dekmantel had gezegd nog eens wilde herhalen. In plaats daarvan vroeg hij: 'Wat voor helikopters?'

Bradings ogen begonnen te schitteren. 'MJ-12 Micro Pave Lows! De beste ter wereld. Dan hebben we het over een machine met dubbele turbo, kantelbaar rotorblad en de meest geavanceerde luchtvaartelektronica op het gebied van terreinachtervolging/-ontwijking die je je maar kunt voorstellen. Volkomen onopvallend, berekend op taken bij weinig tot geen licht en een bereik van ruim 1900 km. Als ik er alleen al aan denk, word ik helemaal week vanbinnen. Ik bedoel maar, die machine had vier miljoen softwareregels in de boordcomputers en een externe haak die een lading van twee en een kwart ton kon tillen. Je kon er langzaam en laag mee vliegen, je kon de rotors kantelen... klabám! Had je een turboprop. Dat is toch revolutionair! Onze kruissnelheid lag op driehonderd knopen en – dit is het allermooiste – dit is pas écht revolutionair – het enige wat je kon horen waren bijgeluiden! De wind ging tekeer en soms werd er eens iets omvergeblazen.'

Dunphy moet sceptisch hebben gekeken, want Brading vertelde nog geanimeerder verder.

'Ik overdrijf niet, weet je. Daar zat het 'm in. Die dingen waren doodstil.'

'Jezus.'

'Halleluja!'

Die reactie verraste Dunphy, maar hij bleef vragen afvuren. 'Je zat dus in Dreamland tot...?'

'Negenenzeventig.'

'En toen ging je met pensioen.'

'Nee,' verbeterde Brading hem, 'ik ging pas in '84 met pensioen. Toen het er voor Dreamland een beetje dubieus uitzag.'

'Wat bedoel je?'

'Je kon het zien aankomen. Er kunnen niet elke dag zoveel mensen van en naar Vegas vliegen zonder dat er iemand uit de school klapt.'

'Dus je werd overgeplaatst.'

'Zeg dat wel.'

'Waarnaartoe?'

'Vaca Base.' Toen hij zag dat dat Dunphy niets zei, ging hij er dieper op in. 'Dat is een kloof in het Sawtooth-gebergte. Richting Idaho. Enige manier om er te komen en weer weg te gaan is per helikopter. Dáár was het rustig.'

'Dat zal wel.'

Brading keek Dunphy schuin aan. 'Ik dacht dat je in mijn ziekte was geïnteresseerd.'

'Ben ik ook,' zei Dunphy. 'Vertel er maar over.'

'Ik weet niet wat er verteld moet worden. Ik ben in remissie, maar... genezen kan het niet echt. Ik heb het creutzfeldt-jakobsyndroom, heb je daar wel eens van gehoord?'

'Ja,' zei Dunphy. 'Het is eh...' Hij kon niet op de vakterm komen. Ten slotte zei hij: 'De gekkekoeienziekte.'

Brading keek verbaasd.

'Ik heb in Engeland gewoond,' legde Dunphy uit.

'O, ja, natuurlijk... daar is het erg. Daar zal iedereen er wel van gehoord hebben... maar hier niet.'

'Hoe heb je het...'

'... opgelopen?' Brading wierp zijn handen omhoog. 'Bij de Census, waar anders?'

'De Census...' zei Dunphy.

'De Boviene Census. Waar zouden we het anders over hebben? Wat dacht je dat ik deed?' Dunphy moet uitdrukkingsloos gekeken hebben, want Brading hield aan. 'Je hebt een Andromeda-volmacht en je hebt nog nooit van de Boviene Census gehoord?'

Dunphy deed zijn best om onverstoorbaar te kijken, maar vanbinnen kromp hij ineen. Even zei hij helemaal niets en toen leunde hij voorover. 'Een huis heeft vele kamers, meneer Brading.' Zoals hij het zei, met een stem die hooguit fluisterde, leek het cliché wel een waarschuwing.

Dunphy kon de radertjes achter Bradings voorhoofd horen draaien. Wat betekent dat? Een huis heeft... wát? Uiteindelijk bromde de oude man: 'Nou, hoe dan ook... wat het was... misschien weet je dat... we gingen 's nachts op pad en... nou, dan gingen we achter de koeien aan. Op de ranches.'

'Jullie gingen achter de koeien aan.'

'Doodden ze. Niet veel per ranch, niet veel per nacht. Maar wel een paar.'

Dunphy was verbijsterd. Hij wist niet wat hij moest vragen. 'Een paar,' herhaalde hij. 'Hoeveel zijn dat er?'

'Eens kijken. In tweeënzeventig mee begonnen... ik denk dat we er alles bij elkaar een paar duizend hebben afgemaakt. De kranten zeiden dat het er vier of vijf keer zoveel waren, maar... na een tijdje kreeg je na-apers. Als zoiets op gang komt, gaat het min of meer een eigen leven leiden. In feite was dat toch ook de bedoeling... althans, zoals ik het begreep was dat wat erachter zat. Dat het een eigen leven zou gaan leiden.'

'Een paar duizend,' herhaalde Dunphy.

'En een paar paarden.'

Dunphy knikte. En paarden.

'Trouwens,' zei Brading, 'een van de eerste dieren die we doodden was een paard. Van de King Ranch. Hebben d'r vanaf de hals gevild. Dat werd breed uitgemeten in de kranten, Snippy het paard. Je zult de verhalen wel hebben gezien. Overal voorpaginanieuws. Het arme beest.'

Dunphy schudde zijn hoofd en dacht: dit bedoelen ze met 'cognitieve dissonantie'. Dit bedoelen ze met 'daar valt je bek van open'.

'Je kunt haar nog gaan bekijken,' voegde Brading eraan toe.

'Wie?'

'Snippy! Ze hebben haar skelet in een museum gezet. Het Luther Bean Museum. Ginds in Alamosa.'

Dunphy knipperde met zijn ogen. 'Maar...'

'We verdoofden ze eerst, natuurlijk.'

Dunphy schudde zijn hoofd. 'Maar... waaróm?'

'Waaróm?! Omdat het pijn deed!'

'Nee, dat bedoel...'

'O, waarom we... nou, voor de organen. Het was zogenaamd voor de organen.'

'Wélke organen?'

Brading giechelde. Nerveus. 'Hoofdzakelijk genitaliën. En de tongen. De endeldarm. We hadden een van de eerste draagbare lasers – draagbaar m'n reet, het kloteding was zo ongeveer formaat koelkast – maar luister, je boorde er in nog geen halve minuut de endeldarm van een koe mee uit. Maakte er een perfecte cirkel van. Oké, toegegeven, de hemoglobine om de wondrand werd kokend heet, maar dan nog... een perfecte cirkel, gewoonweg. Echt *rond*.'

Dunphy's handpalmen werden opeens helemaal vochtig en de kamer leek muffer dan eerst. Hij dacht aan Leo Schidlofs lichaam en wist niet wat hij moest zeggen. Maar dat deed er niet toe: Brading was op dreef en de informatie stroomde naar buiten.

'Het ging natuurlijk louter om het *effect*. De boer die de wei in loopt en hé kijk, daar ligt die ouwe Bossy met haar vel binnenstebuiten opgevouwen naast d'r ruggengraat. Geen ribben, weefsel of organen – alleen vel en schedel als een stapeltje wasgoed in de sneeuw. Nergens bloed en géén voetsporen.' Brady lachte toen hij eraan terugdacht. 'Je kunt dit van me aannemen. Het was een angstaanjagend gezicht als je er niet op bedacht was.'

'Hoezo geen...' Dunphy's stem stierf weg.

'Voetsporen? Dat hing dus van het jaargetijde af. Als het koud was en er lag sneeuw, dan landden we gewoon en deden wat ons te doen stond. En als we klaar waren, stegen we weer op en máákten sneeuw, net als in de skipiste. We hadden een behoorlijk formaat watertank, drukslangen, alles. Zo werkten we onze sporen weg. En als de grond droog was, takelden we de koe gewoon op, deden wat ons te doen stond en lieten d'r een kilometer verderop weer neerkomen. Op die manier waren er dan ook geen sporen.'

Dunphy's vraag kwam langzaam. 'En de boeren. Wat moesten die ervan denken?'

Brading haalde zijn schouders op. 'O, weet ik veel. Meerdere dingen. Er gingen verhalen over een satanscultus... buitenaardse wezens... vliegende schotels. Ze dachten hoofdzakelijk wat Optical Magick wilde dat ze dachten.'

'Optical Magick?'

'Over vooruitlopen gesproken! Die jongens waren net een miniatuuruitgave van Skunk Works, alleen dan geen vliegtuigen maar special effects! *Eff! Eks!* Uit je dak!'

'Goed, hè?'

'Zeker weten! Ze hadden techniek... speciale lampen... projectoren... hologrammen... Je zag geen verschil tussen wat zij deden en tovenarij. Volgens mij wáren sommige dingen tovenarij!'

'Zonder gekheid.'

'Zeg ik toch! Die jongens zorgden er wel voor dat je erin geloofde.'

'Heus? Waarin dan? Geef eens een voorbeeld.'

Zonder aarzelen zei Brading: 'Paciparaná.'

'Wat is een patsjie...?'

'Paraná! Een klein kutdorpje in West-Rondônia. Dat wás het tenminste.'

'Waar ligt Rondônia?'

'In Brazilië,' zei Brading. 'Er kwam een paddenstoel voor waar de Technische Dienst in geïnteresseerd was. Een of andere hallucinogeen. Die hoe dan ook nergens anders voorkwam en de Dienst wilde hem hebben. Plaatselijke bevolking wilde niet. Indianenstam. Heilige grond. Dat soort gezwam.'

'Dus?'

'Dus stuurden we er een voorganger van de pinkstergemeente op af en die zei tegen hen: "Jeeee-zus zegt dat jullie moeten verhuizen."'

'En dat deden ze?'

'Tuurlijk niet... het waren geen christenen. Het waren wilden.'

'Wat gebeurde er dan?'

'Optical Magick streek even verderop neer en voor je tot tien kon tellen stonden de Paciparaná-indianen te kijken naar een twaalf meter hoge BMV...'

'BMV?'

'Beata Maria Virgo, ofwel de gezegende maagd Maria. Een hologram, hè. Zoals ik al zeg, twaalf meter hoog, in de lucht, pal boven het dorp... zomaar, drie nachten aan één stuk. Met de maan erachter! Een prachtig gezicht, om te janken! Een en al blauw licht en...'

'Die indianen gingen dus weg.'

'*Op hun knieën.* Zijn waarschijnlijk nog altijd op pad.'

'Optical Magick,' mompelde Dunphy.

'Juist. Medjugorje hebben ze ook gedaan. Roswell. Tremonton. Gulf Breeze. Godsamme, alle grote klussen hebben ze gedaan.'

Dunphy schudde zijn hoofd alsof hij het helder wilde maken.

'Ik weet 't,' zei Brading. 'Het is te gek. Niet dat ze perfect zijn.

Niemand is perfect.' Hij aarzelde even. 'Zal ik je eens iets laten zien?'

Dunphy schokschouderde verdoofd.

Brading grinnikte. 'Ben zo terug,' zei hij en hij reed zichtbaar opgewonden de kamer uit. Een minuut later kwam hij de kamer weer binnen rijden met een videoband op zijn schoot. Hij reed naar de tv, duwde de band in de recorder en drukte een paar knoppen in. 'Kijk maar eens.'

Een testbeeld flakkerde, knapte en telde af van tien naar een. Opeens maakte het beeld plaats voor een korrelige zwart-witopname van een man in een ruimtepak. Of... nee. Geen ruimtepak. Een chirurg of iemand die zich als een chirurg in beschermende kleding over een operatietafel boog.

'Wat is hij aan het doen?' vroeg Dunphy.

Brading schudde zijn hoofd. 'Kijk nou maar,' zei hij.

Dunphy kon zien dat het een oude film was, waarschijnlijk een op video overgezette 8-mm. Het trillende beeld wees duidelijk op een handcamera. De weergave op het scherm was dan weer scherp, dan weer onscherp terwijl de filmer door de kamer liep op zoek naar close-ups en een betere invalshoek. Toen die eindelijk was gevonden, hapte Dunphy naar adem.

'Wat is dat, godverdomme?'

'Niet vloeken,' zei Brading, die Dunphy's blik daarmee even naar zich toe trok: dat had hij sinds zijn twaalfde niet meer gehoord.

Dunphy staarde naar het beeldscherm. Het... *voorwerp*... op de tafel was naakt en niet helemaal menselijk. Of misschien wel voornamelijk menselijk of gewoon ernstig misvormd. Wat het ook mocht zijn, het was dood. En dat was maar goed ook, want de vent in het beschermende pak was sectie aan het verrichten.

Dunphy ademde diep in. Het schepsel op de tafel was geslachtsloos of leek dat althans te zijn. Het had twee benen, waarvan het rechter bij de kniestreek ernstige verminkingen vertoonde, en twee armen. Dunphy zag dat de linkerhand ontbrak, alsof die bij een ongeluk was afgerukt, en dat er aan de rechterhand één vinger te veel zat. Toen hij zijn blik op het gezicht van het schepsel richtte, zag hij dat de oren veel te klein waren en dat de ogen, zwart en bodemloos, onmogelijk groot waren. De mond had dan weer het formaat van een kogelgaatje en was net zo rond. Lippen ontbraken.

Langzaam zoomde de camera in op de handen van de chirurg en

het beeld werd scherper terwijl hij een grijze massa uit de borstholte van het schepsel nam en in een roestvrijstalen schaal deponeerde. Dunphy wist niet wat de massa moest voorstellen – het een of andere orgaan, maar welk? Deed er niet toe. Er was iets wat zelfs nóg interessanter was om bij stil te staan, iets wat ontbrak.

'Waar is zijn navel?' vroeg Dunphy. Brading schudde zijn hoofd, de vraag ergerde hem. 'Hij heeft geen navel,' herhaalde Dunphy. 'Of borsten.'

Brading knikte zonder interesse en prikte vervolgens met zijn vinger in de lucht in de richting van het tv-toestel. 'Daar,' zei hij, plotseling opgewonden, 'zie je het?' Hij richtte de afstandsbediening op de televisie en bevroor het beeld.

Dunphy snapte er niets van. 'Wat moet ik zien?'

'Wat? Hállo! Wat klópt hier niet?'

Dunphy wist niet wat hij bedoelde. 'Wat er niet klopt? Er klopt niets van! Die knaap heeft geen navel. Hij heeft geen tepels. Hij heeft zes vingers...'

Brading lachte. 'Nee, nee, nee,' zei hij. 'Dat bedoel ik niet! Dat zit allemaal wel goed.' Hij prikte een vinger naar de tv. 'Ik bedoel het telefoonsnoer – op de achtergrond. Kijk daar eens naar.'

Dunphy keek. Er was een wandtoestel te zien op de achtergrond, boven een schaal met chirurgische instrumenten en... 'Nou, en?'

Brading giechelde. 'AT&T máákte helemaal geen krulsnoeren voor begin jaren vijftig – een-, tweeënvijftig. En dit is zogenaamd opgenomen in zevenenveertig. Daarom is dit allemaal ongebruikt materiaal. Het heeft één komma vijf miljoen gekost om het te maken en toen moesten ze het wegdoen. Allemaal vanwege een telefoonsnoer! Het is toch niet te geloven!' Brading lachte en Dunphy hoorde zichzelf instemmend grinniken.

'Hoe ben je eraan gekomen?'

Brading haalde zijn schouders op. 'Blijft dat onder ons?' Dunphy knikte. 'Een van de jongens heeft 't naar me opgestuurd.'

'Van Optical Magick?'

Brading knikte. 'Over bloopers gesproken! Er stonden een paar mutsen verkeerd, dat wil je niet weten. Belangrijke mutsen, hè. Mutsen uit Washington. En dat is te begrijpen. Want heb jij enig idee hoe lastig het is om aan onbelichte Kodak-film, *bruikbare* onbelichte film te komen die in zevenenveertig gebruikt had kunnen worden?'

'Nee,' zei Dunphy.

'Nou, dat is lastig. Zacht gezegd.' Brading zette de tv uit en keek Dunphy aan. 'Waar hadden we het over?'

Het duurde even voordat Dunphy antwoordde. Ten slotte zei hij: 'Snippy. Runderen, bedoel ik.'

'Precies! Wat ik net wou zeggen was dat er één ding was dat geen mens geloofde: de officiële uitleg.'

Dunphy, die moeite had met de sprong van runderverminking naar nep-sectie en terug, was het even kwijt. 'Welke uitleg?' vroeg hij. 'Waarvoor?'

'Voor die verminkingen,' legde Brading uit. 'Want echte roofdieren – waar ze het op wilden gooien – gaan nou eenmaal niet zo te werk. En bovendien hadden een paar mensen de helikopters gezien en dat werd in de krant genoemd.'

Dunphy dacht even na en vroeg: 'Wat deden jullie met de organen?'

'Die haalden we eruit. We hadden dus operatietechnici. Geen dokters, hoor – de jongens die wij hadden waren eerder veearts. Of wie weet studeerden ze. Volgens mij kwam diergeneeskunde er het dichtst bij in de buurt.'

'Maar wat gebeurde ermee?'

'Waarmee?'

'Met de organen.'

'Ik zei toch al, het ging niet om de organen. Die waren gewoon een nevenproduct, bijkomende schade, net als de koeien. Maar als je het toch wilt weten: we verbrandden ze.'

'Dus het was niet zo dat die werden onderzocht of iets dergelijks.'

'Nee,' zei Brading. 'Natuurlijk niet. Ze werden niet onderzocht. We haalden die krengen eruit en verbrandden ze.' Brading wachtte even. 'Behalve...'

'Behalve?'

'Een paar keer hebben we de hersenen eruit gehaald en klaargemaakt.'

'De hersenen.'

'Ja. Ik kan best goed koken.'

Dunphy knikte.

'En ze denken dat ik daardoor de ziekte van creutzfeldt-jakob heb opgelopen – door die hersenen. Want die zijn een vector.'

Met zijn pen in de aanslag boven zijn aantekenboekje zat Dunphy in stilte te knikken. Hij wist niet goed wat hij moest schrijven. Ten slotte borg hij de pen op, deed het boekje dicht en zei: 'Ik snap het niet.'

'Je bedoelt...?'

'Waar gíng dit over?'

Brading stak zijn handen in de lucht alsof hij zich overgaf. 'Hoe moet ik dat weten? Voor zover ik er iets van weet, was het de bedoeling dat er een "effect" tot stand werd gebracht. De mensen moesten aan het denken worden gezet. Aan het praten. Ze bang maken, misschien. Dat is dus gebeurd en volgens mij was het best een succes, anders zou ik het geen twintig jaar hebben gedaan. Ik weet niet of je het hebt gevolgd, maar runderverminking is een hele tijd in het nieuws geweest.'

Dunphy knikte. 'En dat was alles? De hele opdracht?'

'Toen ik erbij zat, was dat wat we deden. Naderhand, tegen het einde van mijn diensttijd, begonnen we met van die – ik weet niet hoe je ze moet noemen – "patronen" in de korenvelden.'

'Wat voor patronen?'

'Meetkundige. We maakten een paar cirkels en daarna maakte we er een paar die – weet ik veel – wel iets artistieks hadden. De Dienst noemde ze agrogliefen. Tegen die tijd was ik behoorlijk ziek aan het worden. Moest ermee kappen. Maar het uitgangspunt was nog steeds hetzelfde. En daar lieten we ook nooit voetsporen achter.'

Dunphy zat een tijdje te zwijgen terwijl zijn hersens als een kompas op de Zuidpool draaiden. Uiteindelijk kwam hij overeind. 'Ja,' zei hij, 'dat was heel lekkere limonade.'

'Dank je.'

'Ik denk niet dat er problemen zullen zijn met je uitkering.'

'Fijn. Daar zat ik over in.'

'Het was allemaal...'

'Plichtshalve.'

'Precies. Ik pleeg morgen een telefoontje met de rekenkamer om te zeggen hoe de vork in de steel zit. Ik denk niet dat ze nog contact met je zullen opnemen.'

'Fantastisch.'

'Maar...'

'Wat?'

Dunphy knikte naar de zwarte doek. 'Mag ik...'

Brading volgde Dunphy's blik en begon tegen te stribbelen, maar haalde in plaats daarvan zijn schouders op. 'Ik zou niet weten waarom niet. Ga je gang.'

Dunphy liep naar de doek en tilde hem op.

'Dat is allemaal vertrouwelijk,' zei Brading tegen hem, terwijl hij door de kamer reed en naast Dunphy kwam staan. 'Het Purperen Hart was voor mijn ziekte – je ziet wat eronder staat. En de medaille van de inlichtingendienst is een erepenning voor de hele loopbaan. En...'

'Het spijt me dat ik dit heb moeten zien.'

Brading keek verbijsterd. 'Waarom? Wat is er mis?'

'Deze kun je niet houden,' zei Dunphy.

'Dat kan ik godverdomme wel!' reageerde Brading furieus. 'Het zijn míjn medailles!'

'De medailles bedoel ik niet. Die kun je houden. Ik bedoel dit!' Dunphy pakte een lijstje van de muur en liet de zwarte doek weer over de medailles vallen. In het lijstje zat een gelamineerd identiteitsbewijs van ongeveer zes bij tien centimeter, voorzien van een kettinkje waarmee je het om je nek kon hangen. In de linkerbovenhoek van de pas stond een wazig hologram en rechts beneden een duimafdruk. Midden op de pas was Brading en face afgedrukt met eronder de tekst:

MK-IMAGE
Beperkt Toegankelijk Programma
E. Brading
* ANDROMEDA *

'Het spijt me,' zei Dunphy, 'maar...'

'O jee...'

'Dat identiteitsbewijs zal ik mee terug moeten nemen naar Washington.'

Brading zag er verslagen uit. 'Het is een aandenken!'

'Weet ik,' zuchtte Dunphy met een stem waaruit deelneming en spijt sprak. 'Maar... daar gaat het juist om, nietwaar? We kunnen zulke aandenkens niet zomaar laten rondslingeren. Ik bedoel maar, denk je eens in. Stel dat er ingebroken wordt? Stel dat het in Verkeerde Handen valt?'

Brading snoof minachtend.

Dunphy stopte het identiteitsbewijs met lijst en al in zijn aktetas en klikte die dicht. 'Zo,' zei hij en hij trok een opgewekt gezicht, 'bedankt voor de limonade.' Hij sloeg Brading op zijn schouder. 'En nu is het volgens mij de hoogste tijd om op te stappen.'

De twee mannen grinnikten even, maar toen Dunphy op de deur af liep, werd Brading ernstig.

'Moeten we niet eerst bidden?'

Dunphy dacht dat hij het verkeerd had verstaan. 'Wat?'

'Ik vroeg of je eerst wilde bídden.'

Dunphy keek voor zijn gevoel langdurig naar de oudere man, in afwachting van zijn lachje. Uiteindelijk zei hij: 'Nee... dank je. Ik moet mijn vlucht halen.'

Brading keek teleurgesteld... en niet alleen maar teleurgesteld. Er was nog iets: verwarring, misschien, of achterdocht. Iets dergelijks.

14

Dunphy's stemming volgde dezelfde koers als de 727 waar hij in vloog. Bij het opstijgen ging ze scherp omhoog *(Optical Magick! Bim-bam-bom!)*, ergens boven Indiana werd ze gelijkmatig *(tegen het einde van mijn diensttijd begonnen we met van die patronen)* en vervolgens begon de afdaling naar Washington. *(Medjugorje hebben ze ook gedaan.)* Tegen de tijd dat hij landde, was Dunphy zeer somber gestemd.

Dat waren de grootste leugens die ik ooit heb gehoord, dacht hij. *(Tremonton. Gulf Breeze. Alle grote klussen.)* En hij was erin meegegaan! Daarginds in hartje Kansas had Jack Dunphy zitten luisteren naar Brading en alles geloofd wat de man had gezegd. En nu, terwijl hij de terminal uit liep, stak hij de draak met zijn eigen goedgelovigheid: een twaalf meter hoge madonna die boven het bladerdak van de jungle zweeft – nou, waarom niet? Klinkt aannemelijk, vind ik!

In zichzelf mompelend over hoe stupide hij was geweest, liep Dunphy naar het gedeelte voor kortparkeerders. Er was niets wat hij nog kon doen. De affaire-Brading bracht hem geen stap verder – een canard. Het Korps Veiligheidsonderzoek had zijn onnozele trucje blijkbaar doorzien, de boel in de gaten gehouden en hem een bariumpapje toegediend om erachter te komen van wie hij hulp kreeg. Op de een of andere manier wisten ze dat hij met Murray had gepraat en in het licht daarvan hadden ze het archief van het Pentagon voorzien van één enkele verwijzing naar de 143ste, er (terecht) op gokkend dat Fremaux die zou vinden en Dunphy zou inlichten en dat Dunphy vervolgens de eerste vlucht naar Kansas zou nemen. Waar het KVO een acteur had neergezet die hem opwachtte met een leuterverhaal dat zo geschift was dat Dunphy voor gek zou staan als hij ooit zou proberen het na te trekken. Achter vliegende schotels en verminkte koeien aan jagen.

Dát was het natuurlijk, dacht Dunphy toen hij de lift nam naar de bovenste verdieping van de parkeergarage. Matta wilde hem voor gek verslijten, want dan zou niemand naar hem luisteren als hij toevallig tegen iets aan liep dat inderdaad met de moord op Schidlof te maken had. Ze zouden denken dat hij niet goed snik was. En daar, zei Dunphy tegen zichzelf, komt niets van in. Ik bén niet gek. Ik ben... wat ben ik?

Paranoïde. Helemaal en honderd procent paranoïde.

Hij vond zijn auto waar hij hem had neergezet, stapte in en startte de motor. Je moet ermee kappen, zei hij tegen zichzelf. Hier komt rotzooi van. En verder niets.

De hele toestand lag toch al buiten zijn bereik, bedacht Dunphy. Bij de Dienst waren Roscoe en hij personae non grata; hun toegang tot geheime informatie was nihil. Het hele plan had hen in een moeilijk parket gebracht; het was gewoon een kwestie van tijd tot ze allebei werden ontslagen – als dat niet al was gebeurd.

Zo zat het dus. Eigenlijk hadden de gebeurtenissen Dunphy's nieuwsgierigheid aangewakkerd. Terwijl hij zich nog steeds afvroeg waarom zijn leven overhoop was gehaald, was dat in werkelijkheid een *feit* waar hij niets aan kon veranderen. Nu niet meer. Het was tijd om door te gaan. De boel bij te houden.

Maar toch, bedacht hij, terwijl hij de auto uit de parkeergarage en in het verkeer bij de luchthaven manoeuvreerde, kon het geen bariumpapje zijn geweest. Niet echt. Omdat de enige mensen op wie Dunphy kon rekenen Roscoe en Murray waren, en waarom zou de Dienst, als ze dat toch al wisten, hem naar Kansas sturen?

En Brading wás overtuigend. Het was niet zo dat hij had geaarzeld, naar antwoorden had moeten zoeken. Dat verhaal over helikopters die sneeuw maken – dat had Brading niet verzonnen. In elk geval niet ter plekke. En de rekwisieten? Als ze Brading een show hadden laten opvoeren, waar kwamen die rekwisieten dan vandaan? De foto van Rhinegold en Brading in het korenveld *(Ha Ha Ha!)* en de identiteitspas van MK-IMAGE. Harry Matta zou hem daar nooit mee hebben laten weglopen – ook niet als het geen echte was. En hij móést wel nep zijn, want anders...

Anders was het te eigenaardig.

Twintig minuten later reed Dunphy vanaf G.W. Parkway Dolley Madison Boulevard op. Hij koerste langs de oprit naar het CIA-hoofdkwartier en baande zich een weg door McLean naar Belleview Lane. Eenmaal daar zag hij door de bomen de lichten flikkeren en zijn maag kromp ineen. Rood licht, blauw licht – *zwaailicht. Probleemlicht.*

En toen hij vervolgens het huis naderde, hoorde hij radiogeknetter en zonk er iets in zijn borst. Er stonden twee patrouillewagens op de oprit en een ambulance bij de achterdeur. Op het gazon voor het huis zat voorin in een grijze personenauto een man te roken wiens gezicht door het donker niet te zien was. Dunphy liet de motor aan het begin van de oprit stilvallen, zette de versnelling in zijn vrij, stapte uit en rende naar het huis zonder te letten op wat een agent naar hem riep.

Hij trok de hordeur bijna uit zijn hengsels en stormde de woonkamer binnen, waar iemand van de technische recherche overlegde met een politiefotograaf. 'Waar is Roscoe? Godverdomme, waar...'

Er kwam een lange man in een goedkoop zwart pak uit de keuken. Hij leek op Ichabod Crane. Hij was zeker een meter vijfennegentig, woog nog geen zeventig kilo, droeg een wit overhemd en een veterdas en had donkere wallen onder zijn ogen. Een gelamineerde identiteitspas bungelde aan een kettinkje om zijn nek. Dunphy liep op hem af en probeerde te lezen wat er op de pas stond.

'Wie ben jij?' vroeg het Pak.

'Ik woon hier,' zei Dunphy. 'En waar is Roscoe, godverdomme?' Hij zag de woorden 'Beperkt Toegankelijk' voordat het Pak de pas onder zijn colbertje duwde.

De politiemensen keken elkaar ongemakkelijk aan. Een van hen kuchte en toen Dunphy hem aankeek zag hij de ogen van de technische man naar de salontafel gaan. Naast de *Archaeus* had iemand zes polaroids neergelegd. Dunphy liep naar de foto's, pakte er een op en staarde ernaar.

'De werkster heeft hem gevonden,' zei de agent.

Het Pak knikte. 'Ze hebben hem een uur geleden weggehaald,' zei hij. En toen voegde hij er met iets wat klonk als oprechte spijt aan toe: 'Dus jij bent Dunphy.'

Dunphy zei niets. Hij kon niets zeggen. Omdat de foto hem de adem benam. Er was een naakte man op te zien met netkousen aan, die aan een stel trekveren was opgehangen in wat onmiskenbaar Roscoe's kast was. Om het hoofd van de man – om Roscoe's hoofd – zat een doorzichtige plastic zak die was dichtgebonden met iets snelbinderachtigs. Zijn ogen puilden uit. Zijn tong hing slap naar buiten. Een kwijldraad hing aan zijn kin. Op de grond onder zijn voeten lagen een omgevallen krukje, een pocketboek en her en der wat tijdschriften.

'Krijg nou wat!' fluisterde Dunphy en hij liet de foto vallen. Hij pakte een andere. Het was een close-up van een van de tijdschriften, een pornoblaadje dat *Blue Boy* heette, die onder Roscoe's bungelende voeten lagen. Ernaast lag een pocket: *Man's Best Friend.*

'Auto-erotische suïcide.' Dat was het Pak.

Dunphy wist niet wat hij moest doen. Hij legde het kiekje weer op tafel en pakte de *Archaeus*. Hij sloeg hem open. Hij deed hem dicht. Hij ging zitten. Hij stond op. Hij liep drie passen hierheen en drie passen daarheen. Uiteindelijk zei hij: 'Dat geloof ik niet.'

'Wat?'

'Roscoe heeft geen zelfmoord gepleegd. Niet op deze manier.'

Het Pak haalde zijn schouders op. 'Tja, misschien heeft hij het gewoon een beetje overdreven. Ik bedoel, wat ik ervan weet is dat hoe dichter je bij verstikking komt, hoe heftiger het orgasme. Maar het is een dun lijntje.' Hij wachtte even en haalde zijn schouders nog eens op. 'Is me verteld.'

Dunphy schudde zijn hoofd. 'Hij zou dit niet doen,' zei hij. 'Hij had niet geweten hoe! Ik bedoel, hij keek nooit naar Oprah of zo. Van dit soort dingen... *had hij de ballen verstand!*'

De technische man schudde zijn hoofd. 'Dat weet je maar nooit,' zei hij.

'Ik woonde onder één dak met deze man!' antwoordde Dunphy met een stem die hoger begon te klinken. 'Na een tijdje weet je wel degelijk iets van iemand af. En dan nog, iemand die hierop uit is, gaat toch niet op zoek naar een huisgenoot! Snap je wel?'

Het Pak schraapte zijn keel. 'Misschien kun je ons zeggen waar je geweest bent...' Onder Dunphy's woeste blik deed de man een stap naar achteren. 'De laatste paar dagen, hoor.'

Dunphy negeerde de vraag. 'Wie is die vent hier voor?' vroeg hij.

'Welke vent?'

'Die vent op het gras voor mijn huis, godverdomme! In de auto.'

'Hij bedoelt die manke,' hielp de fotograaf.

Het Pak keek de fotograaf woedend aan en richtte zich weer tot Dunphy. 'Daar kom ik zo meteen op terug,' zei hij. 'Laten we er gewoon van uitgaan dat hij ons helpt erachter te komen wat hier is gebeurd.' Hij wachtte even en ging toen verder. 'Dus,' zei hij met een behulpzame stem, 'je was op reis?'

'Lul niet, man,' zei Dunphy. 'Jij bent niet van de politie.'

Het Pak werd nijdig. 'Klopt,' kaatste hij terug. 'Ik werk voor dezelfde baas als jij.'

'Niet meer.' Dunphy maakte rechtsomkeert en liep het huis uit. De hordeur sloeg achter hem dicht.

'Hé!' riep het Pak. 'Waar ga je heen? Ik ben nog niet klaar! Hé! Je wóónt hier!'

Niet meer, dacht Dunphy. Jack Dunphy is pleite. Jack Dunphy is *vertrokken*.

Er gloeide een sigaret in de grijze personenwagen toen Dunphy op zijn auto aan het begin van de oprit af liep. Hij gooide de *Archaeus* op de zitting – hij had niet in de gaten gehad dat hij het tijdschrift nog steeds vast had – en stapte in. Vijf minuten later reed hij op de ringweg en nog eens tien minuten later reed hij er weer vanaf.

En zo maar door: erop en er weer af, erop en er weer af. Anderhalf uur was hij met deze eentonige contrasurveillance bezig, waarbij hij van de ringweg af ging op zoek naar een stille weg waar hij in het donker kon keren. Hij reed naar het zuiden, vervolgens naar het oosten, weer naar het noorden, weer naar het zuiden, er weer op, er weer af, totdat hij ten slotte om één uur 's nachts zeker wist dat niemand hem volgde.

Pas toen hij over de Interstate 95 naar het noorden reed, besefte hij dat hij op een gegeven moment was gaan hyperventileren. Zijn handpalmen waren vochtig en hij voelde zich licht in zijn hoofd, het ene ogenblik wazig, het andere alert. Zo voelde het wanneer je bang was, alsof er een lont ligt te sissen in je hart.

Intussen was hij aan het rijden, niet echt ergens heen, alleen maar om weg te komen van de plek van de gruweldaad. Die afschuwelijk was, uiteraard, en angstaanjagend bovendien, want Dunphy was ervan overtuigd dat Roscoe was vermoord en dat hij er zelf ook aan zou zijn gegaan als hij niet in Kansas had gezeten.

Twee uur later hield hij halt bij een chauffeurscafé bij de Delaware Memorial Bridge en belde Murray Fremaux. De telefoon ging zes, zeven keer over en toen klonk Murrays stem in het toestel, slaperig en gekweld. 'Halll-lo?'

'Murray...'

'Wie is dit?'

'Jack.'

'Jack? Jezus man, hoe láát is het?'

'Een uur of drie, denk ik.'

'En...'

'Niet praten. Helemaal niets zeggen.'

Dunphy hoorde hoe Murray zijn adem inhield. Hij hoorde hem alert worden.

'Ik moet weg,' zei Dunphy. Hij wachtte even en voegde er toen aan toe: 'Roscoe is er geweest.'

'Wat?'

'Ik zeg, mijn huisgenoot *is er geweest.*'

'Oooo... ooo, shit.'

'Ik wou alleen even zeggen dat je op je tellen moet passen. Echt.'

Murrays adem sidderde in het toestel. De stilte was perfect, digitaal, *resonerend.*

'Dit is echt een goede verbinding,' merkte Dunphy op, zonder dat dat ergens verband mee leek te houden.

'Ik weet het,' zei Murray. 'Net of je hiernaast zit.'

Kut! dacht Dunphy, ze luisteren hem al af. Hij gooide de hoorn erop en ging op een drafje terug naar zijn auto.

Hij kon de polaroids niet uit zijn hoofd zetten. Hij wilde er niet aan denken, maar daar waren ze, vastgelijmd aan de binnenkant van zijn oogleden. En met een ervan, die met het pornoromannetje, was iets gaande wat hem niet met rust liet. *Man's Best Friend.* Dunphy had de pocket eerder gezien, maar hij wist niet waar, het was om gek van te worden. Hij kon er niet op komen en het was belangrijk.

Terwijl hij van Delaware naar Jersey overstak, probeerde Dunphy niet aan de pocket te denken. Als je er geen moeite voor deed, doken herinneringen soms vanzelf op. Het was een soort judo. Dus hij zette de polaroid uit zijn hoofd en dacht aan iets anders wat hem dwarszat. Wat had die agent ook alweer gezegd? Iets over een 'manke'. *Hij bedoelt die manke*. Dat had hij gezegd. En hij bedoelde die vent die in die grijze auto had zitten roken.

Plotseling wist Dunphy weer waar hij het boek had gezien. Het was van degene die de leugendetector had bediend, de man met de horrelvoet. Dat was de vent waar de agent het over had gehad. Dat was de vent in de grijze auto.

Een paar maanden geleden was de pocket een rekwisiet geweest die was gebruikt om Dunphy's gemoedstoestand aan te scherpen en de spanning op te voeren in het vertrek. Zo gingen leugendetectors te werk. Ze wilden geen ontspannen subject, want ontspanning leverde dubbelzinnige uitkomsten op. Met een ontspannen subject produceerde het apparaat een vage lezing, dus deed de onderzoeker wat hij kon om de spanning op te vijzelen zodat de leugens meer opvielen.

En op seks kon je altijd rekenen als middel om de spanning op te vijzelen.

Niets mis mee, dacht Dunphy. Maar nu werd de pocket ergens anders voor gebruikt. Hij werd gebruikt als bewijs van Roscoe's veronderstelde perversie en voedde zo de leugen dat zijn dood een soort zelfmoord was geweest. Of, als het geen zelfmoord was, dan toch een schandelijk ongeval waarin Roscoe's vrienden en zijn familie zich liever niet wilden verdiepen.

Allemaal dingen die erop wezen dat zijn vriend was vermoord door die eikels met hun veterdas. Rhinegold en Esterhazy. Het Pak. Honderdvijftig kilometer lang bleef hij die gedachte wikken en wegen en zich afvragen wat hij eraan moest doen. Zijn ogen gleden naar de achteruitkijkspiegel en terug, op zoek naar een verdachte auto, maar hier was helemaal niemand. Alleen Dunphy en de lege weg, voorbijflitsende HoJo-restaurants en af en toe een reclamebord dat zijn aandacht opeiste. Zoals die ene buiten Metuchen, waarop stond:

LAAT JE NIET MEESLEPEN!
BLIJF WAAR JE BENT!
(WE WETEN JE TE VINDEN!)

O, idioot die ik ben, dacht hij. Kan het nog stommer?

15

Geen wonder dat er niemand achter me aan komt. Ze zitten in het communicatiecentrum donuts te eten en koffie te drinken, met hun voeten op tafel en een landkaart van de oostkust aan de muur voor hen. Ze amuseren zich kostelijk met het transpondersignaal dat over de Jersey-snelweg naar het noorden kruipt, richting New York. Een paar uur geleden moeten ze in een deuk hebben gelegen toen hij hen probeerde af te schudden door de ringweg op en af te zigzaggen om een niet-bestaande achtervolger kwijt te raken.

Dunphy was razend op zichzelf.

Waar had hij godverdomme gezeten met zijn gedachten? Zo'n transponder was helemaal niet zo bizar. De FBI gebruikte ze voortdurend. En niet alleen tegen de Russen. Hier in de stad reden wel honderd kleine criminelen rond bij wie in de tuimelaar of in een ander autodeel een transponder was ingebouwd. En niet alleen bij hen. Dunphy had zijn auto maandenlang in vak G geparkeerd, nog geen honderd meter bij het hoofdkwartier vandaan. In die tijd was hij de centrale figuur geworden van een onderzoek dat kennelijk door psychopaten werd verricht. Hoe groot was de kans dat er zo'n ding in zijn auto zat? Ongeveer even groot als de kans dat je zwaartekracht aantrof in een mijnschacht.

Toen hij het bord voor het vliegveld van Newark zag, ging hij van de snelweg af en dacht: zodra het signaal stilstaat – wat zo meteen gaat gebeuren – gaan ze de auto zoeken. En vinden hem op de parkeerplaats van het vliegveld. Dan gaan ze alle luchtvaartmaatschappijen af om de passagiers op de vertreklijsten voor morgenochtend vroeg na te lopen. Op een gegeven moment gaan ze mijn creditcards volgen, in real time, en sporen ze me op aan de hand van mijn betalingen. Uiteindelijk halen ze me deze of volgende week in en komt alles bij elkaar. En dat was het dan.

En dan is het dus meteen afgelopen.

Althans, dacht Dunphy, dat denken Matta en zijn vrienden.

Dunphy reed het terrein voor kortparkeerders op en stapte uit zonder de auto af te sluiten, met de raampjes omlaaggedraaid en de sleutel in het contact. Het lag niet voor de hand dat iemand hem zou stelen, maar hij had niets te verliezen als hij hem zo achterliet. Als hij geluk had en hij werd gestolen, dan zou de Dienst het transpondersignaal blijven volgen – en dat zou Dunphy een paar uur erbij geven, misschien een paar dagen.

Met zijn aktetas en de reistas die hij mee naar Kansas had genomen liep Dunphy naar de bushalte voor de aankomsthal. Daar nam hij de bus naar Manhattan, waar het net licht werd toen hij aankwam, en hij stapte uit bij het vervoersbedrijf van de Port Authority in 42nd Street. Binnen kocht hij een kaartje voor de bus naar Montreal, betaalde contant en ging naar het toilet. Daar stond hij even bij de wastafel, gooide koud water in zijn gezicht en droogde zijn handen aan een wegwerphanddoek. Bij het naar buiten lopen liet hij zijn Visa- en Mastercard op de tegelvloer vallen. Iemand zou van het plastic profiteren, wat Harry Matta eindeloos in de war zou brengen. *Wát doet hij? Hij koopt een stereo?!*

Er waren drie uren te doden voordat de bus vertrok en Dunphy hielp ze een voor een om zeep in een cafétje in West 57th Street, terwijl hij koffiedronk en de *Times* las. Om negen uur ging hij te voet naar het kantoor van American Express, waar hij op vertoon van zijn Platinum Card een cheque ter waarde van vijfduizend dollar verzilverde. Meer contanten had hij niet – hij was geen spaarder – en hij zou er elke cent van nodig hebben. Toen ging hij terug naar de Port Authority om op de bus naar Montreal te wachten.

Even wist hij niet waar hij was of hoe laat het was. Hij lag met open ogen in het donker, een vensterloze monade in de diepte van zijn hotelkamer, in zwart gedompeld zonder iets te zien. Hij was blind. Hij was dood. Hij was suf van uitputting of van te veel slapen – een van beide, hij zou niet weten wat. In zijn borst kwam iets angstigs omhoog en om ertegenin te gaan kwam hij langzaam overeind en bracht zijn linkerpols naar zijn ogen.

Het horloge lichtte op. Elf uur, dacht Dunphy. Het is elf uur en ik lig in bed. Ergens. Maar niet thuis.

Toen wist hij het weer – Brading, Roscoe, Newark, de bus. Hij was in Montreal, in een klein hotel dat geen creditcards accepteerde. Een paar uur eerder had hij met zware gordijnen de zonsondergang buitengesloten, hij was op het bed gaan liggen en...

Langzaam ging Dunphy staan en wankelde à la Frankenstein met zijn armen voor zich uit door het donker, op zoek naar de ramen aan de andere kant van de kamer. Het was geen groot vertrek en na drie of vier passen had hij de gordijnen al gevonden. Met zijn handen vol velours trok hij ze geeuwend open met een ruk die zijn brein onmiddellijk met zonlicht omspoelde. Instinctief klapten zijn ogen dicht en als een vampier deinsde hij terug en vloekte tegen de zon.

Het was elf uur 's morgens, niet 's avonds, en hij had veel te doen.

Roscoe's dood had alles veranderd. Ze waren net kinderen geweest die een gat hadden gevonden toen ze aan de oever van een stroompje aan het spelen waren en er met een stok in hadden geprikt. Het ding dat toen naar buiten kwam kruipen was geen gewone slang geweest, maar iets vreselijks en onverwachts: mysterieus, dodelijk en misvormd. Het had Roscoe ter plaatse afgemaakt en nu gleed het op Dunphy af.

Die het wilde doden. Die het móést doden. Maar hoe? Dunphy wist niet wat het was – waar het begon of waar het ophield. Hij wist evenmin waar het op uit was (behalve op zijn dood).

Wat hij wel wist, was dat er in Montreal geen antwoorden te vinden waren. Die lagen in Londen en Zug, bij Schidlof en het Speciaal Archief. Maar om in Europa te komen had hij een paspoort nodig en daarbij kwam Canada van pas.

Zijn reisdocumenten lagen in McLean, in de bovenste la van zijn commode. Hij moest ze vervangen. Wat hij wilde was natuurlijk 'een echte vervalsing', een echt paspoort met zijn eigen foto op naam van iemand anders. Maar daar had hij de contacten niet voor – niet in Canada, althans, en niet in de Verenigde Staten. Het beste wat hij op korte termijn voor elkaar kon krijgen was een nieuw paspoort op zijn eigen naam, dat document gebruiken om Europa mee in te reizen en het vervolgens te dumpen voor een speciaal vervaardigd exemplaar. Dat hield uiteraard in dat hij persoonlijk moest komen opdraven bij het Amerikaanse consulaat in Montreal, maar Dunphy dacht niet dat dat problemen zou geven. Zijn naam stond niet op de door de staat en de douane gehanteerde lijsten en het was onwaarschijnlijk dat Matta dergelijke instellingen op de hoogte had gesteld van zijn plotse belangstelling voor iemand die Dunphy heette. Matta wilde de zaak ongetwijfeld in eigen hand houden – binnenskamers – en zou andere instellingen niet inschakelen tenzij en totdat de pogingen van de CIA waren gestrand. Wat inhield dat Matta op dit moment waarschijnlijk op het vliegveld van Newark de passagierslijsten naliep en overal in New York achter Visa-transacties aan holde.

Dunphy zou dus naar het consulaat gaan, waar je misschien wel makkelijker aan een nieuw paspoort kon komen dan in de Verenigde Staten zelf. Hij wist uit ervaring dat consulaatsmedewerkers in het buitenland vaak behulpzamer zijn dan hun tegenhangers in eigen land. Waarom ook niet? Een Amerikaan die in den vreemde zijn paspoort was kwijtgeraakt was op zijn minst marginaal sympathieker dan de sufferd die dat in Boston of New York overkomt. Maar als hij die dag nog een paspoort wilde krijgen, moest hij aantonen dat hij een dringende reden had om te reizen; enig vertoon van prestige kon daarbij absoluut geen kwaad.

Hij voldeed aan de eerste eis bij een reisbureau dat bij zijn hotel om de hoek lag. Tegen contante betaling kocht hij een ticket naar Praag op een vlucht van Air France die over zes uur vertrok en in Parijs een tussenlanding zou maken. Vervolgens stak hij de straat over naar Kinko's kopieerwinkel, waar hij pasfoto's liet maken terwijl in een andere afdeling van de winkel een setje visitekaartjes werd vervaardigd. Op de kaartjes stond:

Jack Dunphy, producer
CBS News – 60 Minutes
555 W. 57th St.
New York, N.Y. 10019

Hij stopte drie kaartjes in zijn portefeuille en gooide de rest buiten in een afvalbak. Toen ging hij te voet naar het Amerikaanse consulaat en liep binnen met grote passen op de informatiebalie af, waarbij hij tegelijk vriendelijk en over zijn toeren uit zijn ogen keek.

'Problemen!' zei hij verbijsterd en ademloos.

'Pardon?' De baliemedewerkster was een elegante zwarte vrouw, een en al vlechtjes en beleefde terughoudendheid.

'Vreselijk is het! Een regelrechte ramp, bedoel ik!'

'Wat?'

'Mijn paspoort!'

'Wat is daarmee?'

'Ik ben het kwijt!'

De medewerkster glimlachte. 'Wij kunnen u een nieuw paspoort bezorgen,' zei ze en ze schoof hem een formulier toe. 'Vult u dit maar in en...'

'Ik heb het meteen nodig.'

De medewerkster haalde haar schouders op. 'We kunnen het snel afhandelen.'

'Geweldig,' zei Dunphy. 'Dat is fantastisch.'

'Maar dat kost vijftig dollar.'

Dunphy haalde zijn schouders op – geen probleem – en greep naar zijn portefeuille.

'En als u het zelf komt ophalen,' zei ze, 'kunt u de nieuwe pas over achtenveertig uur hebben.'

Dunphy's glimlach ging geleidelijk over in paniek. Met zware kaken zei hij: 'U begrijpt het niet. Ik zit over een paar uur in het vliegtuig naar Parijs.' Hij schoof zijn ticket over de balie, maar de medewerkster keek er niet naar.

'Dat gaat niet lukken,' zei ze.

'Oooo jeeezus... doe me dit niet aan,' antwoordde Dunphy, 'er gaan twee cameraploegen mee...'

'Helaas...'

Dunphy schoof zijn nieuwe visitekaartje over de balie. 'Hebt u hier een contactpersoon voor de media? Iemand met wie ik kan praten? Want Ed staat daar op het Wenceslasplein al een tijdje duimen te draaien en als ik er morgen niet ben... dan wordt dit voor mij echt een groot probleem.'

'Ed?'

'Ed Bradley.'

De vrouw keek voor het eerst naar het visitekaartje. Pakte het op.

Legde het neer. Keek naar hem. En weer naar het kaartje. Dunphy zag de vraag in haar ogen staan: is er een verborgen camera? Een geheime agenda?

'Ik zal zien wat ik kan doen,' zei ze en ze gleed met statisch gekraak en een lach die zo breed was als een zoeklicht van haar kruk af.

Eén uur later had Dunphy een paspoort en genoeg tijd over om zijn nieuwsgierigheid te bevredigen over iets wat hem niet losliet. Hij nam een taxi naar de openbare bibliotheek, ging naar binnen en zocht in de tijdschriftendatabase naar artikelen over de Jaciparaná-indianen. Het kostte hem een halfuur, maar hij vond een verwijzing naar de stam in een nieuwsbrief die werd uitgegeven door het North American Congress on Latin America (NACLA). Het artikel, dat eigenlijk over diamantsmokkel in Rondônia ging, meldde dat de Jaciparaná hun geboortegrond in 1987 hadden verlaten na een plotselinge, mysterieuze bekering tot het christendom. De meeste indianen woonden nu in de stad Pôrto Vehlo, waar ze leefden van de verkoop van uit teak gesneden rozenkranskralen.

Brading had de waarheid gesproken.

De vlucht naar Parijs was kalm, het vliegtuig niet volgepakt. Dunphy zat aan het gangpad naast een lege stoel aan de raamkant en dacht na over wat er was gebeurd en over wat hem te doen stond.

Hij mocht van geluk spreken dat hij leefde en dat was niet goed. Geluk was een matroos die er vandaag nog was maar morgen zou uitvaren. Je wist nooit zeker of het kwam of ging, zich naar jou begaf of juist wegtrok. Uiteindelijk was het niet handig om geluk te hebben, omdat mensen die geluk hadden zich altijd gedroegen alsof het niet op kon. Ze lieten het wegglippen als zand in een zandloper en voor ze het wisten waren ze ongelukkig.

En toch was het geluk dat hem had gered, niet vakmanschap. Toen het KVO op de deur was komen bonken met zijn trekveren en pornoboekjes, was Dunphy niet thuis geweest. Maar Roscoe wel, en nu was Roscoe dood. Dat was Roscoe's geluk. (Op wie ontegenzeglijk deze spreuk van toepassing was: Als hij geen on-geluk had gehad, had hij helemáál geen geluk gehad.)

Voor Dunphy ging dat niet op. Als de werkster een vrije dag had genomen, was hij dood geweest. Maar dat had ze niet gedaan. Ze was op tijd gearriveerd, zoals altijd, en toen ze Roscoe had gevonden had ze de politie gebeld. Als zij er niet was geweest, was Dunphy teruggekeerd naar een stil en donker huis, een muizenval in een buitenwijk waar het krioelde van mannen in donker pak en veterdas. In plaats daarvan was hij thuisgekomen te midden van surveillancewagens en zwaailichten.

Met de politie van Fairfax County in de woonkamer kon het KVO niets (anders) doen en kon niemand zijn vertrek tegenhouden. Het zat er dik in dat Matta vermoedelijk pas de volgende ochtend over Dunphy's ontsnapping was ingelicht, toen Dunphy's auto al op het vliegveld van Newark stond en Dunphy zelf in de Long Dog naar Montreal zat.

Hij was dus zeker van de overwinning. Maar hoe lang? Dat kon een dag zijn of een week of...

Dat is het, dacht Dunphy. Een dag of een week. Meer dan dat zat er niet in. Hij zou hoe dan ook geld nodig hebben, veel geld zelfs. Het was duur om voortvluchtig te zijn en de contanten die hij had waren zo op.

Hij schoof in zijn stoel, niet op zijn gemak vanwege de woede die hij voelde, en staarde naar de leegte voorbij de vleugel. Duisternis erboven, duisternis eronder en beide aangewakkerd door zijn eigen sombere stemming. Er was niets te zien, maar hij wist dat ergens daarbuiten de nacht en de oceaan samenkwamen en een onzichtbare horizon vormden. En dat ergens daarbuiten mannen in donker pak met veterdas zijn foto lieten zien aan ticketverkopers en winkelbedienden.

Bovendien was er een derde ding dat hij wist, en dat was hoe hij aan het geld moest komen dat hij nodig had. Er zat een envelop in zijn aktetas waar de beeltenis van Hare Majesteit op was gestempeld. Die zat er al maanden in, sinds de dag dat hij uit Engeland was weggegaan, en vertegenwoordigde erg veel geld dat niet van hem was.

Dunphy dronk zijn scotch en scheurde de envelop open. Hij was geadresseerd aan Roger Blémont, per adres poste restante Marbella. Hij bevatte de oprichtingsdocumenten van Sirocco Services Ltd., een handtekeningenkaart van de bank, een met de hand geschreven stortingsbewijs en zes cheques aan toonder, uitgeschreven door de Banque Privat de St. Helier op het eiland Jersey. Het gebruikelijke begeleidende schrijven gaf te kennen dat Blémont voorgedrukte cheques toegezonden zou krijgen zodra de handtekeningenkaart naar de bank was geretourneerd.

Blémont, een pezige Corsicaan met een zwak voor Armani-pakken en hightech Breitling-horloges, was een knappe psychopaat die met één been in de onderwereld van Marseille stond en met het andere in het conservatieve politieke kamp. Als heftig antisemiet gaf hij het tijdschrift *Contre la boue* (Tegen de modder) uit, dat onder meer gedwongen uitzetting van buitenlandse armen propageerde. Het tijdschrift was genoemd naar het sneeuwwitte vaandel van een ter ziele gegane paramilitaire groepering wier leden gevangenisstraf hadden gekregen wegens aanvallen op Turkse schoolkinderen, een homobar in Arles en een synagoge in Lyon.

Dunphy verachtte hem, en niet alleen vanwege zijn politieke overtuigingen. De arrogantie van de Corsicaan kende geen grenzen en volgens Dunphy was het net alsof niets hem een groter genoegen deed dan het ongeluk van de ander. Eenvoudig gezegd liet hij mensen graag voor zich lopen. Zoals hij dat Dunphy had laten doen.

Toen Blémont een jaar geleden Londen bezocht, hadden Dunphy en hij in El Vino in de City een fles bocht – en nog een – soldaat gemaakt terwijl ze wat zaken regelden. Blémont had het meeste drinkwerk gedaan en toen ze klaar waren, had hij een hand op Dunphy's schouder gelegd en hem toevertrouwd: 'Ik moet een meisje hebben.'

Dunphy had een grapje gemaakt. 'We moeten allemaal een meisje hebben.'

'Maar jij gaat er mij een bezorgen, oké? Ik logeer in het Landmark. Zorg dat ze er om drie uur is.' Vervolgens had hij wat geld op tafel geworpen en zijn stoel achteruitgeduwd, alsof hij wilde vertrekken.

Met zijn handen omhoog had Dunphy zich zogenaamd overgegeven. 'Volgens mij vergis je je,' had hij tegen hem gezegd. 'Ik ben een consulent, geen pooier.'

'O? Is dat zo?'

'Ja. Als je een hoer wilt, ga dan naar een telefooncel. Het stikt er van hun visitekaartjes op de ruiten.'

Blémont was even blijven zitten en had erover nagedacht. Uiteindelijk had hij gezegd: 'Je mag jezelf noemen wat je wilt, mijn beste, maar zorg dat dat meisje om drie uur bij het Landmark staat, anders neem ik morgen een andere consulent.'

En Dunphy deed wat hem was opgedragen. Hij had een hoer opgetrommeld en haar naar het Landmark gestuurd omdat hij het zich niet kon veroorloven Blémont als klant kwijt te raken – niet op dat moment, in elk geval. De Corsicaan was betrokken bij een ingewikkelde witwasoperatie die door een stelletje black-metalfascisten uit Oslo op touw was gezet. Er kwam veel geld bij kijken dat deels afkomstig was van een militiegroepering in de States. Aangezien de FBI, de CIA en de DEA allemaal belangstelling hadden, was Dunphy's bemoeienis met de operatie vanuit spionage-oogpunt net zoiets als de tiercé winnen. Het project afblazen omdat zijn trots was gekrenkt was onverdedigbaar.

Blémont kreeg dus wat hem toekwam of, om precies te zijn, dat kreeg hij niet – namelijk de handtekeningkaarten die Dunphy alsmaar niet had weten te posten. Het was een los eindje dat hij makkelijk had kunnen afhandelen door de envelop gewoon op de bus te doen – maar waarom zou hij? Blémont was een zak en trouwens, dat geld was dus niet iets wat hij had verdiend.

Gewoonlijk opende Dunphy de rekening voor zijn cliënt met een symbolische storting: meestal was dat vijftig pond. Maar Sirocco was anders. Dunphy had voor Blémont al twaalf vennootschappen opgezet toen de Corsicaan op een winterse middag met een voorstel naar zijn kantoor was gekomen. Blémont had zich lui in een leren fauteuil laten zakken en gezegd dat hij Sirocco's rekening wilde openen met een door aandelen gedekt kredietplafond. Voor zijn hulp bij wat hij omschreef als een 'transactie die een beetje... moeilijk is' beloofde Blémont Dunphy drie procent commissie op het geleende bedrag.

'Dat is gul,' zei Dunphy.

'Dat kan ik me permitteren,' antwoordde Blémont, waarbij een grijns zijn gezicht openscheurde.

'Over hoeveel dekking praten we?'

Blémont haalde een bundel aandeelbewijzen uit zijn aktetas en gaf die aan Dunphy. 'Er zijn iets meer dan tienduizend aandelen.'

Dunphy liep de bundel snel tussen duim en wijsvinger door. 'Allemaal IBM?'

Blémont knikte en leunde voorover. '*Oui.*'

'En wat doet "Big Blue" op dit moment op de beurs? Volgens mij honderdtien...'

'Honderdtwintig,' antwoordde Blémont. En voegde er vervolgens aan toe: 'Dollar, natuurlijk.'

Dunphy bromde. 'Dollar, jawel,' zei hij. De aandelen stonden op naam van een New Yorkse makelaar en moesten wel gestolen zijn, anders zou Blémont geen drie procent uitkeren om ze bij een bank onder te brengen.

'Hoeveel...'

'Ik kan waarschijnlijk veertig procent van de straatwaarde krijgen,' zei Dunphy.

Blémont trok een pruilmondje. 'Vijftig zou beter zijn.'

'Als je ermee naar de NatWest hier om de hoek gaat, krijg je vijfenzeventig, tachtig procent. Zonder dat je me commissie hoeft te betalen. Als je dat doet, zal uiteraard...' Dunphy hoefde de zin niet af te maken. Als hij dat deed, zou de National Westminster naar New York faxen om te controleren of het om gestolen aandelen ging... Die grote banken doen soms rare dingen, hoor.

Blémont hield Dunphy's blik een ogenblik vast en lachte toen. 'Ik weet zeker dat je je best zult doen.'

'Natuurlijk,' zei Dunphy. Waarop Blémont overeind kwam, hem een hand gaf en wegging.

Blémonts zwendel was er een waar de maffia dol op was en waarbij het erop neerkwam dat het geld binnenrolde. De Costa del Sol was ermee gebouwd, de Costa Brava idem dito. Uit Amerikaanse makelaarskluizen en van koeriers gestolen aandelen werden gebruikt om in Europa afgesloten leningen te dekken. De leningen werden vervolgens gebruikt om onroerendgoedprojecten, hotels, restaurants, golfbanen te financieren – en, bij Blémont, publicaties zoals *Contre la boue*. Zolang de lener niet in gebreke bleef, waardoor de bank de gestolen aandelen zou moeten verkopen (en een poging zou ondernemen om de verandering van eigenaar te registreren), was er geen speld tussen te krijgen. De hotels floreerden. De leningen werden terugbetaald en de aandelen konden vervolgens nogmaals worden ingezet om weer andere leningen te dekken.

Dunphy had er een paar weken voor nodig gehad om een bereidwillige bank te vinden en moest uiteindelijk met de draagvleugelboot naar St. Helier om de aandelen persoonlijk te overhandigen.

De rekening van Sirocco was ten slotte geopend met een storting van rond de tweehonderdnegentigduizend pond. Voor zijn aandeel in het misdrijf streek Dunphy bijna vijftienduizend dollar op, die hij plichtsgetrouw op een van de rekeningen van de CIA bij de Credit Suisse stortte.

Toen de paperassen van de bank in St. Helier arriveerden, had Dunphy ze met de oprichtingsdocumenten van Sirocco in een aan Blémont geadresseerde envelop gedaan. Het pakketje lag in zijn bakje voor uitgaande post toen Tommy Davis belde met het bericht dat Leo Schidlof dood was.

Door de envelop bij zich te houden in plaats van hem te verzenden, bleef Dunphy de enige die voor Blémonts nieuwe rekening had getekend. Vanuit een positieve invalshoek bekeken hield dat in dat Dunphy per direct toegang had tot een aanzienlijke som geld; met als keerzijde dat Blémont hem de kop van zijn romp zou rukken als hij hem ooit te pakken kreeg. Het was niet zo dat Dunphy daar iets aan kon doen. Ook als hij het geld teruggaf zou dat de Corsicaan niet vergevingsgezind stemmen: er was te veel tijd verstreken. Hij zou gewoon denken dat Dunphy slappe knieën had gekregen en dus zou Blémont hem twee keer willen doden: eerst omdat hij een dief was en de tweede keer omdat hij een lafaard was. Dunphy nam slokjes van zijn borrel, liet het ijs in zijn glas rinkelen en staarde uit het raam naar de sterren boven IJsland.

Hij twijfelde er niet aan dat Blémont verwoed op zoek was... maar naar wie? Niet naar Dunphy. De man die Blémont zocht was een Ier genaamd 'Kerry Thornley'. Wat wil zeggen dat ik me om Roger Blémont niet druk ga maken, dacht Dunphy.

Een zeldzame gedachte: dat iemand zich niet druk hoefde te maken om Roger Blémont. En als je erbij stilstond, zat het er eigenlijk wel dik in dat het een gedachte was die nog nooit bij iemand waar dan ook ter wereld was opgekomen. Althans, bij iemand die op die wereld was gebleven.

Daar had Dunphy om willen wedden.

16

Dunphy's vliegtuig kwam om zeven uur 's morgens in Parijs aan, waardoor hij twee uur door moest zien te komen voor de vlucht naar Praag. Een deel ervan besteedde hij aan een rondgang door de tax-freeshops, waarna hij pasfoto's liet maken. Ten slotte ging hij in een cafétje zitten met hoge stenen tafels en barkrukken van gietbeton.

Het was een vreselijk etablissement, een klein, Franstalig purgatorium waar door jetlag geplaagde toeristen in en uit liepen die met een zorgelijk, verward gezicht de vreemde munten natelden. In een hoek van het vertrek stond het Algerijnse hulpje van de ober tegen de muur geleund Turkse sigaretten te roken terwijl onder zijn apathische blik de tafels vol raakten met gebruikte kop en schotels. Hoog aan de muur klonk uit een enkele plastic speaker europop-synthesizerritmiek: een opgefokte discojengel waar Dunphy een lichtelijk beneveld, gedeprimeerd gevoel aan overhield. Het was duidelijk de bedoeling een maximale winst te persen uit het zo snel mogelijk helpen van zoveel mogelijk klanten, wat het café voor elkaar kreeg door iedereen die naar binnen stapte diep ongelukkig te maken – behalve *la propriétaire*, die het principe begreep en het goedkeurde. Onberispelijk uitgedost in een double-breasted blazer en een licht getinte designbril stond de man achter de kassa en overzag met soevereine trots zijn eigen hellekring. Je zag het aan zijn ogen: *C'est bon*, zeiden ze. *C'est* très *bon*.

Dunphy had het spelletje door en zou onder minder stressvolle omstandigheden misschien een uur of langer in het café zijn blijven zitten, gewoon uit principe. Maar hij was er uiteindelijk niet tegen bestand. Toen de speaker boven hem losbarstte met Les Belle-

Tones' versie van 'Le Spinning Wheel' wierp hij zich naar voren en stormde door de deur naar buiten, min of meer richting taxfreeshops. Ook zonder om te kijken wist hij dat de eigenaar hem met triomfantelijk getuite lippen nastaarde.

Twee uur later was hij in Praag. Alhoewel hij liever rechtstreeks naar Londen was gevlogen, was het van wezenlijk belang om eerst naar de Tsjechische republiek te gaan. Er begon een plan gestalte te krijgen in zijn hoofd en de vorm die het aannam was onmiskenbaar die van het silhouet van de praatzieke sjacheraar Max Setyaev.

Max was een voormalig natuurkundedocent, een Russische jood die in 1986 vanuit de Oekraïne naar Tsjecho-Slowakije was gekomen. Zoals sommige mensen geboren atleten zijn, was hij een geboren schoolmeester die ondervond dat zijn docentensalaris van zesenvijftig dollar per maand niet te combineren viel met een voorliefde voor blondines, champagne en gravlax. Met grote spijt liet hij zijn onderwijsbaan in de steek voor een betrekking als 'papierenman' in Odessa, waar hij identiteitsbewijzen en uitreisvisa vervalste voor de Organizatsiya. Dat was jarenlang een winstgevende professie geweest, maar vanwege het einde van de Koude Oorlog was de vraag naar valse papieren ingezakt, terwijl laserprinters en kleurencopiers Max' artistieke vaardigheden steeds minder nodig maakten. Ten slotte had hij zichzelf van valse visa voorzien en was naar het Westen getrokken voor wat neerkwam op een 'omscholing'.

Toen Dunphy hem twee jaar later leerde kennen, was de Rus in Londen om een diepdrukpers, speciale inkt en papier aan te schaffen waar moeilijk aan te komen was. Met de bewering dat hij de kersverse (en heel wankele) republiek Tsjetsjenië representeerde, had Max zich knus in het Churchill Hotel geïnstalleerd, waar hij voor de bankiers uit de City een non-stop feestje (dat naderhand in de pers een orgie werd genoemd) op touw zette. Tegen iedereen die het wilde horen, of het nu een callgirl of een effectenmakelaar was, beweerde hij het Tsjetsjeense ministerie van Financiën te vertegenwoordigen, dat, zo legde hij uit, zijn bedrijf (waarbij een fraai visitekaartje tevoorschijn werd gehaald) de opdracht had gegeven om voor het nieuwe land het nieuwe geld (de *agrovar* of iets dergelijks) aan te munten. Om zijn bewering te staven, zwaaide hij met een brief die van het ministerie afkomstig zou zijn en er in indrukwekkende reliëfdruk bij alle betrokkenen op aandrong de vertrouwelijke, geheime missie van 'prins Setyaev' te bevorderen.

De brief was uiteraard namaak. Max was niet van plan Tsjetsjeense bankbiljetten te drukken. Hij was op ponden uit, ontdekte de *Mirror* toen er een echte Tsjetsjeense delegatie in Londen om humanitaire hulp kwam vragen. Op de vraag hoe ze de smeekbede van hun land om graan in overeenstemming konden brengen met Max' feestgedruis in een van Londens duurste hotels, antwoordden de Tsjetsjenen dat die man niets met hen te maken had. Dat is een Rús, zeiden ze. Waarom zouden wij een Rus onze bankbiljetten laten drukken? De volgende ochtend rende Max door Heathrow of de duivel hem op de hielen zat en de politie daar vlak achteraan.

Sindsdien had Dunphy zes ondernemingen voor hem opgezet; de laatste was een import-exportfirma geweest met Praag als standplaats: Odessa Software AG. De Rus had naar eigen zeggen de toekomst gezien: softwarepiraterij heette die.

Toen hij ervoor stond, bleek Max' adres een elegant art-decogebouw te zijn in de Noord-Praagse wijk Holesovice. Slechts één zijstraat van het uitgestrekte Stromovkapark verwijderd, was Ovenecka 16, een herenhuis met drie verdiepingen dat aan zeker twaalf kleine ondernemingen onderdak bood, waaronder die van Max.

Dunphy ging met de kleine lift naar het kantoor van Odessa op de eerste verdieping, klopte aan en stapte naar binnen. Secretaresse of wachtkamer was er niet – alleen een grote ruimte van drie en een halve meter hoog met velours gordijnen en een antiek bureau volgestapeld met in cellofaan verpakte dozen Microsoft Works, Myst en Windows 98. Even dacht Dunphy dat hij alleen was, maar toen piepte het bureau (daar leek het in elk geval wel op).

'Max?'

De kale knikker, borstelige wenkbrauwen en kraaloogjes van de Rus doken op boven een 19-inch kleurenscherm. 'Kerry?' Max sprong overeind. 'Ik was SimCity aan het doen,' zei hij en met gespreide armen beende hij de kamer door. 'Tweeduizend, natuurlijk! Hoe gaat het ermee? En wat brengt je hier?'

'Nou,' zei Dunphy, die zich uit Max' houdgreep bevrijdde en naar een stoel bij het raam liep. 'Grappig dat je het vraagt. Er zijn wat problemen geweest.'

Max knikte. 'Weet ik,' zei hij en hij haalde een halve fles Becherovka en twee glaasjes voor de dag.

Dunphy keek hem verbaasd aan. 'O ja?'

'Jazeker! Ik belde naar je kantoor – maanden geleden – en raad eens?' Max schonk voor hen allebei een borrel in en ging zitten.

'Geen telefoon.'

De Rus schudde zijn hoofd. *'Prozit,'* zei hij en hij tikte met zijn glas tegen dat van Dunphy aan. Een klein slokje. Een brede grijns. En weer ter zake. 'Nee, telefoon werkt prima. Man neemt op: "Meneer Thornley zit niet op zijn plaats," zegt hij. "Mag hij u terugbellen?" Och, waarom niet? Ben ik voortvluchtig? Nee hoor! Dus ik geef hem nummer. Twee uur later staat klootzak van Britse ambassade op mijn deur te bonzen – en Tsjechische recherche.'

'Jezus, Max, dat is vervelend. Waar kwamen ze voor?'

'Jou.'

Dunphy bromde. 'En wat heb je ze gezegd?'

De Rus haalde zijn schouders op. 'Niets. Ik zei dat ik je nummer uit *Herald Tribune* had. Uit oude.'

'En zij geloofden dat?'

'Nee! Natuurlijk niet.' Hij wachtte even en kwam toen zonder echt van het onderwerp af te stappen ter zake. 'Dus, mijn vriend, wát?'

Dunphy trok een verward gezicht. 'Wat wat?'

'Wat kan ik voor je doen? Je bent ver van huis.'

Dunphy grijnsde. Max' rechtstreekse aanpak beviel hem wel. 'Nou, om te beginnen,' zei hij, terwijl hij een envelopje op het bureau gooide, 'moet ik een paspoort hebben... een paar creditcards. Wat er zoal in een jaszak zit.' Hij gebaarde naar de envelop. 'Ik heb pasfoto's laten maken op het vliegveld.'

De Rus knikte voor zich uit. 'Goed. Welke nationaliteit?'

Dunphy glimlachte. 'Zolang het geen Nigeriaanse of Japanse is...'

'Canadese. Ik haal blanco boekjes. Maakt niet uit op welke naam. Helemaal legaal.'

'Dat zou geweldig zijn.'

'Niet goedkoop... maar nooit gebruikt. Net als creditcards... is geen probleem.'

'Mooi zo.'

'Maar eerst moet ik aanbetaling hebben. Contant – niet voor mij – voor Visa! Oké?'

'Ja,' zei Dunphy, 'komt voor elkaar.' Hij nam een slokje Becherovka

en voelde zijn wenkbrauwen op en neer gaan. 'Wat is dit voor spul?'
'Dat weet niemand. Geheim. De Tsjechen zeggen er gaan twintig kruiden in. Zeggen niet welke.'
'Lekker.'
'Vind ik ook. Wat paspoort betreft, je vraagt niet hoeveel.'
Dunphy haalde zijn schouders op.
'Problemen, dus! Of misschien... kom je niet alleen voor pas.'
'Klopt.'
Max lachte. 'Wat klopt?'
'Allebei.'
'Ah.' Max dronk van zijn borrel, snoof vervaarlijk en vroeg: 'Waar gaat het om?'
'Hierom,' zei Dunphy en hij haalde Gene Bradings Andromedapas uit zijn koffertje en gaf hem aan de Rus.
Max plantte een leesbril op zijn neusbrug en bestudeerde de pas, die hij om en om draaide in zijn handen. Bijna een minuut zei hij niets en keek vervolgens Dunphy aan. 'Weet je wat dit is?'
'Natuurlijk. Het is een hologram, net als die dingen op je bureau. Daarom ben ik hier. Ik ging ervan uit dat als er iemand is die zoiets kan maken, jij het bent.'
Max schudde zijn hoofd. 'Is niet gewoon hologram. Is regenboog-hologram...'
'En dat is?'
'Dat is bij gewoon wit licht zichtbaar... zoals nu.'
'Moeilijk na te maken?'
'Vorig jaar? Heel moeilijk. Nu? Niet zo moeilijk. Maar duur.' Met halfdichte ogen bekeek Max de pas van alle kanten. 'Weet je hoe die dingen worden gemaakt?'
'Nee,' zei Dunphy.
'Nou, je moet het thuis niet proberen. Je hebt laser nodig. Ik laat ze voor mij maken op instituut in Kiev. Daar zijn de beste wetenschappers. En snel... prototypes in twee, drie dagen.'
'Als hij het maar doet,' antwoordde Dunphy, die niet in de bijzonderheden was geïnteresseerd.
Max keek hem afkeurend aan. 'Dit gaat een hoop geld kosten, mijn vriend. Als het voor mij was, zou ik willen weten waarom.'
'Sorry,' antwoordde Dunphy, die klonk als een scholier die in de les op kletsen was betrapt.

'Lasers ken je, hè? Je weet wat laser is!'
'Natuurlijk.'
Max schudde zijn hoofd. 'Nee, dat weet je niet. Je denkt alleen dat je het weet. Eigenlijk is het lichtstraal met enkelvoudige frequentie. Eén kleur. Heel intens. Om hologram te maken wordt straal gesplitst.'
Dunphy knikte.
'Dan is er dus enkelvoudige bron met twee stralen. En de eerste is net een *flitslamp*. Pang! Botst tegen voorwerp aan en... wat gebeurt met licht?'
Dunphy haalde zijn schouders op. 'Weet ik niet,' zei hij. 'Het gaat weg. De ruimte in of zo.'
'Alsjeblieft,' zei Max, die hem met zijn geduld terechtwees. 'Wanneer licht voorwerp raakt – willekeurig voorwerp, willekeurig licht – wat gebeurt?'
'Dan wordt het weerkaatst.'
'En weerkaatst licht...?'
'Weet ik het. Schiet ergens naartoe.'
'Nee. Belicht film om hologram te maken,' verbeterde Max hem.
Dunphy probeerde zich stom genoeg te verdedigen. 'Je had niet gezegd dat er film aan te pas kwam.'
Er ontsnapte een geringschattend pufje aan de lippen van de Rus. 'Wat dacht jij dan? Hologram is in ruimte? Is beeld op film!'
'Oké, dus...'
'Dus bij hologram... zijn twéé lichtstralen. Omdat jij straal hebt gesplitst. En tweede straal schijnt niet op voorwerp, maar wordt rechtstreeks op film gericht. Twee stralen komen dus samen op oppervlak en maken interferentiepatroon – dat voorwerp in kaart brengt, *in code*. Allemaal slingers en strepen en diepteaanwijzers. Op het oog warboel. Maar als laser daar onder bepaalde hoek doorheen schijnt, wordt beeld gereconstrueerd. Driedimensionaal! Een wonder! Alsof voorwerp voor jou staat. In ruimte!'
'Eng,' mompelde Dunphy en hij ging ongemakkelijk verzitten. 'Wat zullen we hierna krijgen?'
'Meneer Sarcasme! Je lacht, maar het is nog enger,' antwoordde Max. 'Doe de film in een blender, hak hem fijn: het beeld blijft intact. Dat wist je niet, hè?'
Dunphy schudde zijn hoofd.

'Want beeld is *verspreid*, door middel van film. Dus elk stukje bevat geheel – net als geheugen en hersencellen.' Met een lach leunde Max achterover. 'Kosmisch, hè!'

Dunphy was even stil terwijl hij Max' didactische gloed overdacht. Ten slotte zei hij: 'Ik heb grote problemen, Max. En dan bedoel ik écht grote. En tijd heb ik...'

Max knikte energiek. 'Ik begrijp het,' zei hij en hij leunde vertrouwelijk naar voren. 'Maar dit is conventionele hologram – je kijkt ernaar in het donker of met speciale verlichting. Om zo een te maken – een regenbooghologram – moeten we helderheid van het beeld vergroten.'

'En jij gaat me zeggen hoe we dat doen, nietwaar?'

'Ja, natuurlijk, ik houd niets achter.' Hij haalde diep adem. 'Dus wat gebeurt?' vroeg hij. 'Wij fotograferen voorwerp door spleet – *horizontale* spleet. Hierdoor concentreert licht nog meer, dus is beeld helderder. Regenbooghologram omdat spleet werkt als prisma. Jij beweegt hoofd, of creditcard of Microsoft-doos – iets waar een hologram op staat – en licht valt uiteen in spectrum.'

'Kleuren.'

'Precies. Is regenboog.'

'Nou, bedankt voor de natuurkundeles, maar... misschien hoef ik geen hologram te laten maken. Wat ik nodig heb is net zo'n pas als deze, maar met mijn eigen duimafdruk erop. Dus waarom laten we Kiev niet gewoon zitten, halen de vingerafdruk van die gozer eruit en doen die van mij erin?'

Max schudde zijn hoofd. 'Kan niet. Als ik laminaat openmaak, is hologram verpest.'

'Maar je kunt het toch kopiëren?'

'Ja, ja, natuurlijk, maar... is hele klus. Ik moet het hele ding opnieuw maken...'

'Ik kan het betalen.'

'Jij kunt betalen. Het is duur! Ik moet replica hebben van maagd – déze maagd – en dat wil zeggen: naar Zwitserland toe.'

'Waar heb je het over?' vroeg Dunphy.

'Einsiedeln.' Hij knikte naar het hologram. 'Zij.'

Dunphy fronste verward zijn wenkbrauwen. 'Is dat een maagd?'

Max wierp zijn handen in de lucht. 'Ben jij christen? En dan vraag je dit? Waar hebben we het volgens jou over gehad? Als ik zeg "Madonna", denk jij rock-'n-roll?'

Dunphy pakte de pas. 'Ik heb hem nooit echt bekeken. Het leek of er vlekken op zaten. Maar... christus nog aan toe, ze is zwart!'

'Natuurlijk is ze zwart. Daarom is ze beroemd: *La Vierge noire.* Iedereen weet dat.'

De ansicht in Bradings huis flitste door Dunphy's hoofd. Wat stond erop? *Protectrice de la ville.* (Beschermvrouwe van de stad – maar wélke stad?) Dunphy sloeg de Becherovka achterover en schonk zichzelf nog een borrel in. Ten slotte vroeg hij: 'En waarom is ze zwart?'

Max snoof. 'Wie weet? Is misschien de rook. Vijfhonderd jaar kaarsen en wierook.'

Dunphy overwoog dat even en schudde zijn hoofd. 'Ik denk het niet. Ik bedoel... zo te zien gaat het alleen om haar handen en gezicht. Als het rook was, waarom is haar gewaad dan niet ook zwart?'

Max zuchtte. 'Jij vraagt een jood naar christelijk mysterie. Hoe moet ik dat weten? Praten wij over beveiligingspasje... of over mysteriecultus?'

Dunphy schudde zijn hoofd alsof hij het helder wilde krijgen. 'Oké. Jij gaat dus naar die stad...'

'Einsiedeln. Ligt in bergen.'

'En wanneer je erheen gaat... wat dan?'

'Ik ga erheen en maak of koop replica van beeld. Als ik dat heb, kan ik duplicaat maken van hologram. Maar dan heb je nog altijd probleem.'

'Welk.' Dunphy zei het toonloos, alsof het een antwoord was, een eis.

'Vingerafdruk.'

'Waarom is dat een probleem? Als je het ding opnieuw gaat maken, hoef je er alleen maar een van mij op te zetten. Daar is het toch om begonnen?'

'Natuurlijk, maar... gaat misschien niet.'

'Waarom niet?'

'Omdat...' Max was geruime tijd stil.

'Omdat wat?' drong Dunphy aan.

De Rus schoof ongemakkelijk op zijn stoel. 'Ik denk: waarom vingerafdruk op pas?'

'Voor identificatiedoeleinden,' zei Dunphy. 'Dat spreekt.'

Max knikte ongeduldig, alsof Dunphy niet had begrepen waar

het om ging. 'Natuurlijk, maar... hoe gaat dat in zijn werk?'

Dunphy dacht erover na. 'Ze vergelijken de vingerafdruk op de pas met...'

'Met?'

Dunphy fronste. 'Met mijn duimafdruk,' zei hij en hij wreef zijn wijsvinger tegen zijn duim. 'Waarschijnlijk hebben ze een scanner bij de deur... waar je naar binnen gaat. Als de vingerafdruk op de pas overeenkomt met de vingerafdruk op de duim, zit je goed.'

'Ja,' antwoordde Max. 'Goed. Dat hoop ik.'

Beide mannen verzonken een ogenblik in hun eigen gedachten. Uiteindelijk vroeg Dunphy: 'Wat bedoel je met dat hóóp ik?'

De Rus knikte. 'Ja, omdat... het kan – misschien is dit ingewikkelder.'

'Hoe kan het ingewikkelder zijn?'

'Misschien zijn afdrukken opgeslagen.'

'Ja-a? En dan?'

'Als afdrukken zijn opgeslagen, vergelijken ze misschien niet twee afdrukken. Misschien vergelijken ze er dríé: een op vinger, een op pas, een in archief.'

Dunphy overwoog dat. 'Nou, als ze dat doen,' zei hij, 'dan hang ik.'

'Ja, helemaal, dat vind ik ook.'

Er volgde een lange stilte.

Ten slotte vroeg Dunphy: 'Dus wat doen we?'

De schouders van de Rus gingen omhoog en omlaag. 'Misschien neem je risico?'

Dunphy schudde zijn hoofd. 'Denk het niet. Daar zit zo'n enorm nadeel aan vast.'

'Oké. Dan maak ik nieuwe pas – en speciale afdruk.'

'Wat bedoel je?'

Max negeerde de vraag. 'Weet je, vingerafdrukken zijn boeiende bedrijfstak.'

Dunphy's ogen werden spleetjes, maar Max lette er niet op.

'Net profiel op autoband. Geeft de vinger grip, zodat hij niet wegglijdt.' Max nam een slokje Becherovka. 'Misschien was het politie van Buenos Aires die er als eerste mee ging werken,' ging hij verder. 'Honderd jaar geleden. En geen valse treffers – geen enkele! Deze vingerafdrukken zijn betrouwbaarder dan DNA, irissen, wat dan ook! Biometrisch absoluut het beste.'

'Nou, geweldig, hoor,' zei Dunphy, 'maar wat heeft dat met mij en de vent op de pas te maken?'

Max wierp een blik op de pas en zei: 'Ik kan op nieuwe pas kopie van vingerafdruk van meneer Brading zetten. Dan hebben we overeenkomst met archiefexemplaar. En dan maak ik klein *handschoentje...*'

'Hándschoen?' zei Dunphy.

'Een kléín handschoentjé. Alleen voor duim. Ik kan afdruk van deze man digitaliseren en hem met laser etsen op... ik weet niet waarop. Latex... lamsleer...'

'Ik hoef geen condoom, Max.'

'Of zacht plastic, als van contactlens. We kunnen dat aan je duim plakken! En weet je wat?' De Rus straalde. 'Het zou waarschijnlijk lukken!'

'Waarschijnlijk?'

'Absoluut! Het zou absoluut waarschijnlijk lukken!'

Dunphy dacht er even over na. Ten slotte zei hij: 'Dit zijn geen vergevingsgezinde mensen, Max. Kun je geen garantie geven of zo?'

Max lachte. 'Natuurlijk! Elke garantie die je maar wilt! Net als wasmachine!'

'Ik meen het.'

'Ik ook,' zei hij, opeens nuchter. 'Maar dit is ingewikkeld. Zoals geld aanmunten – en niet gewoon Amerikaans geld. Ik bedoel moeilijk geld. Franc, mark, gulden...' Hij pakte de pas en bracht hem vlak bij zijn ogen. 'Kijk, hier is draad! Híér!'

'Nou, en?'

'Nou... kan tekortkoming zijn. Of misschien veiligheidsdraad. Moet er door microscoop naar kijken. Als het veiligheidsdraad is, kan er microdruk op staan. Een paar woorden, telkens herhaald.'

'Zoals?'

Max grinnikte. '"Deze man neerschieten."'

'Grappig, zeg,' zei Dunphy en hij zweeg even. Toen schudde hij zijn hoofd. 'Kijk, doe gewoon wat je moet doen. Maar doe het in vredesnaam de eerste keer goed.'

'Natuurlijk. Maar... we moeten het over geld hebben. Verder... weet ik niet wat ik nog aan toe moet voegen.'

'Dacht ik wel. Hoeveel heb je nodig?'

'Geloof me, is makkelijker om guldens na te maken voor blinden...'

'Hoevéél, Max?'

De Rus deed zijn mond open, slikte en haalde zijn schouders op. 'Vijfentwintigduizend.'

Dunphy staarde hem aan.

De Rus schraapte zijn keel. 'Is moeilijk!'

Dunphy overwoog het. Aan de ene kant was het afzetterij. Aan de andere kant was het niet zijn geld. 'Het moet perfect zijn,' waarschuwde hij.

'Natuurlijk! En paspoort? Dat doe ik voor kostprijs!'

'En hoeveel is dat dan?'

'Vijfduizend.'

'Dat is heel gul, Max.'

'Dank je. Natuurlijk...'

Dunphy's ogen versmalden. 'Wat?'

'Is er nog aanbetaling voor creditcards. Hoeveel wil je? Vijfduizend? Tweeduizend?'

'Tien zou geweldig zijn,' zei Dunphy tegen hem. 'En hoe hoog zitten we dan? Veertigduizend?'

Max trok een gezicht. 'Zakendoen kost geld,' legde hij uit.

'O, dat weet ik ook wel,' zei Dunphy. 'Maar er is nog een kleinigheidje.'

Max liet zijn wenkbrauwen in een onuitgesproken vraag omhooggaan.

'Jij moet het geld voorschieten, Max. En dan moet je als alles klaar is de hele mikmak naar Zürich brengen. Ik kan hier niet nog een keer heen.'

Max kromp ineen. 'Alsjeblieft... Kerry, ik ben toch geen pizzakoerier,' zei hij.

Dunphy leegde zijn tweede Becherovka, zette het glaasje neer en kwam overeind. 'Ik betaal je vijftigduizend dollar – dat zijn er tien meer dan wat je vraagt en wat je vraagt is afzetterij. Maar het moet perfect zijn. Het moet snel gebeuren. Jij moet de onkosten voorschieten... en je moet alles naar Zürich brengen.'

Je kon de radertjes in het hoofd van de Rus bijna horen bewegen: *ka-ching! ka-ching! ka-ching!* 'Oké,' zei hij. 'Voor jou...'

'Ik bel je over een paar dagen.'

Max keek dubieus. 'Misschien telefoon niet echt goed. Klootzak van ambassade...'

'De telefoon is prima. Ik vraag naar een vrouw... Geneviève. Jij zegt dat het verkeerd verbonden is en verbreekt de verbinding alsof je je rot ergert. Dan stap je meteen op het vliegtuig naar Zürich... oké?'

Max knikte.

'Ken je het Zum Storchen?' vroeg Dunphy.

'Jazeker. In Oude Stad, bij rivier.'

'Neem er een kamer, dan kom ik je daar opzoeken.'

Max stond op en gaf hem een hand. Toen fronste hij zijn voorhoofd.

'Wat is er?' vroeg Dunphy.

'Ik maak mij zorgen.'

'Waarover?'

'Over jou.'

Dunphy was geroerd. 'O, Max, in jezusnaam...'

'Groot probleem. Hologrammen zijn duur. Jij gaat dood, hoe krijg ik geld?'

'Weet ik niet,' zei Dunphy. 'Dat is een raadsel. Maar bedankt voor je bezorgdheid.'

17

Regensporen. Krijsende banden. Een bescheiden applausje. En dan de stewardess die hen op 'Londens Heathrow Airport' welkom heet.

Een uur later ratelde Dunphy door het West End met de Piccadilly Line met zijn gedachten bij de laatste keer dat hij de ondergrondse had genomen. In één opzicht was er vrijwel niets veranderd. Toen was hij voortvluchtig vanwege een moord, en nu was hij voortvluchtig vanwege een moord. Niet dat er in feite ook maar iets hetzelfde was: vier maanden geleden was hij voor de moord op een ander op de vlucht gegaan; nu, terwijl de trein door hetzelfde waterige landschap schommelde, was hij die op hemzelf aan het ontlopen. En daarin zat alle verschil.

Zou het althans moeten zitten. Maar hij vond het in werkelijkheid moeilijk zich te concentreren. Zijn gedachten waren overal tegelijk. Waar hij ook aan dacht of probeerde te denken, steeds flitste het moordtafereel in McLean als een kwalijk kiekje door zijn hoofd.

Clementine.

Roscoe

Wat zou ze doen als hij voor haar deur opdook? Uit het niets. Onaangekondigd.

Gewurgd

Dunphy hoopte dat ze dolblij zou zijn, maar vermoedde dat haar vreugde om het weerzien getemperd zou worden door de aandrang om hem een kopje kleiner te maken. Hij had haar tenslotte laten zitten. Daar leek het althans op.

Opgehangen

133

En dan was er 'de toestand' – Dunphy en de wereld, Dunphy versus de wereld. Dit was het onderwerp dat zijn geest liet racen als een digitale stopwatch met in elkaar overvloeiende LCD-honderdsten.

Hij reisde met een legaal paspoort, wat goed was én fout. Het was goed omdat de Britten geen greintje belangstelling hadden voor een Amerikaan die Dunphy heette. Hun (weliswaar intense) betrokkenheid was gelegen bij een denkbeeldige Ier genaamd Kerry Thornley, die een paar maanden geleden was verdwenen. Thornley was inderdaad een verdachte figuur, maar zijn band met Dunphy was hun niet bekend. Dat was allemaal in orde.

Fout was dat de Dienst er snel achter zou komen dat hij een nieuw paspoort op zijn eigen naam had bemachtigd. Met die kennis zouden ze hem in het buitenland, met name in Engeland, gaan zoeken. Dat was inderdaad fout, piekerde Dunphy terwijl de trein op Earl's Court een stroom reizigers uitbraakte. En nog iets fouts met betrekking tot de naam was dat Clementine uitleg zou willen.

Ogen, tong en de plastic zak over zijn hoofd
Er verscheen een verschrikte uitdrukking op het gezicht van de vrouw tegenover hem en Dunphy besefte dat hij nota bene hardop had zitten kreunen. Dus mompelde hij met een beklagenswaardig lachje: 'Tand.' De vrouw keek opgelucht.

Misschien had hij naar de Canarische Eilanden moeten gaan, *linea recta* naar de Canarische Eilanden. Bij Tommy Davis langsgaan. Doorzakken. Een wip maken. Na een tijdje was de hele kwestie misschien wel overgewaaid.

Juist, dacht Dunphy. Alsof... als hij op zijn aanzienlijke ervaring mocht afgaan, waaiden die dingen bijna nooit over. Als er al gewaaid werd, waaide er gewoonlijk het een en ander wég. (Mensen, meestal.) En het was trouwens niet zomaar een kwestie van voortvluchtig zijn. Hij had een missie: *als ik de vent vind die Roscoe te grazen heeft genomen, ga ik...*

Wat? Wat ging hij dan doen? Wat ging hij dan precies dóén? Hem van kant maken? Dunphy dacht erover na en besloot dat hij dat ging doen. Absoluut. In koelen bloede? Ja. Dat ging hij doen. Maar daar was het niet om begonnen. Niet echt. Het ging niet om 'een vent'. Roscoe's moordenaar was een strijdmier in het leger van een ander en het was die 'ander' die Dunphy moest hebben. Of preciezer gezegd: hem, het leger én die vent.

Als ik hem vind, maak ik hem eigenhandig dood. En dan begraaf ik hem. Dat begraven was belangrijk. Want als dat niet gebeurde, kon hij niet op zijn graf pissen.

Twintig minuten later stond Dunphy in de regen voor Clementines flat naar het raam op de eerste verdieping te kijken en vroeg zich af of zíj naar hém stond te kijken. En toen was hij bij haar deur en klopte aan. Een paar zachte tikjes. Harder.

'Clem?' Zijn stem fluisterde. 'Clem?' Geen antwoord.

Nou ja, dacht hij, ze is er niet, en tegelijkertijd teleurgesteld en opgelucht draaide hij zich om om te gaan. Hij bedacht net dat hij morgen terug zou komen toen hij plotseling de klink hoorde terugspringen en de deur openging.

'Kerry?'

Hij draaide zich met zijn koffer in de hand naar haar toe en het was alsof zijn ogen haar inhaleerden – een dosis die recht in de hersenen terechtkwam. Ze had liggen slapen en er hing een aura van warmte en zachtheid om haar heen.

'Jack,' antwoordde hij en hij schuifelde met zijn voeten. 'Jack Dunphy is de naam.' Hij wachtte even en voegde er toen aan toe: 'Geen leugens meer.'

Grijnzend als een uilskuiken liep hij met open armen op haar af om haar te omhelzen – en was dus niet bedacht op haar vlakke hand die uit het niets kwam aansuizen en zijn wang trof.

'Au... jezus!'

'Eikel,' zei ze.

Ze haalde nogmaals naar hem uit, met haar rechter dit keer, maar hij kreeg hem net op tijd te pakken en trok haar naar zich toe. 'Niet doen,' zei hij. 'Dat doet pijn.' Hij schudde zijn hoofd om het helder te krijgen. Even plotseling als haar felheid was opgekomen, liet deze haar nu in de steek. Haar ogen vulden zich met tranen toen ze zich in zijn armen liet sluiten. 'Ik heb je zó gemist,' zei ze. 'Je hebt me zo ongelukkig gemaakt.'

Samen gingen ze naar binnen en liepen door de huiskamer rechtstreeks naar het bed. Ze lieten zich in elkaars armen vallen en bedreven roekeloos als desperado's de liefde. En nog eens. En toen begon het te schemeren en hem schemerde het ook... totdat het heel plotseling avond was geworden en Clementine hem wakker schudde.

Ze gingen naar een Grieks restaurant in Charlotte Street met een en al houtvuur en kaarsen. Aan een tafeltje in de hoek probeerde Dunphy zo omslachtig en onuitgesproken mogelijk uit te leggen waarom hij Engeland had moeten verlaten. 'Het was een van die dingen die... ach, weet je, het was iets wat... nou, eerlijk gezegd kon ik er niets aan doen. Ik bedoel... degene waar ik voor werk... of werkté...'

'Juist, en wie was dat? Dat heb je niet echt gezegd.'

'Nou... dat was... dat was trouwens een overheidsinstelling.'

'Je bent dus een spion.'

Dunphy schudde zijn hoofd. 'Nee. Ik wás een spion. Nu ben ik...' Hij wist niet goed hoe hij de zin moest afmaken.

'Wat?'

'Nou, ik denk dat ik me nu werkloos moet noemen.'

'Op straat gezet, dus?'

'Ja. Dat is het precies. Ik sta op straat. Ik sta godverdomme helemaal op straat.'

Met haar hoofd schuin keek ze hem aan. 'En wat houdt dat eigenlijk in... in de spionagebranche?'

'In grote lijnen hetzelfde wat het ergens anders inhoudt.' Plotseling boog hij zich met een vertrouwelijk glimlachje naar haar toe. 'De ober is verliefd op je,' fluisterde hij.

Ze keek hem boos aan. 'Je verandert van onderwerp.'

'Ik kan er niets aan doen,' zei hij.

'Waarom niet?'

'Er is iets wat het "moeten-weten" wordt genoemd.'

'En?'

'Dat heb jij niet.'

Clementine fronste haar voorhoofd. 'Dat zullen we nog wel eens zien,' zei ze.

Er viel een stilte tussen hen. Uiteindelijk en kennelijk plompverloren – en kennelijk zonder enig verband met iets anders – vroeg Dunphy: 'En... loop je nog altijd college op King's?'

Clementine knikte. 'Mmmm,' zei ze.

'Weet je, ik dacht aan die professor. Die ene die is doodgegaan...

hoe heet hij ook weer... Schidlof. Zou ik met een van zijn studenten kunnen praten?'

'Weet niet!' antwoordde Clem, die een olijf proefde. 'Misschien. Weet jij wie dat zijn?'

'Nee. Ik heb geen flauw idee,' zei Dunphy. 'Hoe moet ik dat weten?'

Clem haalde haar schouders op. 'Jij bent de klotespion, ik niet. Ik dacht dat de cia alles wist.'

'Ja, nou, misschien, maar... ik ben op dit moment niet in de positie om de Dienst veel vragen te stellen. Toch moet er misschien... de een of andere lijst zijn. Ik bedoel maar, de universiteit houdt toch bij wie wat heeft gevolgd!'

'Dat gebeurt ook, natuurlijk. Maar ik ken niemand van de administratie en ook al kende ik er wel iemand, dan is er de privacykwestie. Ze zouden hem nooit aan mij geven.' Ze stopte even. 'Wat zit je nou te lachen?'

'Zoals jij "privacy" uitspreekt. Zo Engels.'

'Word je daar blíj van?'

'Ja.'

Clementine rolde met haar ogen. 'Zo! Dan ben jij wel gauw tevreden, zeg!'

De ober bracht borden met moussaka, wijnbladeren en hummus naar hun tafeltje en schonk een bleke gele wijn in Dunphy's glas die een opmerkelijke harssmaak had. Er viel een aangename stilte waarin ze rustig van elkaars gezelschap genoten. Plotseling keek Clem op van haar bord, leunde naar voren en riep: 'Simon!'

'Wat?'

'Simon!'

Dunphy keek om zich heen. 'Moet ik iets doen? Mijn ogen dichtdoen? Ronddraaien? Iets anders?'

'Simon deed een leergang psychologie. Het is een grote vakgroep, maar... misschíén heeft hij college gelopen bij Schidlof.'

'Kun je hem bellen?'

Ze schudde haar hoofd. 'Ik denk niet dat hij telefoon heeft. En ik weet zijn achternaam niet.'

Dunphy liet zijn schouders hangen. 'Dan wordt het wel moeilijk.'

'Maar we kunnen naar hem toe gaan.'

'Waar?'

'Op de markt in Camden Lock. Zijn ouders hebben daar een soort kraam. Sanitair, oude uniformen. Het gewone allegaartje.'

'Stel je me voor?' vroeg hij.

'Als jij een Sargeant Pepper's-jasje voor me koopt... zeker weten.'

Op zondag was het koud en de kilte die uit de ondergrondse omhoogkwam voelde meedogenloos aan. Op de lange roltrap naar de straat stonden Dunphy en Clementine dicht tegen elkaar aan gedrukt en zetten zich schrap tegen de door het vacuüm aangewakkerde storm.

'Godverdomme!' zei Clem. 'Ik bevries en ik ben niet eens buiten!' Ze omklemde zijn rechterarm met beide handen alsof hij wel eens een ontsnappingspoging kon wagen en trappelde met haar voeten om te zorgen dat haar tenen niet bevroren.

Ze was op ongedwongen wijze mooi, zoals modellen dat soms zijn als ze in New York, Parijs, Milaan op de luchthaven aankomen. Haar outfit was een toevalstreffer, het eerste wat ze die ochtend tegenkwam had ze aangetrokken: een morsige katoenen sweater (zwart); een spijkerbroek (ook zwart en met gerafelde knieën). Zachte leren laarzen met omgeslagen boorden en een dun leren jack dat haar niet warm kon houden. De wind waaierde haar haar alle kanten uit, het bedekte haar gezicht en liet het vervolgens weer vrij. Ze had niet de moeite genomen om zich op te maken – maar daar kon ze dus altijd al buiten. En haar zuivere, bleke huid was hoe dan ook rozig van de kou. Naast haar op de roltrap, die onder een hoek van vijfenveertig graden naar de oppervlakte ratelde, was Dunphy zich bewust van de zijdelingse blik van een zestal mannen.

De wind ging liggen zodra ze zich buiten in de massale drukte van Camden High Street stortten. De trottoirs waren volgepakt met een jong, stoned volkje, lichtgeraakt ogende jongelui in leren jacks, Afrikaanse verkopers, drugsverslaafden, headbangende jongeren, yuppen, relschoppers, zuiplappen, schizofrenen, toeristen... en een pantomimespeler. De atmosfeer was een stoofpot van zoete en zure geuren, van geroosterde kastanjes en verschaald bier, worstjes, uien en zweet. En dat alles werd omlijst door de wedijverende ritmes van reggae, rap en zouk, Yellowman, Bill Haley en Pearl Jam. Clem hield zijn hand stevig vast en haar gezicht schitterde toen ze zich door de menigte lieten meevoeren door de straat, langs gammele kraampjes boordevol truien, kledingrekken en bakken met illegaal gekopieerde bandjes.

'Net de hippiezomer,' zei ze. 'Alleen is het winter en ijskoud. En ik denk dat de mensen er anders uitzien.'

Dunphy bromde. 'Je hebt vast gelijk, maar wat weet jíj nou van de hippiezomer? Toen was je nog niet eens proteïne.'

'Ik heb een documentaire gezien.'

Ze vonden Simon in de winkel van zijn ouders, een inloopzaak te midden van een doolhof van gangetjes, alkoven en kamers die lang geleden onderdeel waren geweest van de stedelijke stallen. Simon, dun als een lat en ergens in de twintig, trotseerde de kou in een Pink Floyd-shirt, spijkerbroek en Doc Martens. In het vlees waar een biceps had moeten zitten had zich een Betty Boop-tattoo genesteld. Een elektrische kachel vlakbij produceerde het oranje dat jagers in het hertenseizoen dragen.

Toen hij Clem in het oog kreeg, vloog Simon plotseling op. 'Hallo,' riep hij en hij strompelde met wijd open armen op haar af. In hun omhelzing stonden ze naar Dunphy's smaak iets te lang te wiegen. Ten slotte merkte Simon dat hij er was en stapte een beetje schaapachtig achteruit. 'Kop thee? Voor jou en je vriend?'

'Nee...'

'Tuurlijk wel!' zei hij en hij verdween achter een gordijn met kwastjes.

Dunphy keek naar haar. 'Ik dacht dat je zei dat je hem niet goed kende.'

Clementine schudde haar hoofd. 'Wat ik zei was dat ik zijn achternaam niet wist.'

Kort daarop kwam Simon weer achter het gordijn vandaan met een paar geschilferde mokken waar de damp vanaf sloeg. 'Tetley. Iets anders heb ik niet in huis. Maar hij ís warm.' Hij gaf de mokken aan Dunphy en Clementine en liet zich in een van de vele leunstoelen vallen die her en der in het vertrek stonden. 'Dus,' zei hij handenwrijvend, met bijbehorende inhalige blik, 'wat zal het zijn? Douchekop, zo goed als nieuw? Amper gebruikte vibrator? Hou maar op met zoeken!'

Clem schudde haar hoofd. 'Vandaag niet, dank je. Jack is geïnteresseerd in die professor – die ene die ze vermoord hebben.'

'Schidlof?'

'Die, ja,' zei Clem. 'Ik heb Jack verteld dat jij bij hem college hebt gelopen... dat ik dat dacht, althans.'

Simon bekeek Dunphy wat nauwkeuriger. 'Ben je van de politie?'

'Nee,' zei Dunphy.

'Bevriend met de familie?'

Dunphy schudde zijn hoofd. 'Nee-ee... gewoon bevriend met Clem.'

Simon knikte. 'Juist, nou, ze heeft meer vrienden dan Bill, niet-waar?'

Dunphy glimlachte. 'Ik neem aan van wel, maar... jij hebt dus in-derdaad college bij hem gelopen?'

'Ja. Hoezo?'

'Ik hoopte dat je misschien nog aantekeningen had.'

'Hè? Van Schidlofs lessen?'

'Ja.'

'Lijkt me niet. En als ik ze wel had, zouden ze nou bij de politie liggen, denk je ook niet?'

'Weet ik niet. Waarom?'

'Omdat die hier was. Iedereen die die colleges volgde heeft be-zoek gekregen.'

'En de aantekeningen van de studenten werden in beslag geno-men?'

'Ze zeiden dat ze bewijzen verzamelden. "Bewijzen waarvan?" vroeg ik. "Dat gaat je niets aan," zeiden ze.'

'Oké,' zei Dunphy, 'kun je me iets over de colleges vertellen?'

'Ja?'

'Waar gingen die over?'

Simon keek naar Clementine alsof hij wilde vragen: wie ís dit? Clem haalde haar schouders op alsof ze wilde zeggen: *geef 'm nou maar z'n zin.*

'Nou-ou,' zei Simon, 'het was wel een beetje ingewikkeld, hè.'

'Dat weet ik niet. Ik was er niet bij.'

'Ik wél. En het was héél ingewikkeld.'

'Misschien kun je wat meer in detail treden, Simon,' stelde Clem-entine voor.

De jongen ademde diep in en zuchtte. 'Juist,' zei hij en hij wend-de zich tot Dunphy. 'Weet je veel van Jung af?'

Dunphy schudde zijn hoofd. 'Niet echt.'

'Tja, dat maakt het wel lastiger, hoor. Ik bedoel... dit was niet voor beginners. Het was een werkcollege.'

'Over Jung?'

'Het heette "het archetypische veld in kaart brengen" en waar het over ging was...' Simon keek hulpeloos naar Clem, die hem met een knipoogje geruststelde. Met een glimlach haalde hij diep adem, schraapte zijn keel en wendde zich tot Dunphy. 'Juist!' herhaalde hij. 'Waar het over ging, was: Jung. Stichter van de analytische psychologie. Collega van Freud. Tegenwoordig wat achterdochtig bekeken vanwege zijn volgens critici buitensporige belangstelling voor *völkische* zaken. Met andere woorden, hij wordt ervan verdacht iets te veel telefoontjes uit de bunker te hebben gekregen. Om niet te spreken van de patiëntengeschiedenissen die hij naar verluidt heeft verzonnen. Ik kan het over de Solar Phallus-man hebben.'

'Over wie?'

'De zon-fallus-man.'

'En wie was dat?'

Simon haalde zijn schouders op. 'Een mafkees,' zei hij. 'Maar geen relevante, althans niet voor ons. Want die casus hebben wij niet gehad. Ik geef je gewoon wat achtergrond. Want het is een groot onderwerp. Ik wil maar zeggen, die oude Jung had een hoop ideeën... over godsdienst. Mythe. Alchemie. *Synchroniciteit.*'

'Wat is dat?' vroeg Clem.

Simon fronste zijn voorhoofd en zijn ogen vroegen: *hoe zeg je dat?*

'Het is de idee dat toeval iets anders is dan toevallig,' zei Dunphy tegen haar.

'Heel goed!' riep Simon uit. 'Klopt als een bus. Synchroniciteit is... precies wat je zei: de idee van zinvolle toevalligheden.'

'Ging het college daarover?' vroeg Dunphy.

'Nee,' antwoordde Simon. 'Dat moest een exploratie zijn van het collectieve onbewuste... en dat is...' De jongen, wiens adem als een stapelwolk in de lucht hing, verzonk in gedachten. Dunphy wilde net de stilte verbreken toen de ander een vinger in de lucht stak, opkeek en uit zijn hoofd begon te citeren: 'Dat is... een "matrix... van beelden en dromen die de fylo" – ik hoop dat je luistert, want elk woord is een juweeltje –, "de *fylogenetische* ervaring van de hele mensheid belichaamt en iedereen overal verbindt en raakt."' Met een lachje klemde Simon zijn kaken weer op elkaar.

Dunphy knikte, maar Clem was niet onder de indruk. 'En wat wil dat zeggen?' vroeg ze.

Simon zuchtte, de wind was uit zijn zeilen verdwenen. Uiteindelijk zei hij: 'Het is net als internet... maar dan zonder de advertenties. Of je kunt zeggen dat het een wolk van ideeën en beelden is, maar gróte ideeën en kráchtige beelden – waarvan je door het lint kunt gaan – die allemaal tegelijk overal en nergens zijn. En achter in je hoofd is dan het modem geïnstalleerd. Belangrijkste verschil is dat jij niet inplugt in het collectieve onbewuste. Dat plugt in in jóú.'

Clem lachte. 'Als ik het niet dacht,' zei ze. 'Dat heb ik altijd al geloofd.' Dunphy keek haar nog eens aan. Ze zat naast hem in een sjofele fauteuil met haar benen over elkaar, voorovergebogen wiegend tegen de kou. Haar rechtervoet tikte in de lucht, van ongeduld of van de kou of allebei. 'En nou voor den dag ermee,' zei ze tegen Dunphy.

'Waarmee?'

'De portefeuille. Je hebt me een jas beloofd. Dus kom maar op.'

Dunphy trok een gezicht, greep in zijn achterzak en gaf haar zijn portefeuille.

'Ik ben zo weer terug,' zei ze tegen hen. 'Ik weet precies waar ik moet wezen.' En ze kwam overeind, maakte rechtsomkeert en wandelde weg. Dunphy en Simon keken haar na totdat ze een hoek omsloeg en keerden toen weer terug naar het gespreksonderwerp.

'Waar waren we?' vroeg Simon.

'Het plugt in in jou,' antwoordde Dunphy.

'Zo is dat.'

Dunphy dacht even na. Zijn voeten waren ijskoud, zijn tenen gevoelloos. Ten slotte zei hij: 'Waar het om gaat is dat ik niet begrijp hoe iemand door dat soort dingen vermoord kan worden.'

'Nou, je had erbij moeten zijn. Schidlof kon behoorlijk dodelijk zijn om acht uur 's morgens. Ik bedoel maar, er waren erbij die zich dóód verveelden.'

Dunphy reageerde met een flauw lachje op de woordspeling en vroeg: 'Maar hoe stond hij er zelf tegenover? Je zei dat het een werkcollege was, een werkcollege waarover...? Het archetypische...'

'... veld in kaart brengen. Juist! Zoals ik al zei. Maar wat je moet begrijpen is dat Schidlof ervoor ging. Voor hem was het niet zomaar een theorie. Het onbewuste – het collectieve onbewuste – was net zo echt als jij of ik. Wat betekent dat het beschreven of in kaart gebracht of opgesomd kon worden... in inhoudelijke zin althans.'

'Welke inhoud?'

'De archetypen. Toen Schidlof over het collectieve onbewuste sprak, had hij het over een veld van *archetypen* – oerbeelden, -tekeningen en -pictogrammen die teruggaan naar het begin van de tijd. Wat verbijsterend is als je erbij stilstaat.'

'En de bedoeling van dit alles was... wat?' vroeg Dunphy.

Simon dacht even na en zei: 'Ik denk dat Schidlof een theorie probeerde te bewijzen.'

'Wat voor theorie?' vroeg Dunphy.

'Dit is giswerk, hoor.'

'Ik luister.'

'Hij was bezig aan een biografie over Jung en had blijkbaar wat documenten gevonden... in Zwitserland. Hij ging voortdurend naar Zürich om onderzoek te doen. Om mensen te interviewen en...'

'Wat voor documenten?'

'Brieven. Die nog geen mens had gezien. Hij zei dat dat zou inslaan als zijn boek uitkwam.'

Dunphy dacht daar even over na en vroeg toen: 'En wat wilde hij bewijzen, denk je?'

Simon tuitte zijn lippen en trok een gezicht. 'Veel zei hij er niet over, maar een keer of twee liet hij iets los.'

'Ja?'

'Nou, hij dacht dat iemand – of iets – hij zei nooit wat – maar hij dacht... nou, hij dacht dat... iemand het manipuleerde.'

'Wat manipuleerde?'

'Het collectieve onbewuste.'

'Hè?'

'Hij dacht dat iemand het collectieve onbewuste aan het herprogrammeren was... nieuwe archetypen introduceerde, oude nieuw leven inblies.'

'En hoe zou dat dan in zijn werk moeten gaan?' vroeg Dunphy met een stem waar de scepsis vanaf droop.

Simon haalde zijn schouders op. 'Weet ik 't. Maar degene die het doet... nou, die stelt wel het hele menselijke ras opnieuw af, toch? Ik bedoel maar, dan zit je rechtstreeks achter de knoppen. Je hebt de achterhersenen van de hele planeet binnen handbereik! Dus wat Schidlof met dat college wilde – en dit is gewoon wat ik ervan denk, snap je – was volgens mij een inventaris maken, een soort catalogus van archetypen, om te zien of we de nieuwe misschien konden onderscheiden. Of exemplaren die volgens ons... nieuw leven ingeblazen waren.'

'En hebben jullie die gevonden?'

Simon verraste hem. 'Ja,' zei hij. 'Dat denk ik wel.'

'Zoals?'

'Nou, vliegende schotels dus...'

'Dus?'

'Ja. Dus, want Jung heeft er in de jaren vijftig een boek over geschreven en... toen zei hij dat. Hij noemde ze "een nieuw archetype dat in opkomst was". En "de voorbode van de messias". Einde citaat. En hij zei dat ze het teken waren dat er een nieuw tijdperk aanbrak.' Simon wachtte even en voegde er toen met een knipoog aan toe: 'Dus dat was een heel goede aanwijzing.'

'Wat nog meer?'

Simon bewoog zijn hoofd van de ene kant naar de andere. 'We praatten over graancirkels, runderverminkingen, een hoop... Wát?'

Dunphy schudde zijn hoofd, dat leek te tollen. 'Niets,' zei hij.

'Hoe dan ook, voordat we wisten wat er gebeurde, was de professor uit de weg geruimd, de politie nam onze aantekeningen in beslag... en dat was het dan. Exit werkcollege.'

Dunphy was even stil. Ten slotte vroeg hij: 'Hoezo verminkt vee?'

Simon snoof. 'Nou, als dierenoffer, nietwaar? Net zo oud als de wereld. Schidlof zei dat iemand de boel in gang zette. "Een sluimerend archetype nieuw leven inblies."'

'Maar waaróm?'

Simon schudde zijn hoofd. 'Weenie. Maar als je Jung volgt – en in Schidlofs werkgroep was je dat geraden ook – houdt het allemaal verband met religie. De Wederkomst. New age. Dat soort dingen.'

De jongen keek even om zich heen en begon overeind te komen. 'Hoor eens,' zei hij, 'dit kost me klanten...'

'Er zit vijftig pond aan vast voor jou.'

Simon ging weer zitten. 'Hoe dan ook,' ging hij verder, 'als je 't mij vraagt, is het gelul.'

Met zijn ogen naar de grond knikte Dunphy, die zijn uiterste best deed de stippeltjes met elkaar in verband te brengen. Uiteindelijk schudde hij zijn hoofd.

'Als je wilt weten wat ik ervan denk...' zei Simon.

'Waarvan?' vroeg Dunphy.

'Schidlofs dood. Als ik het was en ik was geïnteresseerd, dan zou ik eens bellen met die stomme luchtverkeersleiding op Heathrow. En vragen wat zíj hebben gezien.'

'Waar heb je het over?'

'Ik heb het over die kuthelikopter.'

'Welke helikopter?'

'Een geluidloze. Het heeft niet in de krant gestaan, maar hij is wel degelijk gezien. Ik heb er op internet over gelezen: alt.rec.mutes. Die vent die de oude Schidlof heeft gevonden zegt dat de kranten ernaast zaten: hij is niet over de professor gestruikeld. Hij zegt dat er boven de Inner Temple een enorme kuthelikopter in de lucht hing – maar zo stil dat hij meer weg had van een helikopter-*animatie* dan van een echte. En voordat hij het wist valt die meneer eruit en dondert op het gazon. Een val van meer dan vijftien meter, zegt hij.'

'Krijg nou wat,' zei Dunphy.

'Ik meen het!'

'Dat weet ik wel, maar...'

Simon grijnsde, zag Clementine en zwaaide naar haar toen ze de kraam weer binnen liep. Een lange blauwe jas met gouden epauletten hing van haar schouders tot halverwege haar dijen. Boven haar linkerborst zat een verguld speldje van een hamer en sikkel naast een aids-lintje.

'Jullie nog steeds bezig?' vroeg ze terwijl ze Dunphy zijn portefeuille gaf.

Dunphy schudde zijn hoofd. 'Nee, ik denk dat we wel klaar zijn. Wat heeft me dat gekost?' vroeg hij met een hoofdknikje naar de jas.

'Zestig pond,' antwoordde Clem.

Dunphy bromde, haalde een briefje van vijftig uit zijn portefeuille en gaf het aan Simon. 'Dank je,' zei hij.

'Dat is het dan?' De jongen liet het geld in zijn zak glijden.

'Ja,' antwoordde Dunphy en hij kwam overeind. 'Dat is het. Mijn hoofd tolt.'

Simons grijns werd alsmaar breder. 'Heb ik geholpen?'

'Ja,' zei Dunphy. 'Je hebt geweldig geholpen. Nu ben ik helemáál in de war.'

18

Hij kon niet slapen.

Hij lag naast Clementine in bed te kijken naar de koplampen die tegen de muur omhoogklommen en over het plafond gleden. Van verderop in de straat sijpelde er muziek door het vensterglas: een oude Leonard Cohen-song, telkens weer opnieuw. En toen heel abrupt niets... de stilte trof hem als een scheepsmotor die er op volle zee mee uitscheidt.

Hij rolde zich naar haar toe en trok haar met zijn linkerarm tegen zich aan. Hij begroef zijn gezicht in de warmte van haar haar, lag eventjes stil... en rolde weg. Zijn hersenen draaiden op volle toeren.

Hij ging zitten, zwaaide zijn voeten over de rand van het bed en keek om zich heen. Een bundel waterig lantaarnlicht scheen naar binnen en vormde een lichtvlek op een versleten rode *dhurrie.* Boeken op het nachtkastje.

Dunphy keek met samengeknepen ogen: *The Genesis Code. Time's Arrow. The Van.* Hij had niet beseft dat ze zoveel las.

Hij stond zachtjes op en kleedde zich langzaam aan in het bleke duister van de kamer. Hij wilde een heel eind gaan hardlopen, maar dat zou niet gaan. Hij had geen loopschoenen, -broek of -sokken. Maar wandelen kon wel. En dat was beter dan in het donker zitten.

Als hij opbleef en Clementine sliep, was de flat eigenlijk te klein. Hij bestond uit één vertrek met een hoog plafond en een raamwand met dubbel glas met uitzicht op Bolton Gardens. De flat, die vlak om de hoek van de hippe, drukke Old Brompton Road lag, was een pied-à-terre geweest voor Clems tante, een actrice op leeftijd die vorig jaar naar Los Angeles was vertrokken. Hij kostte haar niets en ze kreeg er een seizoenskaart bij voor de voetbalwedstrijden in Stamford Bridge.

Hij hoorde Clementines zachte ademhaling toen hij de deur achter zich dichtdeed en de trap af liep naar de straat. Ofschoon het nog geen vijf uur 's morgens was, was hij meer dan klaarwakker. *Matta. Blémont. Roscoe. Schidlof.* Hun gezichten flitsten over zijn netvlies.

Hij liep over Cromwell Road in de richting van Thurloe Square en kwam langs het Victoria and Albert Museum, waarna hij via Brompton Road naar Harrod's ging. Het was nog altijd dezelfde straat, maar na een paar zijstraten veranderde hij telkens van naam, alsof hij voortvluchtig was. Hij vond het komisch dat Cromwell Road en hij in dat opzicht iets gemeen hadden.

Het was een nacht voor minnaars. Er kwam een warmtefront aan vanuit het westen waar een mistbank op meeliftte die het sterrenlicht ving en vlekkerig maakte. De lucht was tintelend fris. Na Harrod's stak hij over naar het Scotch House en stond daar een poosje onder de luifel in de etalage te kijken. Er was geen reden om aan te nemen dat hij werd gevolgd, maar gezien de omstandigheden liet zijn paranoia zich niet zomaar verjagen. Dus bestudeerde hij de wereld achter zijn rug in de weerspiegeling voor hem. En zag tot zijn opluchting alleen zichzelf. Hij liet het Scotch House achter zich, stak over in de richting van het oude Hyde Park Hotel en liep door tot hij in het park was.

Ik zou Max moeten bellen, dacht hij. In een telefooncel. Maar nee. Max bellen had geen zin en met hem afspreken evenmin – niet tot hij naar de bank was geweest. Niet tot hij het geld had.

In zekere zin en zeer zeker in weerwil van de omstandigheden verheugde hij zich erop. Clem en hij konden een dag of twee van elkaar genieten in St. Helier, tot het tijd was dat hij naar Zürich ging.

Hij liep een poosje langs Rotten Row en stak toen het grasveld over naar de oever van de Serpentine.

De eerste keer dat hij het meer had gezien was tijdens een atletiekwedstrijd geweest. Twintig was hij, destijds, en het was de enige keer in ieders herinnering dat het atletiekteam van Bates College überhaupt naar het buitenland was gegaan. Hij had de 1500 meter gelopen en was op een loffelijke vierde plaats geëindigd tegen twaalf andere scholen. Oxford, Haverford, Morehouse, Harvard. Welke andere wist hij niet meer, maar zijn tijd zou hij nooit vergeten: vier minuten, twaalf seconden en nog wat, zijn beste tijd ooit.

Van het meer steeg mist op alsof het stoom was. Dat was twaalf jaar geleden, dacht Dunphy. En ik ben nog steeds op de loop.

De lucht was nu lichter, alsof de nacht op de zon vooruitliep. Dunphy koos een pad dat hem het park uit voerde en nam toen de heenweg weer om terug te lopen via Brompton Road en Cromwell Gardens. Bij de ondergrondse op Gloucester Road hield hij halt bij een arbeiderscafé voor een kop thee en een scone. Het etablissement begon net vol te lopen met mannen met werkmansschoenen en vuile spijkerbroeken aan en het stond er blauw van de rook van goedkope sigaretten. Het was een warm, wat verscholen plekje dat van de straat werd afgeschermd door een beslagen raam waar de condens vanaf droop. De thee was heet, zoet en lekker; hij nam de tijd om hem te drinken en bladerde intussen in een achtergelaten *Sun*. Manchester United stond weer bovenaan en Fergie... ach, Fergie had zich helemaal door Weight Watchers laten inpakken.

Toen hij klaar was, liep hij het café uit en vervolgde zijn tocht over Cromwell Road in de richting van Bolton Gardens. De zon was net onder de horizon en in de inmiddels echt licht geworden straat begon beweging te komen. Een man in een driedelig pak met bolhoed haastte zich naar de ondergrondse. Met de *Times* onder een arm en een dichtgevouwen paraplu aan zijn attachékoffertje vastgebonden was het net een spookverschijning: de Geest van Gedane Zaken of zo.

Vuilnisbakken tuimelden en kletterden tegen elkaar aan in een nabijgelegen steegje waar vuilnismannen aan het werk waren. En toen hoorde hij nog iets, een geluid dat hij niet goed kon plaatsen: een veraf gejengel dat luider en lager werd totdat hij zich omdraaide en plotseling besefte wat het was: het gegrom van een enorm accelererende automotor. Die was van een zwarte Jaguar, die hij nog maar net als zodanig had herkend of de wagen scheurde met zo'n vaart langs dat hij naar adem hapte. Jezus, dacht hij, waar gaat die in godsnaam heen? En waar zit de politie als je ze nodig hebt? Hij hoorde en zag de auto abrupt gas terugnemen bij het naderen van

Collingham Road. Er klonk een knal als van geweervuur in de verte en de Jag zwenkte met een slinger naar links en verdween.

Dunphy moest ook door Collingham Road. In het kielzog van
de Jaguar voortsukkelend zag hij de eerste ochtendstralen op de ramen van de tweede verdieping van de herenhuizen aan zijn rechterhand schijnen. Het was vijf minuten lopen naar Clems flat en
daar aangekomen wist hij meteen dat er iets goed mis was. De Jag
stond voor haar flat, bijna een meter van de stoep af, zo fout geparkeerd dat hij achtergelaten leek. Dunphy luisterde even naar het ge-
tik van de afkoelende motor voordat hij rechtsomkeert maakte en
terugliep naar waar hij vandaan gekomen was. Hij twijfelde er geen
moment aan dat de inzittenden van de auto voor hem waren gekomen. Hoeveel waren het er dan? Twee? Drie? Twee. En uit hun rij-
stijl en de manier waarop ze hun wagen hadden achtergelaten bleek
duidelijk dat ze niet alleen met hem wilden práten.

Ze wilden hem te grazen nemen. En wat zouden ze doen als ze
dat wilden en merkten dat hij niet in de flat was? Wachten tot hij
terugkwam? Natuurlijk. En zouden ze zich onder het wachten op
Clem afreageren? Misschien... het waren nu eenmaal geen agenten.
Dat stond wel vast. Agenten reden niet in een xj12. En wat zouden
ze dan doen? Haar pijn doen? Haar néúken? Dunphy had geen
flauw idee. Hij wist alleen dat hij iets moest doen, en wel meteen,
maar wat? De flat was een val en al zijn gepieker zou daar niets aan
veranderen. Uiteindelijk zou hij moeten toehappen. Hij zou naar
binnen moeten. Maar wanneer? En hoe?

Toen hij weer op Cromwell Road was, ging hij in de portiek van
de krantenman staan en dacht diep na. Ze zouden Clementine vragen waar hij was, en als zij zei dat ze dat niet wist – en dat wist ze
niet – zouden ze haar een pak slaag geven. Dat zouden ze doen omdat ze dat kónden doen en omdat er geen nadelen aan verbonden
waren. Misschien zou ze van gedachten veranderen en wat maakte
het uit als ze dat niet deed?

Dunphy bedacht dat hij hier met een telefoontje invloed op kon
uitoefenen. Hij kocht een beltegoedkaart bij de krantenman en liep
naar de telefooncel voor de Cat & Bells aan de overkant. Daar stak
hij de kaart in de gleuf, toetste haar nummer in en luisterde naar de
telefoon die in haar flat overging.

Als ze alleen was, zou hij het weten. Hij zou het aan haar stem horen, ongeacht wat ze in feite zéí. En als ze niet alleen was, zou hij dat ook weten, want dan zouden ze haar nooit laten opnemen. Dat konden ze niet omdat ze niet konden weten wat ze zou zeggen of doen. En om hem te waarschuwen was maar een woord, een verbuiging of een lange stilte nodig. Als ze ook maar enigszins competent waren, wisten ze dat, en als ze voor de Dienst werkten, wat Dunphy vermoedde, waren ze waarschijnlijk heel competent.

'Hoi... met Clem!' Dunphy veerde op; de spanning gleed van hem af. Ze mankeerde niets. Ze was gelukkig. En ze deed niet alsof. Haar toon vertelde hem dat.

'O, liefje,' begon hij, 'ik was...'

'Ik ben niet thuis of even op het andere toestel aan het bellen, maar als je je naam en telefoonnummer inspreekt, bel ik je terug zodra ik terug ben.'

Kut. Het was een antwoordapparaat. Zijn schouders verstrakten en trokken samen terwijl hij op de piep wachtte. Toen die eindelijk kwam, deed hij zijn best om nonchalant te klinken. 'Ja, Clem! Met Jack. Sorry dat ik weg moest. Hoor eens... ik ben pas over een paar uur terug... ik zit helemaal aan de andere kant van de stad... maar blijf waar je bent, dan trakteer ik je op een ontbijtje.'

Hij hing op en keek om zich heen. Dat zou hen een poosje moeten tegenhouden en een poosje was precies wat hij nodig had. Om na te denken: hoe hij hen uit de flat moest krijgen, hoe hij hen naar hém moest krijgen. En niet alleen naar hem, maar in paniek naar hem. Dunphy kreunde. Dit zou een hele poos kunnen duren, dacht hij, want ik heb geen flauw idee.

Toen hij de steeg achter de Cat & Bells in liep, kwam hij langs een gedumpt bankstel dat in de stank van de vuilcontainer ernaast stond te beschimmelen. Door de bank wist hij weer hoe moe hij was, maar het meubelstuk nodigde niet uit om erop te gaan zitten. Op de kussens lag een paisley beddensprei met zoveel vlekken dat Dunphy wel kon blijven raden naar de kleur. Ze zouden hem in de fik moeten steken, dacht hij. Waardoor hij nog wat verder nadacht.

Twintig minuten later en vijftig pond lichter liep Jack Dunphy Collingham Road in met een lange strook paisleystof in zijn ene hand en een blik benzine in de andere. Hij ging de hoek om naar Bolton Gardens, stak de straat over naar de Jag en sloeg met het blik als stormram het ruitje aan de bestuurderskant in. Nadat hij het web van glasscherven had weggeduwd, boog hij zich door het raampje naar binnen en reikte naar de vloer, waar hij de benzinetank ontgrendelde. Toen liep hij naar de achterkant van de auto.

Hij stond in het volle zicht van de flat, maar daar was niets aan te doen. Als de eigenaars van de auto de straat in de gaten hielden, zouden ze hem zien – maar dat was onwaarschijnlijk. Hij werd pas over een paar uur verwacht. Alhoewel...

Hij propte een stuk stof in de benzinetank en liet de rest op straat hangen. Nadat hij de portieren had opengezet, goot hij benzine op de stoelen en gooide de jerrycan naar binnen. Zijn hart bonsde, plotseling in beweging gezet door de benzinewalm. Hij klopte op zijn zakken en vond het doosje Swans van nog geen stuiver, haalde er een uit en wilde hem juist afstrijken... toen hij een geluid hoorde en zich omdraaide.

Hij verwachtte een schot in zijn gezicht. Hij verwachtte een man met een veterdas en een vuurwapen... maar het was een vrouw in een nachtpon die met een fles melk in haar hand op het bordes achter hem naar hem stond te staren.

'Is dit uw auto, mevrouw?'

De vrouw schudde langzaam haar hoofd.

'Dan kunt u maar beter weer naar binnen gaan.'

Ze knikte en deed tastend naar de deurklink een stap achteruit. Toen ze de klink gevonden had, ging ze naar binnen, deed de deur zachtjes achter zich dicht en gilde: een kort gilletje dat een en al klinker was en nergens heen ging. Dunphy keerde het geluid de rug toe, streek een lucifer af en hield die voorovergebukt tegen de onderkant van de strook stof. Toen begon hij te rennen in de richting van Clementines flat en vroeg zich af hoe lang het zou duren totdat...

Whoooommmm! Het klonk als een kleed dat geklopt werd, één klap met een mattenklopper... en toen een geluid als van krakend cellofaan en een kreet ergens verderop op straat. De lucht was plotseling heel warm.

Clems flat lag op de eerste verdieping van een victoriaanse twee-onder-een-kap met een klein bordes en witte pilaren. Er stond een vuilnisbak van gegalvaniseerd ijzer aan de stoeprand en in het voorbijrennen graaide Dunphy het deksel mee. Met drie treden tegelijk stoof hij naar de voordeur, duwde hem open, stapte achteruit en wachtte. De auto was inmiddels een rook en vlammen uitbrakende vuurzee geworden en de postbode rende als een waanzinnige over straat terwijl hij in het Cockney tegen de huizen gilde: '*Oiii! Oiii!*'

Dunphy wachtte nog steeds, gespannen als een veer, zijn hemd vochtig van het zweet en de adrenaline. Ieder moment konden de mannen in de flat de herrie horen en wanneer ze dat deden zouden ze naar het raam lopen en...

'*KANKER! KANKER!* Hij heeft de kankerauto in de fik gestoken!' De woorden explodeerden in de lucht als een Romeinse kaars die uit het raam van Clems flat werd afgestoken. Drie seconden later vloog er een deur open op de eerste verdieping en hoorde Dunphy het *bonk-bonk-bonk* van iemand die in allerijl de trap af komt. En toen was het geluid in de hal en Dunphy draaide, trots op zijn timing, op de bal van zijn voet, kantelde het vuilnisbakdeksel 180 graden en dreunde het met volle vaart in het gezicht van een rennende man die dat absoluut niet had zien aankomen. Iets wat op een Walther leek vloog uit zijn hand toen zijn voeten van de grond kwamen en fietsend naar het dak gingen. Er was een ogenblik waarop hij met zijn hoofd op dezelfde hoogte als zijn tenen bijna een meter van de grond af in de lucht leek te hangen, alsof hij aan een goocheltruc meedeed. En toen kwam hij plat en hard op het bordes neer, waar hij geluidloos lag te stuiptrekken. Nou, dacht Dunphy, dát werkte. Hij bukte zich en raapte het wapen op (inderdaad een Walther) en wierp een blik op de man op de grond. Zijn neus was gebroken en er was een hoop bloed, maar hij ademde nog – en Dunphy herkende hem. Het was Alleman, de jongen met de polstattoos, de sarcastische koerier die met een bordje op de luchthaven had staan wachten op meneer Torbitt. (Wat was het laatste ook weer dat hij zei? *Nog een fijne dag verder?!*)

Dunphy pulkte een tand – een snijtand – uit zijn schoenzool en ging omzichtig in de deuropening staan.

'Freddy? Freddy?' Jesse Curry's klaaglijke stem dreef van de eerste verdieping naar beneden.

'Hiero!' Een dringende fluister van Dunphy, die met afgeknepen stem een weinig overtuigend Cockney produceerde.

'Ben jij dat, Freddy? Waar zit je dan?'

Dunphy gaf geen antwoord. Hij was bang dat Curry zijn stem

zou herkennen als hij meer dan twee woorden zei. Hij stapte de hal in, kroop achter de trap en hield zijn adem in. Als Curry slim was, dacht Dunphy, bleef hij waar hij was.

Maar dat was hij niet, en dat deed hij niet. Er was een kort handgemeen op de trap boven en Clems stem: 'Auuu! Stomme klootzak!'

'Kop dicht!' mompelde Curry.

'*Auuu!*'

'Freddy? Hé man, zeg eens wat.'

Dunphy hoorde de brandweersirenes Collingwood Road naderen en onder dat lawaai door Curry's voetstappen terwijl hij langzaam de trap af liep en Clementine voor zich uit duwde. Een ogenblik later kon Dunphy hen zien: Curry hield haar dicht tegen zich aan door een bos haar op haar achterhoofd stevig in zijn linkerhand te klemmen en naar achteren te trekken, wat haar uit haar evenwicht bracht en tegelijkertijd volgzaam maakte. Zijn rechterhand zwaaide met een vuurwapen in de richting van de voordeur.

Wat, wist Dunphy, niet de manier was waarop je zoiets aanpakte. Als je een gijzelaar had, drukte je de loop tegen haar hoofd en hield die daar. Anders kon iemand als Dunphy van achteren naderen (wat Dunphy overigens op dat moment ook deed) en jou een dreun op je achterhoofd verkopen – wat Dunphy dan ook deed door met het handvat van de Walther het uitsteeksel van het slaapbeen vlak achter Curry's oor te raken.

Clem gaf een verrast gilletje toen Curry wankelde, heen en weer zwaaide en tegen de muur aan viel, waarbij hij zijn wapen liet vallen. Met zijn rechterhand tegen zijn achterhoofd gedrukt klapte hij dubbel en bracht een zachte, droeve jammerklacht ten gehore.

Dunphy wendde zich tot Clementine. 'Jij in orde?' Ze knikte en hij zag dat ze loog. Haar linkeroog was dik en de zijkant van haar gezicht was gekneusd. 'O, jezus,' mompelde Dunphy.

Curry keek op met een van pijn vertrokken gezicht. 'Dat heb ik niet gedaan,' zei hij. 'Dat heeft Freddy gedaan. Vraag haar...'

'Freddy kan me geen moer schelen,' zei Dunphy. 'Ik wil weten hoe je me hebt gevonden.'

Curry klemde zijn tanden op elkaar vanwege de pijn en kwam met een vertrokken gezicht overeind. 'We hebben je creditcards gevolgd.'

'Gelul.'

'Waarom zou ik liegen? Waarom zou ik daar godverdomme over liegen?'

'Dat weet ik niet.'

'Volgens mij heb ik een hersenschudding.'

'Kan me niet schelen. Vertel nou maar hoe je me hebt gevonden.'

'Heb ik je al verteld. We hebben je creditcards getraceerd. Over stom gesproken. Over geklungel...'

'Ik heb mijn creditcards niet gebruikt, Jesse!'

'Zíj wel. Zij heeft een jas gekocht.'

'Wat?'

Curry keek even naar Clementine en sneerde: 'Zij heeft een jás gekocht. Op Camden Lock. Mijn-lieve-schatje heeft een...'

Clem viel naar hem uit, maar Dunphy greep haar arm. 'Kom,' zei hij, 'we moeten gaan.'

'En hij dan?' vroeg Clem. 'Hij komt gewoon achter ons aan.'

Dunphy dacht na. Ten slotte zei hij: 'Nee, dat doet hij niet.'

'Waarom niet?'

'Omdat ik hem neerschiet.'

Clems ogen gingen wijd open en Curry werd bleek. 'Hé hé hé,' zei hij en hij drukte zich tegen de muur.

Dunphy haalde zijn schouders op. 'Kan er niets aan doen. Ik heb geen keuze.'

'Bind me dan vast!'

'Geen touw.'

'Doe het dan in godsnaam met een ríém!'

Dunphy schudde zijn hoofd. 'Haalt niks uit. Je zou 'm gewoon smeren.'

'Je kunt hem niet zomaar neerschieten,' zei Clem.

'Zou je niet eens naar buiten gaan?' stelde Dunphy voor.

'Nee! Dan schiet je hem neer.'

'Dat doe ik niet.'

'Dat doet hij wel!' riep Curry. 'Niet weggaan!'

Dunphy hield zijn ogen op Curry gericht, maar zijn woorden waren voor Clem bedoeld. 'Ga gewoon naar buiten en kijk of de kust veilig is. Ik zal hem geen pijn doen.'

Clementine keek hem recht aan. 'Beloof je dat?'

'Erewoord.'

Met tegenzin glipte Clem door de voordeur naar het bordes. Toen de deur achter haar dichtviel, zette Dunphy een stap in Curry's richting en vervolgens nog een. Plotseling stonden ze met de tenen tegen elkaar aan; de Walther in Dunphy's hand, zijn arm naar beneden.

Curry's rug was tegen de muur aan gedrukt en Dunphy zag dat de kraag van zijn overhemd nat was van het bloed van waar het wapen hem had geraakt. 'Dit is een grap,' zei Curry. 'Toch?'

Dunphy schudde zijn hoofd.

'We kennen elkaar al een tijd,' pleitte Curry. 'Al een hele tijd.'

Er ontsnapte een zacht, honend pufje aan Dunphy's lippen.

'Ik weet wat je zoekt,' hield Curry vol. 'Ik kan je dingen vertellen die je wilt weten.'

'Ja, maar je zou liegen,' antwoordde Dunphy. 'En bovendien zullen er hier een hoop agenten komen, dus... tja, dit is gewoon niet het goede moment.'

'Maar...' Curry's ogen werden rond toen de loop van de Walther tegen zijn knieschijf aan drukte.

'Flink zijn,' zei Dunphy, 'dit duurt maar een seconde.'

'Jezus christus, Jack...'

'Hou eens op met dat gejammer... je gaat er niet aan dood.' En hij schoot.

19

Hand in hand renden ze over Old Brompton Road, keken achterom en speurden de straat af naar een taxi. Met krijsende claxons denderden politieauto's met een waanzinnige vaart door de straat. Ten slotte vonden ze een taxi voor een Pakistaanse winkel die kennelijk in plastic bagage was gespecialiseerd.

'Victoria Station,' zei Dunphy en hij rukte het portier open. Een seconde later lieten ze zich allebei op de gebarsten leren zittingen van de taxi neervallen, zakten onderuit en luisterden naar hun hart dat tegen hun borst aan bonkte. Uit een radiator achter de bestuurdersstoel reutelde hete lucht die hun enkels roosterde.

Er verstreek een hele minuut voordat Clem hem aankeek. 'Waar gaan we naartoe?' vroeg ze met een stem die dof klonk van schrik.

Dunphy schudde zijn hoofd. Een knikje richting chauffeur.

'Ik heb mijn pas niet bij me,' zei Clem.

'Maak je maar geen zorgen.'

In gedachten verzonken reden ze in stilte door de drukker wordende spits terwijl Dunphy zijn best deed om de betraande wangen van zijn vriendin te negeren. Na een poosje hield hij het niet meer uit. 'Luister,' zei hij, 'ik kon niet anders.'

Haar ogen bleven gericht op de straat achter het raam.

'En trouwens,' vervolgde hij, 'hij legt heus niet...' De ogen van de chauffeur doemden op in de achteruitkijkspiegel. Dunphy ging fluisterend verder. 'Hij legt heus niet het loodje, godsamme, zeg. Het is een taaie.'

Clem staarde hem ongelovig aan en keek toen weg.

Dunphy grinnikte. 'Een beetje plamuur, een stok... niks aan de hand.'

Ze barstte in tranen uit.

Dunphy rolde met zijn ogen. 'Echt waar, hoor. Niet dat het me een moer kan schelen, maar de klootzak is in no time weer haantje-de-voorste.'

Clementine keek hem aan alsof hij gestoord was. 'En die andere? Hoe zit het met hem? Wordt hij ook beter?'

'Wat gebitsregulatie... en hij is weer helemaal de oude, bezig met wat hij het beste kan.'

'En dat is?'

'Mensen pijn doen.'

Ze zeiden niets meer tot ze bij het station aankwamen. Dunphy gaf de chauffeur tien pond en nam Clementine op sleeptouw door de menigte naar de andere kant van het gebouw, waar hij een tweede taxi naar een tweede station nam: King's Cross, dit keer. Het verkeer was nog drukker dan eerst, de rit trager en de conversatie niet-bestaand.

Wat Dunphy best vond, want hij had een hoop te overdenken, nog afgezien van de uitleg die straks aan de orde kwam. Maar eerst moest hij contanten hebben... en veel ook. En dat betekende een bezoek aan Jersey.

Hij keek uit het raam. De taxi kroop door Victoria Street, langs New Scotland Yard in de richting van Westminster Abbey en Whitehall. Stromen zakenlui, winkelmeisjes, agenten, politici en toeristen verplaatsten zich in een verbazingwekkend tempo over de overvolle trottoirs.

Waar het om gaat, dacht Dunphy, is dat het ondenkbaar is dat Blémont geen contact heeft gehad met de bank. Hij is er maanden geleden geweest. Hij heeft uitgelegd hoe het zat met het geld, dat het eigenlijk van hem was en... toen? Toen niets. De bankier – hoe heet hij ook weer –, de oude Picard, die ongemakkelijk zijn schouders ophaalt. Die zijn spijt betuigt en Blémont uitlaat. 'Spijtig, mijn beste, maar helaas niets aan te doen. Laten we maar hopen dat uw mannetje komt opdagen!'

En dat was dus exact wat Blémont zou doen: wachten tot Thornley kwam opdagen. Uiteraard had hij overal gezocht, maar hij wist dat er één plek was waar Thornley beslist heen zou gaan: de Banque Privat de St. Helier op Jersey. Want daar was het geld en daar was het toch allemaal om te doen?

De taxi rondde een pleintje waarvan Dunphy de naam niet mee-kreeg en zwenkte naar links, richting Whitehall langs de Admiral-ty en het Old War Office. Clem maakte een snufgeluidje, maar deinsde terug toen Dunphy haar probeerde te troosten.

Ach ja, dacht hij. Eén ding tegelijk.

Jersey... Blémont... De Fransman ging er geen maanden zitten om de bank in de gaten te houden. Hij betaalde iemand die hem moest laten weten of en wanneer Kerry Thornley kwam opdagen. Maar wie zou die iemand zijn? Iemand die bij de bank werkte. Dat was dus de oude Picard, een secretaresse of een employé. Waar-schijnlijk niet de oude Picard zelf: discretie was zijn vak.

De taxi schommelde langs Charing Cross en reed de Strand op richting Inner Temple. In het voorbijgaan was Dunphy een momentje in de verleiding om de taxi halt te laten houden, zodat hij de locatie kon bekijken waar het allemaal was begonnen. De plek waar Schidlof – althans, Schidlofs middenstuk – was gedropt. Maar de taxi sloeg af voordat hij bij de Temple was en reed over Kings-way naar het noorden, in de richting van Bloomsbury en het Brits Museum.

Als het om een omgekochte employé gaat, dacht Dunphy, heeft hij iemands naam gekregen die hij moet bellen – iemand op het ei-land. Diegene zou Blémont over Thornleys verblijfplaats inlichten en hem overal volgen. Uiteindelijk zou Blémont zelf verschijnen en dan werd het penibel.

Maar stel dat het Picard was? Stel dat Blémont de oude heer zelf had gesproken? Wat dan?

Dunphy dacht erover na. Nou, dacht hij, in dat geval probeert hij me dus daar te houden. Misschien totdat Blémont er zelf kan zijn. Dunphy bromde zachtjes, alsof hij op de fiets zat en plotseling berg-op trapte.

'Wat?'

Hij wendde zich tot haar. 'Ik zat net te denken,' zei hij. 'Als we op King's Cross zijn moet ik even bellen.' Ze keek weg. Ze reden langs een rijtje chique meubelzaken op Tottenham Court Road.

Als Picard hem aan het lijntje wilde houden, zou hij dat vast pro-beren te doen met de smoes dat hij niet over genoeg contanten be-schikte om de rekening op te heffen. En dat zou eigenlijk niet eens zo vergezocht zijn: de Banque Privat was, zoals de naam al zei, een particuliere bank, geen commerciële. Er was geen kasloket of geld-automaat en looncheques werden er niet verzilverd. Nog relevanter was dat het inderdaad erg veel geld was waar Dunphy achteraan zat: bijna driehonderdduizend pond – zo'n half miljoen dollar –, de hele opbrengst van Blémonts zwendel met de gestolen IBM-aandelen. Waar hij dus voor moest zorgen was dat het geld (en niet Blémont) hem opwachtte als hij bij de bank aankwam.

Toen de taxi het keerpunt bij King's Cross op reed, gaf Dunphy Clem een vuistvol contant geld om twee kaartjes naar Southend-on-Sea te gaan kopen.

'Waar ben jíj intussen?' vroeg ze achterdochtig.

'Daarginds,' zei Dunphy gebarend. 'Aan het bellen.'

Het duurde even voordat hij het nummer van de Banque Privat te pakken had, maar toen hij het eenmaal had kreeg hij een recht-streekse verbinding.

De vrouw die de telefoon aannam was bondig en efficiënt. Ze zei dat meneer Picard in vergadering was en pas 's middags beschik-baar zou zijn. Wellicht kon zij helpen?

'*Well,* dat hoop ik van harte,' zei Dunphy, die zich een zuidelijk Amerikaanse tongval aanmat. 'Taylor Brooks hier... uit Crozet, Vuh-dzjin-ja?'

'Ja?'

'En hoe maakt u het, *ma'am?*'

'Ik maak het uitstekend, dank u.'

'Dat hoor ik graag, aangezien ik morgen langskom... een bezoek-je kom brengen? De man voor wie ik werk zei dat ik van tevoren even moest bellen, u even moest inseinen.'

'Ik begrijp het. En wie is dat dan?'

Dunphy gniffelde. '*Well, ma'am,* over de telefoon doen we daar dus geen uitspraken over... hij is erg discreet, ziet u. Maar we heb-ben meerdere rekeningen bij u, hoor. Bij mijn weten zijn die ge-opend door ene meneer Thawnly.'

Stilte.

'Nou heb ik al geruime tijd taal noch teken van die grapjas ont-vangen, maar – waar 't om gaat – ik kom geld opnemen. En van de Grote Gozer – da's mijn baas – moest ik vooraf even bellen... ge-zien de hóógte van het betreffende bedrag.'

'Dat is heel attent van hem.'

'Vriendelijk dank, *ma'am*, ik zal zeggen dat u dat hebt gezegd. Eerlijk gezegd hebben we 't druk als een reu met twee teven...'

'Pardon?'

'Ik zeg: we hebben 't druk als een reu met twee teven. Zo zeg je dat hier... betekent dat we 't héél druk hebben. Maar goed, hoe dan ook, ik moet driehonderdduizend pond hebben...'

'O, hemeltje...'

'... en ik stel het op prijs als u die hebt klaarliggen wanneer ik kom. In briefjes van honderd als u die hebt. Anders briefjes van vijftig.'

'Ja, eh... u zegt dat u meneer... Taylor bent?'

'Nee, *ma'am*. Ik zei meneer Brooks. Taylor is mijn voornaam.'

'Neemt u me niet kwalijk.'

'U hoeft zich niet te verontschuldigen, *ma'am*. Dat gebeurt wel vaker.'

'En de rekening...'

'Nou, daar moesten we het dus niet over hebben, maar als u tegen meneer Picard zegt dat ik heb gebeld en dat het de rekeningen uit Crozet, Virginia zijn, dan weet hij precies waar ik vandaan kom.'

'Juist.'

'Welnu, Jezus zij geloofd! Meer heb ik niet te melden. Even de boel wakker geschud. Ik verheug me op onze ontmoeting, nietwaar... in alle vroegte.'

En daarmee beëindigde Dunphy het gesprek.

'Wie was dát?' vroeg Clem, die hem deed schrikken toen hij de telefoon de rug toedraaide.

'Mijn bank,' zei hij, terwijl hij een van de kaartjes aanpakte. 'Jezus, Clem, ik ga een bel voor je kopen, dat zweer ik je.'

'Dat bedoel ik niet... ik bedoel wie jij moest voorstellen. Je klinkt als die oude tv-serie. *Dukes of Hazzard*!'

'Bedankt,' zei Dunphy droogjes. 'Ik doe mijn best. En waar is de trein?'

'Spoor zeventien. We hebben ongeveer vier minuten.' Ze keek hem bevreemd aan, alsof ze er net van doordrongen begon te raken dat Dunphy veel meer was dan wat ze had verwacht.

Ze gingen in de looppas door het drukke station, gehaast zonder echt te gaan rennen. Bij spoor zeventien liepen ze op een sukkeldrafje over het perron naar de voorkant van de trein, waar de laatste eersteklaswagon stond. Afgezien van een onberispelijk gekleed bejaard stel dat met boodschappentassen in de weer was en een jongeman die luidruchtig in een mobiele telefoon praatte, waren ze alleen.

Dunphy liet zich bijna achter in de wagon op een zitplaats vallen en sloot zijn ogen. Hij dacht aan de Banque Privat. De secretaresse, of wie het ook was, zou de oude Picard melden dat ze zojuist een telefoontje had gehad. Picard zou de verwijzing naar Crozet meteen herkennen.

Dat waren rekeningen die Dunphy had geopend voor de eerwaarde James MacLeod, een potige evangelisator met een radio- en televisiedienst die zijn Second Baptist Primitive Church wekelijks om en nabij de vijftigduizend dollar opleverde, contant en in cheques, die hem door verrukte bewonderaars per post werden toegestuurd. De cheques en ongeveer tien procent van het contante geld werden naar behoren geboekt en aangegeven. De resterende negentig procent werd het land uit gesmokkeld naar MacLeods rekeningen bij de Banque Privat.

Dunphy had geen plannen (laat staan mogelijkheden) om aan dat geld te komen. Hij was voor geen van deze rekeningen nog gemachtigd; hij had ze alleen genoemd om zich ervan te verzekeren dat Picard de nodige contanten bij de hand zou hebben zonder hem te tippen over de komst van Merry Kerry.

De trein slingerde. Hij deed zijn ogen open. 'Gaat het?' vroeg hij.

Clem schudde haar hoofd. 'Nee, het gaat niet. Ik weet niet wat er gaande is – of wie jij eigenlijk bent – of waar dit allemaal over gaat. En dat is niet eerlijk. Omdat ik degene ben die waarschijnlijk vermoord wordt.'

Dunphy schoof ongemakkelijk op zijn stoel. 'Nee, jij niet,' zei hij. 'Maar... het is nogal ingewikkeld.'

Ze produceerde een laag gebrom en keek weg.

'Oké! Het spijt me. Het is gewoon...' Hij dempte zijn stem. 'Zet me gewoon niet zo voor het blok.' Hij dacht even na en waagde toen een poging. 'Weet je nog, een tijdje geleden? Ik had het over "het moeten weten". En ik zei dat dat jij dat niet hoefde, maar nu blijkt dat je dat wel moest. Ik dacht dat hoe minder je wist, hoe veiliger je zou zijn, maar...' Hij wachtte even en voegde er toen aan toe: 'Mijn fout,' en wachtte weer, onzeker hoe dit zou vallen. Uiteindelijk zette hij door. 'Dus waar het om gaat is dat ik het heb verknald. Daar kun je met geen mogelijkheid omheen en nu... tja, nu zitten we in de rotzooi. Wij allebei.' Hij zuchtte. 'Heb je een sigaret?'

Clem knipperde met haar ogen. 'Jij rookt niet.'

'Misschien begin ik wel weer. Waarom ook niet, toch?' Toen ze niet lachte, ging hij haastig verder. 'Hoe dan ook, het zit zo. Toen ik zei dat ik wegging bij de Dienst, toen ik zei dat ik...'

'Op straat was gezet.'

'Juist... toen ik zei dat ik op straat was gezet... dat was dus wat zwak uitgedrukt.'

Een smalende blik van het knappe meisje. 'En wat moet dát betekenen?'

'Nou, het betekent dat het dus wel klopt dat ik niet meer voor de Dienst werk, maar dat er meer aan vastzit.'

'Zoals?'

'Zoals wat je hebt gezien. Ze zoeken me. En ze zijn over de zeik.'

'Wie?'

'De mensen voor wie ik heb gewerkt. En weet je, toen... hielden ze mijn creditcards in de gaten om te zien waar ik heen was. En natuurlijk wist ik dat ze dat zouden doen, dus uiteraard gebruikte ik die niet. Maar toen jij die jas ging kopen, was ik dat min of meer vergeten. Omdat ik naar Simon zat te luisteren en...'

Ze schudde ongeduldig haar hoofd. 'Wat heb je gedáán?' vroeg ze, waarbij ze elk woord uitbracht alsof hij doof was en moest liplezen. 'Wat heb je hún gedaan dat ze zo woest op jóú zijn?'

Dunphy wuifde de vraag weg. 'Dat heeft toch nergens iets mee te maken. Het gaat erom...'

'Je hebt toch geen fondsen verduisterd?!' vroeg ze, eerder opgewonden dan angstig. 'Je bent toch geen *verduisteraar?*'

Haar opwinding maakte hem aan het lachen. 'Het was geen geld,' zei hij. 'Het was eigenlijk... informatie. Ik verduisterde zogezegd informatie.' Clem fronste niet-begrijpend haar voorhoofd. 'Ik werd nieuwsgierig,' vervolgde Dunphy. 'Naar Schidlof. En nu...' Hij kon het niet opbrengen om de zin af te maken. Het klonk zo melodramatisch.

Maar Clem liet het er niet bij zitten. 'Nu wát?' vroeg ze.

De trein slingerde een tweede keer en zette zich in beweging.

'Nu,' zei hij, 'willen ze me vermoorden. Dat is toch iets wat iedere idioot kan zien.'

Ze was lange tijd stil en toen: 'Hoe hebben ze ons gevonden?'

'Zoals ik al zei, ze hebben de betaling getraceerd. Ik had een creditcard gehouden om geld te pinnen en ben hem toen vergeten weg te gooien. In Camden Lock heb ik de portefeuille aan jou gegeven en jij hebt met die creditcard een jas gekocht. En toen je dat deed, hebben de creditcardmensen Langley gebeld. En hun verteld dat er activiteit was op een van de rekeningen die ze in de gaten moesten houden.'

Ze schudde haar hoofd. 'Zoiets doen ze toch niet,' zei ze vastbesloten.

'Wie niet?'

'Visa. American Express.'

'Waarom niet?'

'Omdat dat inbreuk maakt op je privacy!'

Dunphy staarde haar aan. Uiteindelijk zei hij. 'Je hebt gelijk. Ik ben cynisch. God weet wat ik dacht.'

'En dan nog. Wie is Langley?'

'Dat is een plaats, geen persoon. Bij Washington. En als je je ongeloof een minuutje kunt opschorten, zal ik de rest vertellen van wat er is gebeurd. Toen de creditcardmensen Langley hadden gebeld, belde Langley de ambassade in Londen...'

'Maar hoe wéét je dat allemaal? Je verzint het gewoon!'

'Ik verzin het niet. Zo gaan die dingen.'

'Hoe weet jij dat?'

'Omdat ik het heb gedaan!'

'Mensen vermóórd?' Ze was ontzet.

Dunphy schudde zijn hoofd. 'Nee! Ze opgespoord.'

'Maar waarom zou je dat doen?'

'Weet ik het. Er zijn zoveel redenen! Wat maakt het uit? Waar het om gaat is dat er een minuut of tien nadat ze de ambassade belden een paar kerels...'

'Welke kerels?'

'Die kerels van daarnet. Ze stappen in hun auto...'

'De Jaguar.'

'Juist. Ze stappen in hun Já-goe-war en rijden naar Camden Lock. Waar ze de winkel zoeken. En als ze die hebben gevonden,

kijken ze de bonnetjes van die dag door tot ze bij een Amex-trans-
actie van zestig pond komen. En als ze die gevonden hebben, vragen ze de jongen van de winkel of hij zich de aankoop kan herinneren.' Dunphy wachtte even. 'Dat kon hij blijkbaar. Verbaast me
niets, hoor. Je bent echt gedenkwaardig.'

Clementine keek terneergeslagen. 'Dat was Jeffrey. Een vriend
van Simon.'

'Je kent hem dus.'

Ze haalde haar schouders op. 'We groeten elkaar, meer niet. We
hebben ooit een taxi gedeeld. En hij had verteld dat hij die jassen
had.' Ze viel een ogenblik stil en wendde zich toen weer tot hem.
'Waarom zitten ze achter jóú aan? Je moet ze iets aangedaan hebben.'

Dunphy gebaarde met zijn handen. 'Niet echt. Ik bedoel... ik heb
een hoop vragen gesteld en... dat waren dus de verkeerde vragen of
misschien waren het de goede vragen, maar... ik weet niet wat ik je
moet vertellen. Helemaal duidelijk is het niet.'

'Iemand probeert je te vermoorden en jij weet niet waarom?'

Haar sarcasme maakte hem kwaad. 'Daar probeer ik toch achter
te komen, of niet soms? Ik bedoel... het is niet zo dat ik er niet over
nagedacht heb! Je begrijpt dat ik *nieuwsgierig* was.'

Ze kromp ineen vanwege de norse scherpte waarmee hij dat zei.
Uiteindelijk vroeg ze met doffe stem: 'Waar gaan we heen?'

Dunphy staarde naar het winterse landschap buiten. 'Ik weet het
niet,' zei hij, 'maar – met deze trein? – begint het aardig op een fi-
asco uit te draaien.'

Het vliegveld bij Southend-on-Sea was zo weinig bekend dat Dunphy er zeker van was dat niemand hen daar zou zoeken. De Dienst
zou minstens een paar uur nodig hebben om Curry's tegenspoed
recht te breien en een reden te bedenken waarom de MI5 Dunphy
in het opsporingsregister moest opnemen. Tegen die tijd zaten hij
en Clem in een toestel van British Midland naar St. Helier.

Dat was de hoofdstad van Jersey, het grootste Anglo-Normandi-
sche eiland, Kanaaleiland dus. De eilanden, die een Brits gewest
vormen op bijna twintig kilometer uit de Franse kust, zijn een feo-
daal anachronisme: een tweetalig belastingparadijs waar meer bedrijven dan mensen staan ingeschreven. Het om zijn milde klimaat

fameuze Jersey was een van de favoriete banklocaties van de (helaas ter ziele gegane) Anglo-Erin Business Services NV – en de eigenaar daarvan, K. Thornley.

Daarom besloot Dunphy niet naar zijn gebruikelijke toevluchtsoord te gaan, waar de uitbaters hem onder zijn pseudoniem kenden, maar om een suite te nemen in het heel wat bekakter Longueville Manor. (Of, zoals het officieel bekendstond, *The* Longueville Manor.)

Het landgoed, een brok met klimop begroeid graniet en tegelwerk uit de tijd van Edward VII, lag een paar kilometer buiten de stad in een particulier bos. Toen hun taxi de ronde oprit van het hotel op reed, vond Clem het er in de winterse nevel maar griezelig ondoorgrondelijk uitzien.

Maar eenmaal in het hotel ruimde de klamme Kanaalatmosfeer het veld voor oude wandtapijten, kaarslicht en een bulderend haardvuur.

'Hebt u assistentie nodig bij uw bagage, meneer...?' De bediende tuurde naar de registratiekaart.

'Dunphy. Jack Dunphy. En nee, dat hoeft niet: die klotemaatschappij is alles kwijtgeraakt toen we vanuit de States hierheen vlogen.'

De bediende kromp ineen. 'O, hemel... welnu, uw koffers zullen vast opduiken. Dat gebeurt altijd.' Stralende lach.

Dunphy bromde. 'Ja, maar het ziet er nu naar uit dat het wel eens één grote winkelexpeditie kan worden.' Clem wipte op en neer op haar hielen en legde haar blijdschap er dik bovenop, alsof een regisseur 'ogen en tanden, schatje!' had geroepen. 'Er zijn hier toch wel wínkels, hè,' vroeg Dunphy, 'of zijn er alleen maar banken?'

De bediende grijnsde. 'Nee, meneer, helaas hebben we inderdaad ook winkels.' De twee mannen wisselden een meesmuilende blik en Dunphy nam een plastic kamersleutel aan. 'Achter in de hal, meneer,' zei de bediende en terwijl hij met een zelfvoldaan lachje zijn handen ineenvouwde keek hij het Amerikaanse stel na dat in de richting van hun suite wandelde.

Die groot was en meer Ralph Lauren dan Laura Ashley, met berkenblokken die in de haard knetterden. Aan de muren hingen jachttaferelen in donkere houten lijsten; een schaal snijbloemen bloeide naast het bed. 'Ben je hier al eerder geweest?' vroeg Clem, die zich achterover op een satijnen bank liet vallen en naar het plafond staarde.

'Niet hier,' zei Dunphy, die voor hen allebei een borrel uit de minibar inschonk. 'Maar Jersey... ja.'

'Het is heel aangenaam.'

'Hm-hm.' Hij liet de Laphroaig in haar glas ronddraaien en gaf het aan haar. Toen ging hij met zijn gezicht naar de open haard op de grond naast de bank zitten en nam een slok. 'We kunnen hier alleen niet lang blijven.' Hij voelde haar frons tegen zijn schouderbladen. 'Het zou niet veilig zijn. Ze zullen ons zoeken.'

'Op Jersey?'

'Overal.'

'Waarom gaan we dan niet naar de politie?'

Dunphy zuchtte. 'Omdat de politie denkt dat ik iets te maken had met... wat er met Schidlof is gebeurd. En misschien is dat indirect ook zo. Ik wil maar zeggen, ik had wel een bug laten installeren.'

'Wát had je gedaan?'

'Ik nam zijn telefoongesprekken op. En toen werd hij vermoord.'

Ze was even stil en zei toen: 'Waarom luisterde je...'

'Ik luisterde niet. Ik liet de gesprekken opnemen.'

'Waarom?'

'Dat weet ik niet,' antwoordde Dunphy. 'Is me niet verteld.'

'Is je niet vertéld?'

'Het was mijn wérk. Ik deed wat ze zeiden.'

Ze was even stil en zei toen hardop: 'Ik vind nog steeds dat de politie...'

Dunphy wuifde het idee met een handgebaar weg. 'Nee. Als we naar de politie gaan, wordt de ambassade erbij betrokken en voor je het weet zeggen de mensen daar tegen de Britten dat het om een "nationale veiligheidskwestie" gaat. En dat zou niet best zijn.'

'Waarom niet?'

'Omdat ik zodra dat gebeurt met de eerstvolgende vlucht het land uitga, opgerold in een vloerkleed.' Hij nam nog een slok whisky, genietend van de tongstrelende warmte. 'En dat ben ík alleen nog maar. Ik weet niet wat er met jou gebeurt. Jij komt in de kieren terecht, of zo.'

'Wát doe ik?'

'Jij komt in de kieren terecht. Wat volgens mij goed of slecht kan zijn, afhankelijk van...'

'Van wat?'

'Van de kieren... en hoe diep ze zijn.'

Er volgde een lange stilte. Uiteindelijk vroeg Clem: 'Dus wat doen we?'

Dunphy keerde zich naar haar toe. 'We moeten zorgen dat je een pas krijgt...'

'Ik heb er een, hoor. Thuis, bedoel ik. Ik kan zeggen dat ik die kwijt ben en...'

Hij schudde zijn hoofd. 'Nee. We moeten er een op een andere naam hebben.'

'Welke naam?'

'Weet ik niet. Een naam die jij wilt.'

Het denkbeeld leek haar aan te staan en ze dacht erover na. 'Zou Veroushka kunnen?'

Dunphy keek haar nog eens extra aan. 'Denk het wel, maar... wat is in vredesnaam een veroushka?'

Clems schouders gingen een beetje omhoog en weer omlaag. 'Gewoon een naam die ik leuk vind.'

'Oké... Veroushka dan.'

'En een achternaam moet ik ook hebben.'

'Geen probleem. Die zijn er miljoenen. Windlied is al in gebruik, maar wat vind je van Stankovic? Of Zipwitz?'

'Dacht het niet.'

'Waarom niet? Veroushka Zipwitz! Klinkt goed.'

Ze lachte. 'Bell is goed. Eén e, twee l's.'

'Heb je.'

'Zo heette mijn grootmoeder.'

'Geen probleem. Veroushka Bell. Goeie naam.' Ze mepte hem op zijn schouder. 'Nee, ik meen het,' zei hij. 'Geweldig.'

'Oké, nu heb ik dus een naam... hoe ga je een paspoort laten maken?'

'Geen probleem. Dat kan ik in Zürich doen.'

'Dat zal best, ja. Alleen zijn we niet in Zürich.'

'Jui-uist,' antwoordde hij en hij kwam overeind. 'Dat is de keerzijde.'

'Wat?'

Hij gaf haar eerst geen antwoord, maar ging nog een miniatuur-flesje uit de minibar halen. 'Bijvullen?'

'Wat is de keerzijde?' vroeg ze.

'Dat jij naar huis gaat... maar niet naar je flat.' Plotseling keek ze bang en hij zette er vaart achter. 'Kun je een paar dagen een kamer nemen? Tot ik een paspoort voor je heb?'

'Nee!'

'Clem...'

'Dat kan ik niet!'

'Dat kun je wel. Je zult wel moeten. Kom op, joh... het is de eni-ge manier.'

Ze keek hem aan met een blik die bijna net zo kribbig was als verdrietig: alsof ze een kind was dat door een volwassene was be-drogen. Haar onderlip trilde en haar voorhoofd werd zwaar. Het zou komisch zijn geweest als het niet zo hartverscheurend was.

Uiteindelijk knikte ze.

'We laten pasfoto's maken,' zei Dunphy, 'en daarna gaan we lek-ker eten. Morgen breng ik je naar de haven. Je kunt de draagvleu-gelboot naar Poole nemen... heb je dat al eens gedaan?' Ze schud-de haar hoofd; de tranen vlogen in het rond. 'Dat zul je vast leuk vinden. Het is echt spannend. Alsof je in een stofzuiger zit.'

Ondanks alles moest ze grinniken. 'En jij?'

'Ik ga naar de bank. En dan met de boot naar Frankrijk en daar neem ik de trein naar Zürich. Daar is een hotel, het Zum Storchen. Het ligt midden in de stad, dus je zult het makkelijk kunnen vin-den. Maar ik zal voor jou een adres moeten hebben, zodat ik het paspoort kan opsturen.'

'Ik kan denk ik wel bij mijn vriendin logeren,' zei Clem. 'Ze heeft een huisje in de buurt van Oxford.' Ze schreef het adres op een blaadje papier en gaf dat aan hem.

'Uitkijken naar een wagen van FedEx, oké?'

Ze knikte. 'Je laat me daar niet zomaar zitten, hè?'

Dunphy schudde zijn hoofd. 'Nee,' zei hij. 'Dat doe ik niet meer.'

Het was een heldere, winderige ochtend met zachte, lensvormige wolkjes die boven de schuimkoppen in de haven van St. Helier dre-ven. Hij kocht een kaartje voor de draagvleugelboot en wachtte met Clementine todat het tijd was om te vertrekken.

'Ik bel je vanuit Zwitserland,' zei hij en hij hield haar in zijn armen.

'Het nummer niet kwijtraken, hè.'

'Nee.'

'Want als je het kwijtraakt... ze staat niet in het telefoonboek.'

'Ik ken het uit mijn hoofd,' zei hij en hij voelde haar schrikken toen een bel het vertrek van de boot aankondigde. 'En denk eraan...'

'Ik weet het, alles contant betalen. Niet bellen. En niet met vreemden praten.'

Hij kuste haar zachtjes. 'En wat nog meer?'

Na even nadenken schudde ze haar hoofd. 'Ben ik vergeten.'

'Twee kanten tegelijk op kijken...'

De Banque Privat de St. Helier was gevestigd in een stadspand met twee verdiepingen aan Poonah Road, een straat of wat van de Parade Garden vandaan. In een nis naast de voordeur verkondigde een glanzende koperen plaque de hoedanigheid van het gebouw en van zijn huurder, J. Picard. Toen hij uit zijn taxi klauterde, werd Dunphy overvallen door de hopgeur van de brouwerij om de hoek.

Het was zijn tweede bezoek aan de bank in evenveel jaren. De aard van zijn werk, of wat zijn werk was geweest, vroeg om het verwezenlijken van zoveel mogelijk contacten in het buitenlandse bankwezen en de wereld van het 'creatieve boekhouden'. Daarom had hij zijn transacties altijd gespreid; alleen al op Jersey had hij zowat vijftig rekeningen geopend bij maar liefst zes, zeven banken.

Maar Jules Picard had hij slechts één keer ontmoet. Dat was twee jaar geleden geweest, toen hij zichzelf als nieuwe klant kwam voorstellen en zijn geloofsbrieven had ondersteund met een grote som geld à deposito en een schriftelijke aanbeveling van een notaris op de Buiten-Hebriden.

Toen hij de treden naar de imposante eiken deur van de bank op ging, herinnerde hij zich Picard als een kortademige oude man die zoveel moeite had de stoep naar zijn kantoor op te komen dat hij, Dunphy, bang was geweest dat de bankier ter plekke een hartaanval zou krijgen.

'Kan ik u helpen?'

De woorden kraakten uit de intercom naast de deur. Dunphy boog zich er dichter naartoe en antwoordde met een zachte, Ierse tongval: 'Meneer Thornley voor de heer Picard.'

Er kwam geen antwoord en dat leek een hele poos te duren. Dunphy, die de kou begon te voelen, stapte achteruit en keek om zich heen. Toffe manier om een bank te runnen, bedacht hij toen hij de beveiligingscamera's aan de dakrand opmerkte. 'Ik wacht wel buiten, hoor,' zei hij met een glimlach naar de dichtstbijzijnde camera. 'Er is he-le-maal geen haast bij.'

Kort daarna zwaaide de deur geluidloos open en liet een vrouw op leeftijd zien wier elegante manier van doen niet te rijmen viel met haar onwaarschijnlijke omvang. Ze leek Dunphy om en nabij de een meter tachtig en had de bouw van een roeier – niet wat je bij een vrouw van in de zestig verwacht.

'Verwachtte de heer Picard u?'

Het was de vrouw die hij de dag ervoor aan de telefoon had gehad. 'Nee, tenzij de man in ene helderziend geworden is,' antwoordde Dunphy.

Een flets lachje van zijn gastvrouw, die hem voorging door een smalle gang met een tweetal oriëntalistische schilderijen. Chic uitgedost in een zwart broekpak droeg ze haar blauwgrijze haar samengebonden in een no-nonsense knotje achter op haar hoofd.

'Als u wilt plaatsnemen,' stelde ze voor en ze loodste Dunphy een helder verlichte kamer in die uitzag op een winters verdorde tuin. 'Ik zal hem verwittigen dat u er bent.'

Dunphy ging in op haar voorstel, nam plaats op de leren bank en sloeg zijn benen over elkaar. Algauw klonk er een energieke roffel op de deur en stapte er een lange man naar binnen in een jasje van pied-de-poule en een vlotte pantalon met messcherpe vouw. 'Meneer Thornley!' riep hij uit.

'Dezelfde,' bevestigde Dunphy, die overeind kwam en hem een hand gaf. 'Maar ik verwachtte meneer Picard.'

'Dan hoef je niet teleurgesteld te zijn. Ik bén meneer Picard. En het is mij een genoegen je te leren kennen... ik heb het nodige vernomen.'

Dunphy vuurde een vragende blik op hem af.

'Lewis Picard,' verkondigde de bankier. 'Met een w.' Stralende glimlach.

Dunphy zei bedachtzaam: 'Nou, geweldig om je te leren kennen, maar...'

'Je verwachtte Jules. Mijn vader!'

'Precies.'

De man keek hem droef aan. 'Tja, die is helaas dood... dus dat zal niet gaan. Maar misschien kan ík iets betekenen?'

Het kordate optreden van de jonge man bracht Dunphy van zijn stuk en hij wist zich met enige inspanning zijn tongval te herinneren. 'Ik denk het wel, ja,' zei hij. 'Natuurlijk, bedoel ik, maar... jeeezus, man, hoe is het gebeurd?'

'De oude Jules, bedoel je?'

'Ja!'

'Geen echte verrassing, hoor. Hartaanval op de trap. Holderdebolder! Dood voordat hij de grond raakte.'

Dunphy kromp ineen. 'Arme man!'

'Mmmm. Zonde. Zoveel te geven.'

'En wanneer was dat?'

'Ongeveer een jaar geleden.'

'O. Ik begrijp het.'

Er viel een stilte tussen hen die Lewis Picard uiteindelijk verbrak. 'Ik neem aan dat je niet dík was met Pa?'

'Nee,' antwoordde Dunphy. 'Niet dik, nee, dat niet.'

'Welnu, dan is er geen reden om zo lang naderhand nog te treuren! Wat kan ik voor je doen?'

Dunphy schraapte zijn keel. 'Ik moet wat tegoed opnemen.'

Picard *fils* haalde een notitieboekje met elastieken band uit de binnenzak van zijn jasje. Een vulpen werd van dezelfde locatie tevoorschijn getoverd, losgeschroefd en in de aanslag gehouden. 'Uitstekend. Daarvoor zijn wij hier. En om welke rekening gaat het?'

'Sirocco Services.'

Picard schreef de naam in zijn boekje en aarzelde plotseling... alsof hem iets te binnen schoot. Iets onaangenaams. Langzaam keek hij op en glimlachte. 'Sirocco?'

'Precies.'

'Akkoord. En, hmmm, hoeveel wil je opnemen?'

'Het hele tegoed.'

Picard knikte bedachtzaam. 'Dat is een hele hoop geld, meen ik me te herinneren.'

'Ongeveer driehonderdduizend pond... iets minder.' Dunphy klopte op het diplomatenkoffertje dat hij onderweg naar de bank had aangeschaft. 'Maar ik denk dat het er wel in past.'

'Mmmm,' zei Picard peinzend, terwijl hij met zijn dure pen op het notitieboekje in zijn hand roffelde.

'Is er soms iets mis?' vroeg Dunphy.

'Nee,' antwoordde Picard, die Dunphy weifelend opnam. 'Het ziet er alleen naar uit dat we vanmorgen een beetje een run meemaken.'

Dunphy boog zich naar hem toe en liet intussen zijn stem bijna tot gefluister dalen. 'À propos, meneer Picard. Als ik jou was, zou ik me daarover niet te veel zorgen maken, want ik moet iets opbiechten.'

'O?'

'Jazeker. Ik had het je meteen moeten zeggen. Gisteren had ik je assistente aan de lijn en... Nu ik eraan denk, dat wilde ik nog vragen; is zij naast jou de enige die hier werkt?'

'Jazeker, en ze is zeer competent.'

'O, ongetwijfeld... mevrouw treedt heel efficiënt op,' stemde Dunphy in, terwijl hij dacht: de trut zit nu vast en zeker Blémonts mannetje te bellen om mij te verraden en hem te zeggen waar ik zit. 'Maar zoals ik al zei, had ik haar gisteren aan de lijn, toen ik net was bekomen van de avond ervoor, als je begrijpt wat ik bedoel...'

'Je was dronken.'

'Als een kanon. En uiteraard had ik geen kwaad in de zin, maar ik geef toe dat ik een toneelstukje heb opgevoerd... om eens goed te lachen.'

'Oké,' zei Picard, die in zichzelf zat te knikken alsof hij zojuist een donkerbruin vermoeden bevestigd zag. 'Niet dat me dat verbaast. Ze vertelde dat ze iemand gesproken had die net deed alsof hij een Amerikaan was. Ik neem aan dat jij dat was?'

Dunphy haalde zijn schouders op, een beetje gekwetst door de typering. 'Dat zou best kunnen.'

'En waar brengt dat ons precies?' De bankier keek verwachtingsvol naar Dunphy, die hem een op papier van The Longueville Manor geschreven brief overhandigde.

'De brief spreekt voor zich,' zei hij. 'Als je me je pen even wilt lenen, dan geef ik je mijn handtekening. Deze rekening heeft er maar een. En het nummer staat daar, boven aan de bladzijde, waar "i.v.m." staat. Als ik mijn geld heb, val ik je niet langer lastig.'

Picard gaf hem de pen en keek toe terwijl Dunphy de brief ondertekende waarin om opheffing van de rekening van Sirocco werd verzocht. 'Weet je,' merkte Picard op, die de pen weer in zijn zak stak en de brief die Dunphy had ondertekend pakte, 'er zijn hier wat onaangenaamheden geweest.'

'O?'

'Ja. Over deze rekening nog wel.'

'Is het heus?' vroeg Dunphy met een stem waar het ongeloof vanaf droop.

'Ja-a... een zekere Blémont is langs geweest. Zeven maanden geleden. Zei dat het geld van hem was.'

'Jezus, Maria en alle heiligen... ze worden met de dag brutaler!' riep Dunphy uit.

'Mmmm.'

'En wat heb je hem gezegd?'

'Dat kun je je wel indenken, hè,' antwoordde Picard. 'Niemand hier die hem ook maar uit de verte kende. Geen handtekening geregistreerd. Geen referenties. Alhoewel hij wel jóúw naam noemde.'

'Míjn naam?!'

'Jazeker, diverse keren nog wel.'

'Die durft! En wat deed jij?'

'Ik heb hem de deur gewezen. Gezegd dat ik de politie zou bellen. Wat kon ik anders?'

'Zo is dat.'

'Kost me m'n baan! Al moet ik erbij zeggen dat hij heel vastbesloten leek. Buiten zichzelf, zelfs.'

'Een hele acteur!'

'Precies. En ik moet zeggen, hoegenaamd niet blij als hem nee wordt verkocht.'

'Je-zus. Was hij aan het dreigen?'

'Jawel. Ach,' zei de bankier en hij sloeg zijn handen tegen elkaar, 'gewoon een beetje op je qui-vive zijn. Mag niet mopperen.'

Dunphy bloosde.

'Welnu, als je even meeloopt, dan halen we je geld,' zei Picard met een brede glimlach. 'Van wie het ook mag zijn.'

20

Het was een ruwe overtocht van St. Helier naar Saint-Malo en het Kanaal was een en al schuimkoppen. Aan een tafeltje in het eerste-klas restaurant zat Dunphy terwijl hij koffiedronk zijn medepassagiers op te nemen en zich af te vragen wie van hen hem mogelijk in de gaten hield.

Bij het verlaten van de bank was hij er bijna van uitgegaan dat Blémont hem om de hoek opwachtte, maar de Fransman was natuurlijk nergens te zien geweest. Voor de zekerheid had Dunphy in een paar taxiritten het hele eiland doorkruist en de chauffeurs allerlei plattelandsweggetjes op gestuurd. En terwijl de chauffeurs hem maar een rare vonden, bleek uit al hun draaien en keren wel dat ze door niemand werden gevolgd.

Van de andere kant, bedacht Dunphy, waarom zouden ze ook? Jersey was een eiland, wat inhield dat er maar twee manieren waren waarop je er weg kon: per boot en per vliegtuig. Dus was het in feite niet nodig om hem op Jersey zelf te volgen. Blémont hoefde alleen het vliegveld en de haven maar in de gaten te houden. Als hij dat deed, wist hij exact waar Dunphy heen ging en wanneer hij daar aankwam.

En dat maakte het moeilijk om de achtervolger eruit te pikken. Er kon iemand op dezelfde ferry zitten – of niet. Als ze wilden, konden ze hem gaan volgen wanneer hij in Saint-Malo van boord ging. Hij zou hoe dan ook niet alleen zijn. Daar was Dunphy zeker van.

Dus toen de ferry in Saint-Malo aankwam, zorgde Dunphy ervoor dat hij de laatste was die van boord ging. Hij stond naast de loopplank en speurde de haven af naar wat volgens hem een twee-koppig team moest zijn. Maar het was onmogelijk om de mensen in te delen. Er waren douanebeambten en toeristen, zakenlui en huisvrouwen, winkelmeisjes en arbeiders. Ieder van hen zou voor Blémont kunnen werken... of helemaal niemand.

Terwijl hij tegen de buitenreling van de Emeraud Lines-ferry aan leunde, kwam het in Dunphy op dat Blémonts reactietijd mogelijk niet zo goed was. De Fransman was veel op reis en had best in het buitenland kunnen zijn toen het telefoontje uit Jersey kwam dat Thornleys aankomst bij de Banque Privat meldde. In dat geval zou Blémont Dunphy laten volgen tot hij er zelf bij kon zijn. Blémont was een echte doe-het-zelver en zou de ondervraging ongetwijfeld persoonlijk willen afhandelen.

Niet dat Dunphy veel keus had. Als hij bleef waar hij was, op het dek, zou hij binnenkort weer op weg naar Jersey zijn. Na zes, zeven van die overtochten zouden ze hem netjes opbergen en dan was het afgelopen. Dus haalde hij diep adem, rechtte zijn rug en strekte zijn schouders. Toen slenterde hij met zijn tas vol geld de loopplank af, schudde een koor taxichauffeurs af en liep de haven in.

De lucht was koud en vochtig, maar de haven was vol leven, de restaurants helder verlicht, vol mensen en geurend naar knoflook en olijfolie. Hongerig haalde hij wat francs bij een *bureau de change* en hield toen halt bij een kiosk voor wat leesvoer. Ofschoon de *Herald Tribune* verkrijgbaar was, koos hij *Le Point* om niet opvallend Amerikaans te lijken. Ten slotte koos hij een restaurant en vond er een tafeltje dat hem aanstond – waar hij met zijn rug naar de muur en zijn ogen op de deur kon zitten.

Niemand.

Hij begon te denken dat hij misschien toch niet was gevolgd en bestelde een kop *cotriade* – een soort vissoep – en een hoog glas Bel-gisch bier. Toen bladerde hij door *Le Point*. Ofschoon hij op zijn best een houterig Frans sprak, kon hij het goed lezen en vond al snel een verhaal dat hem interesseerde. Het was een opiniestuk over de vredesonderhandelingen in het Midden-Oosten dat de rol van de CIA belichtte bij de gesprekken tussen Palestijnen en Israëli's. Een belangrijk knelpunt was volgens het artikel de kwestie van joodse toegang tot de Tempelberg. Deze was naar verluidt 'het spirituele epicentrum van Israël', een heuvel in Jeruzalem waarop de eerste en de tweede tempel waren gebouwd. De Ark des Verbonds zou er zijn laatste rustplaats hebben gehad en de plek was voorbestemd om er ooit de derde en laatste tempel op te richten.

Maar dan alleen over het lijk van een groot aantal Arabieren, die al eeuwen godsdienstige bijeenkomsten hadden in de Rotskoepel- en Al-Aqsamoskee, die allebei op dezelfde heuvel stonden (nota bene op de ruïnes van de oudere tempels) en tot de heiligste plekken van de islam werden gerekend. De Israëlische regering, die vreesde dat vrome joden eindeloze rellen zouden ontketenen als ze hun godsdienstige bijeenkomsten op de Tempelberg probeerden te houden, had de joden verboden er te bidden. Israëlische onderhandelaars en hun partners van de CIA vroegen nu Arafats steun voor een evenredig aantal uren joods gebed op de Tempelberg.

Het was een interessant verhaal dat op de een of andere manier samenviel met bijbelse voorspellingen over het einde van de wereld – dat volgens de Heilige Schrift zou plaatsvinden wanneer uiteindelijk de derde tempel was gebouwd. Vreemde gedachte, vond Dunphy, dat de CIA zich met de eschatologie bezighoudt. Maar waarom ook niet? Als Brading de waarheid had gesproken, was de Dienst met een hele hoop vreemde zaken bezig.

Dunphy keek nogmaals op van zijn blad en bestudeerde het vertrek. Aan de bar stond een man die ook op de boot had gezeten. Hij was een jaar of vijfendertig, veertig, van gemiddelde lengte, met witblond haar en acnelittekens. Loden jas, knopen van hertshoorn. Een roker. Dunphy kon zijn gezicht niet goed zien, maar zijn haar was memorabel. Geen vergissing mogelijk.

En het jonge stel aan de tafel bij de deur. Dunphy had hen in de haven van St. Helier gezien, toen ze hun kaartjes kochten. Zij moesten het restaurant zijn binnengekomen toen hij zat te lezen.

Maar wat dan nog? Iedereen moest ergens eten – ook die blonde. Dat wilde niet zeggen dat ze hem schaduwden.

Toch wilde hij dat hij een pistool had. Nu hij Curry in zijn knie had geschoten en Blémonts geld had ingepikt was een gevuld holster geen overdreven reactie. Vooral niet omdat hij rondliep met bijna een half miljoen dollar in contanten... voor veel mensen was dat een afdoende motief om hem om te leggen, waar er een heleboel bij zouden zitten die hem niet eens kenden, laat staan hem iets te verwijten hadden.

Maar nu eerst de hoofdzaak. De *cotriade* smaakte fantastisch. Hij veegde de kom schoon met een korst brood en spoelde die weg met een tweede glas Corsendonk, een bovennatuurlijk duur Belgisch abdijbier dat paters voor miljonairs brouwden. Ten slotte nam hij een espresso en rookte een sigaret terwijl hij probeerde te beslissen of hij het erop kon wagen een kamer in een hotel te nemen. Op Jersey had hij de SNCF-tijden bekeken en over ongeveer een uur ging er van Saint-Malo een ultrasnelle trein naar Parijs. Eenmaal in Parijs was het eenvoudig om naar Zürich te reizen – een stad die hij goed kende. Daar kon hij een kluis huren en het geld dat hij meedroeg opbergen.

Of...

Hij kon de reis opschorten en vannacht eens goed slapen – een hotel zoeken, een stoel onder de deurklink klemmen en... bijkomen. Het was een verleidelijke gedachte. Hij had onderweg naar Saint-Malo kougevat en daar begon hij nu last van te krijgen. Een nacht in het Hotel de Ville, met een warm bad en koele lakens in het vooruitzicht, zag hij wel zitten.

Maar hotels waren een probleem en zouden dat blijven totdat hij een nieuwe pas had. Op elk logeeradres zouden ze een afdruk van zijn creditcard willen bij wijze van borg voor telefoongesprekken en andere servicekosten die op de rekening werden gezet. En alhoewel het hotel zou beloven dat de rekening zou worden vernietigd zonder deze in te schrijven, werden daar soms fouten mee gemaakt – wat in dit geval niet zomaar vervelend, maar fataal kon zijn. Bovendien moest hij als hij een hotelkamer nam een registratiekaart invullen die de politie laat op de avond kwam ophalen. De kaarten werden meestal vroeg in de ochtend gesorteerd, waarbij de agenten de namen van de gasten controleerden aan de hand van de op dat moment actuele opsporingslijst. En al klopte het dat de politie soms laks was, als je op de incompetentie van je tegenstander rekende, zat je altijd fout. Zelfs een klok die het niet meer deed gaf tweemaal daags de juiste tijd aan.

Slimmer om de trein te nemen en de nacht op de rails door te brengen, schommelend richting Zwitserland.

Met tegenzin schoof Dunphy zijn stoel achteruit. Hij kwam overeind en legde wat francs bij de rekening op tafel, vroeg de weg en liep door de koude motregen naar het station. Een uur later zat hij te niezen op een eersteklas zitplaats in de TGV Atlantique, die zich met tweehonderd kilometer per uur door Normandië spoedde.

Hoe hard de trein ook ging, het duurde toch de hele nacht om Zürich te bereiken. Tijdens de twee uur reisonderbreking op het wat verlopen Gare de l'Est kocht Dunphy een kaart met beltegoed in een nachtkiosk en belde Max Setyaev in Praag. De telefoon ging vijf, zes keer over voordat zich een slaperige stem meldde.

'Hallo?'

'*Geneviève, s'il vous plaît.*'

'Huh?'

'*Geneviève,*' herhaalde Dunphy, plotseling bang dat Max hun afspraak was vergeten of erger nog, het zou gaan aandikken door een gesprek met hem te beginnen.

Maar tot Dunphy's opluchting mompelde de Rus een verwensing in een taal die Dunphy niet verstond en smeet vervolgens de hoorn weer op het toestel – en dat was precies de bedoeling. Als er iemand had geluisterd, was het gesprek niet de moeite van het rapporteren waard.

Dunphy legde de hoorn terug op de haak, draaide zich om... en daar had je hem weer, die blonde die (misschien) op de ferry had gezeten en (zeker) in het restaurant in Saint-Malo. Hij zat op nog geen twintig meter afstand op een houten bankje te roken.

Hoe groot is de kans? vroeg Dunphy zich af. Hoe groot is de kans dat het toeval is? Dat twee mensen die elkaar niet kennen op dezelfde dag met dezelfde ferry uit Jersey vertrekken en die avond in Parijs dezelfde trein nemen? Hoe groot is de kans?

Nou, dacht hij, die kans is eigenlijk best groot. Hij wordt ook wel 'openbaar vervoer' genoemd.

Maar toch...

Door een technisch mankement bleven ze bijna twee uur op een zijspoor buiten Dijon staan. Dunphy sliep bij vlagen door de herstelwerkzaamheden heen, maar zodra de trein weer in beweging kwam, zakte hij weg in een diepe slaap die voor een coma had kunnen worden aangezien. Bij het naderen van de Zwitserse grens verscheen er een douanebeambte die zijn paspoort wilde zien, maar gebaarde dat dat niet hoefde toen tot hem doordrong dat Dunphy een Amerikaan was.

Tegen die tijd was zijn verkoudheid erger geworden. Ergens tussen Parijs en de grens was ze die nacht op zijn borst geslagen en had hem precies genoeg verhoging bezorgd om te zorgen dat hij zich niet lekker voelde. Niet ziek, niet gezond, maar ergens ertussenin voelde Dunphy zich uitgeschakeld – alsof hij in geen dagen had geslapen. (Wat, nu hij erover nadacht, inderdaad het geval was.)

Toen hij in Zürich uit de trein stapte, ging hij naar de uitgang die het dichtst bij de Bahnhofstrasse lag.

Het was bekend terrein. Hij was al een keer of tien in Zürich geweest en het station was nog net zoals hij het zich herinnerde: een enorme, ronde massa gedempt verlichte lucht die meer buiten dan binnen was en een en al winter ademde. Licht in het hoofd vanwege zijn verkoudheid en rillend vanwege de kou die hem omringde, kwam hij in de verleiding in een van de helder verlichte stationscafés te gaan zitten, waar de stoom van de ramen dampte en de lucht was gekruid met de geur van gebak en espresso.

Maar gaan zitten was geen goed idee. Blondie was weliswaar nergens te zien, maar Zürich Bahnhof was op zich al het speelterrein van Duitse junks en Hollandse zuiplappen, Afrikaanse ritselaars en het alomtegenwoordige leger der verdwaalden: langharigen, lifters, lijperds en vandalen. Hij kon maar beter doorlopen met zijn koffertje vol contanten.

Buiten dwarrelden er wat sneeuwvlokken mee op de windvlagen. Het was hier veel kouder dan op Jersey of in Saint-Malo en dat merkte hij aan zijn handen en voeten. Hij trok de kraag van zijn overjas dicht tegen zijn hals aan en koerste tegen de wind in de meest glamoureuze straat van Zwitserland op. Hij vond algauw een filiaal van de Credit Suisse en stond tien minuten later in zijn eentje in een afgesloten kamer waar hij een donkere stalen doos, die voor vijfendertig Zwitserse franc per maand werd verhuurd, met stapeltjes pondbiljetten vulde.

Toen hij klaar was met het geld, verliet hij de bank met een onmiskenbaar gevoel van lichtheid om naar het Zum Storchen te gaan, alhoewel hij zich niet bepaald gewichtloos voelde. Er zat nog vijftigduizend pond in zijn koffertje, genoeg om Max te betalen en om zolang als nodig was door te blijven gaan. En dat kon wel eens een hele poos zijn. Ondanks alles wat er was gebeurd en wat hij te weten was gekomen, wist hij nog steeds niet waarom Schidlof was vermoord of waarom zijn eigen leven zoveel bijkomende schade had opgelopen vanwege wat die moord met zich meebracht. Welbeschouwd had hij gewoonweg zijn eigen leven verwoest en iedereen die hij kende in gevaar gebracht.

Nee, niet heus. Zo erg was het nu ook weer niet. Hij was te bescheiden. Hij had ook Blémont weten te rippen en Curry's knieschijf bewerkt; dat was, hoe je het ook bekeek, een begín.

Het oude Zürich was een samenstel van smalle kasseistraatjes en stenen gebouwen op een heuvel boven de ijskoude, gitzwarte en geheel doorzichtige rivier de Limmat. Het sneeuwde wat harder nu Dunphy heuvelafwaarts onderweg was naar het Zum Storchen. De vlokken kwamen als gezeefd meel naar beneden, plakten aan zijn oogleden en bedekten het haar op zijn hoofd. Het smeltwater liep onder de kraag van zijn overjas en langs zijn nek naar beneden, waardoor hij door en door verkleumde. Bij de rivier aangekomen bleef hij even op de dijk staan kijken naar de zwanen die zonder acht te slaan op kou of sneeuwval voorbijdreven.

In tegenstelling tot Dunphy, die hoestend een herenmodezaak in liep om een paar leren handschoenen en een sjaal aan te schaffen in ruil voor een kwitantie waar een nul te veel op leek te staan. Niet dat dat erg was. Geld was zijn probleem niet. Weer terug op de kade liep hij langs de laatste twee zijstraten naar het Zum Storchen, stak het ijzige hotelterras over en ging naar binnen.

Het Zum Storchen, dat in de schaduw van een enorme antieke klokkentoren aan de rivier was gelegen, was al meer dan zeshonderd jaar onafgebroken in bedrijf. Langs een knetterend haardvuur in de lounge liep Dunphy naar de receptie en vroeg of meneer Setyaev al was gearriveerd.

'Nog niet, meneer.'

'Als hij komt, wilt u hem dan zeggen dat zijn vriend in het restaurant zit?'

'Natuurlijk.'

Hij had zich ingesteld op uren naar de rivier kijken en koffiedrinken, maar de Rus dook al op voordat Dunphy zijn tweede croissant had weggewerkt.

'Je ziet er niet uit,' zei Max bij wijze van begroeting.

'Dank je, Max. Jij ziet er goed uit. Ga zitten.'

De Rus plofte neer in de stoel tegenover hem. 'Wat ik voor jou heb gedaan,' fluisterde hij, 'had geen ander kunnen doen.'

'Dan ben ik vast naar de juiste persoon gegaan.'

'Reken maar,' zei hij. En met die woorden reikte Max over de tafel naar het bonnetje. 'Dit is voor mij,' zei hij, terwijl hij het bedrag bestudeerde dat erop stond.

'Echt?' riep Dunphy uit. 'De koffie én de croissants?'

De Rus knikte, een beetje in zichzelf gekeerd, en mompelde: 'Meneertje Wijsneus.' Toen haalde hij een pen uit zijn zak en krabbelde een kamernummer op de bon. 'Kom mee,' zei hij terwijl hij overeind kwam. 'Boven kunnen we ter zake komen.'

Dunphy ging met hem mee de lift in naar de vierde en hoogste verdieping van het hotel. De suite lag aan het einde van de gang, met ramen die uitzagen op de rivier en op het meer. Binnen stond Max' weekendtas op het tapijt bij het raam, opgeopend.

'Ik ben kapot,' zei Dunphy, die zich in een fauteuil liet vallen.

'Wat is er dan?' vroeg Max.

'Ik ben verkouden.'

'Dan ronden we dit af... ik ga naar huis... jij houdt de kamer. En je gaat slapen.'

'Ik denk dat ik dat doe,' antwoordde Dunphy. 'Ik ben helemaal gaar.'

De Rus haalde een bruine envelop uit zijn weekendtas, scheurde hem open en schudde de inhoud uit op de salontafel tussen hen in. Er zaten een paar creditcards bij, een rijbewijs en een paspoort. Dunphy sloeg het paspoort open, controleerde de foto en keek naar de naam. 'Heel netjes,' zei hij voordat hij wat beter keek. 'Harrison Pitt!?'

Max straalde. 'Is goede naam, hè?'

'Goede naam? Wat voor een kutnaam...'

'Is onvervalst Amerikaanse naam!'

'Je houdt me voor de gek! Ik ken niemand die Harrison heet.'

'Nee, natuurlijk niet. Is geen populaire naam in Ierland. In Canada, Amerika... veel, heel veel Harrisons.'

'Noem er een.'

Meteen antwoordde de Rus: 'Ford.'

Het duurde even voordat de achterdocht de kop opstak. 'En Pitt?'

'Je hebt Brad Pitt,' antwoordde de Rus. 'En dat zijn alleen de filmsterren. Veel gewone Amerikanen hebben deze namen.'

Dunphy zuchtte. 'Juist, ja. En hoe zit het met de rest?'

Max haalde een kleine envelop uit zijn jasje en gaf die aan Dunphy, die hem openscheurde.

Er viel een gelamineerde Andromeda-pas op zijn schoot. In de linkerbovenhoek stond het hologram, een regenboogafbeelding van de zwarte Maagd van Einsiedeln; rechts onderaan een duimafdruk. Dunphy's eigen foto stond midden op de pas onder de woorden

MK-IMAGE
Beperkt Toegankelijk Programma
E. Brading
* ANDROMEDA *

'Mooi werk, joh! Het ziet er heel goed uit.'

De Rus keek beledigd. 'Nee! Is perfect.'

'Wat ik je zeg! En de duimafdruk? Wat hebben we daarmee gedaan?'

Max ritste het buitenvak van zijn weekendtas open en haalde er een gebonden editie van Nabokovs *Ada, or Ardor* uit. 'Voilà,' zei hij en hij gaf het boek aan Dunphy.

'Wat moet ik hiermee doen?'

'Vasthouden,' zei de Rus. Toen boog hij zich weer naar zijn weekendtas, opende de grote rits en haalde een leren etui uit het middenste vak van de tas. In het etui zaten allerlei toiletartikelen: tandpasta, tandenborstel, wegwerpscheermesjes, medicijnflesjes... en een tube biolijm of zoiets.

'Wat is dat?' vroeg Dunphy toen de Rus de tube uit het etui haalde.

'Biolijm.'

'Ik zie wel wat eróp staat...'

'Is proteïnepolymeer voor medici. Sterker dan hechtingen. Geen pijn. Is dus vooruitgang.'

'En wat ga jij ermee doen?'

'Geef boek, alsjeblieft.'

Dunphy gaf hem het boek en de Rus sloeg het open. Er zat een envelopje van cellofaan in. Max duwde de zijkanten van de envelop tegen elkaar aan, blies erin en schudde er iets uit wat wel een doorzichtig stukje vel leek.

'Vingerafdruk,' zei Max.

Dunphy staarde naar het dingetje dat als een surrealistische grap op Max' handpalm lag. 'Waar is hij van gemaakt?'

'Hydrogel. Net als contactlens... zachte lens. Is biomimetisch.'

'En wat mag dat dan wel zijn?'

'Is plastic dat mens niet afstoot. Ultradun. Nu graag handen wassen en afdrogen.'

Dunphy deed wat hem was opgedragen en ging daarna weer op zijn plaats bij het raam zitten.

Max pakte Dunphy's rechterhand in de zijne en depte met een wattenstaafje wat biolijm op de duim van de Amerikaan. Toen legde hij de vingerafdruk op de lijm en streek hem glad. 'Vier minuten,' zei hij.

Dunphy bestudeerde de kennelijk naadloze applicatie. 'Hoe krijg ik hem eraf?' vroeg hij.

De Rus fronste zijn voorhoofd. Uiteindelijk zei hij: 'Misschien met schuurpapier.'

'Schuurpapier?!'

'Jawel.'

'Oké... schuurpapier dus. En vertel nu dan maar eens hoe je hem hebt gemaakt.'

Max glimlachte. 'Fotogravure. Als lijm is droog, kun je zien: vinger is glad.'

'En daar moet het mee lukken? Je hoeft er niets op te stempelen of zo?'

'Stémpelen? Hoezo stempelen? Het is toegangspas! Zij kijken met scanner.'

Dunphy keek hem sceptisch aan.

'Wind je niet op,' zei Max. 'Wees maar blij.'

Veel keus had hij in feite ook niet. Max was de beste. Als de pas niet functioneerde, dan functioneerde hij niet, en dan was het afgelopen (ook met mij, dacht Dunphy). Hij kon niets anders doen dan op de stroom meedrijven en kijken hoe het liep. Dunphy kwam overeind en pakte zijn koffertje. Hij legde het op het bed, klikte de sloten open en haalde er zes bundeltjes uit van vijftig biljetten van honderd pond sterling per stuk, met een gezamenlijke tegenwaarde van ongeveer vijftigduizend dollar. Terwijl hij de bundeltjes een voor een aan Max overhandigde, zei hij: 'Zeg eens.'

'Wat?' vroeg Max, met zijn ogen op het geld.

'Heb jij toen je nog in Rusland woonde wel eens iets gelezen over... ik weet niet...'

'Vraag maar.'

'Runderverminking.'

De Rus keek hem onzeker aan. 'Dode koeien, bedoel je...?'

'Ja. Koeien die in de wei... in stukken worden gehakt.'

Max grinnikte. 'Nee. Ik heb nooit van gehoord. Niet toen ik daar was. Waarom?'

'Dat vroeg ik me gewoon af,' antwoordde Dunphy, die hem het laatste bundeltje overhandigde.

'Maar na glasnost,' zei Max, 'zijn er veel van deze meldingen.'

Dunphy keek hem aan. 'Van runderverminking?'

De Rus knikte terwijl hij het geld in zijn weekendtas opborg. 'En vliegende schotels. Allemaal gekke dingen. Maar het is nieuw – bij communisten hadden wij het niet.'

Dunphy ging op het bed zitten. 'Er is nog iets,' zei hij.

Lachend ritste Max zijn weekendtas weer dicht. 'Altijd is er nog iets.'

'Ik moet een tweede paspoort hebben – voor een vriendin.' Nadat hij nog een geldbundeltje uit de diplomatenkoffer had gepakt, haalde Dunphy er vijfendertig briefjes van honderd af, die hij aan Max gaf. Toen overhandigde hij hem een envelop waar Clementines foto's in zaten. 'Haar adres staat achterop. Er is vrij veel haast bij.'

'Ik doe het vanavond wel,' beloofde Max en hij bekeek de foto's even. 'Knappe meid.'

'Dank je.'

'Welke naam wil je?'

'Veroushka Bell.'

Met een glimlach schreef hij de naam op de achterkant van de envelop waar de foto's in zaten. 'Is ze Russisch?'

'Nee. Wel romantisch.'

'Is nog beter.' Hij keek op, plotseling ernstig. 'Paspoort van Veroushka... net als van jou, oké?'

Dunphy knikte.

'Is ongebruikt... van ambassade. Welke zeg ik niet. Maar nooit uitgegeven, dus geen slechte naam. Je kunt overal heen gaan, behalve... misschien niet naar Canada. Oké?

'We gaan niet naar Canada.'

'Dan heb jij geen probleem.'

'Wil je iets voor me doen?' zei Dunphy toen hij Max uitliet.

'Vraag maar.'

Dunphy liep naar een schrijftafel in een hoek van het vertrek, pakte een velletje briefpapier van het hotel en schreef er het nummer op van de kamer waarin hij zich bevond. Het velletje deed hij vervolgens in een envelop die hij dichtplakte, aan Veroushka adresseerde en aan Max gaf. 'Zorg dat ze dit krijgt als ze de pas krijgt.'

In de drie dagen die volgden ging hij maar één keer naar buiten, om tijdschriften te kopen in een winkeltje aan de Fraumünsterstrasse. De rest van de tijd zat hij in Max' comfortabele hotelkamer zijn verkoudheid uit en hoorde vanuit zijn stoel bij het raam boven de rivier de harde sneeuwkorreltjes tegen het raam tikken. De enige mensen die hij zag waren degenen die het bed afhaalden, de handdoeken vervingen of bestellingen brachten. Er werd niet gebeld, op twee keer na, toen beide keren de hoorn erop werd gelegd. Alles welbeschouwd een mooi moment om ziek te zijn, als hij zich niet zo zwak had gevoeld, zo'n koorts had gehad en zo'n hoest had gehad waar hij maar niet vanaf leek te komen.

Van die drie zat de koorts hem het meest dwars: omdat die in zijn dromen neerstreek en zijn slaap een soort landerigheid oplegde. Dunphy lette nooit zo op zijn dromen, maar koortsdromen waren anders en herhaalden zich met de eentonigheid van een testbeeld. Als hij badend in het zweet uit zo'n droom wakker werd, voelde hij zich nog moeër dan toen hij net was gaan slapen.

Toen de middag van de vierde dag was aangebroken, was hij zijn lichaam beu, net als het wachten op Clementine, en besloot hij naar buiten te gaan. Hij kleedde zich aan, nam de lift naar de lounge en liep het straatje achter het hotel in. Hij moest een paar dingen hebben. Hij moest eigenlijk alles hebben, plus iets om het in te doen. Zodra Clementine er was – en zodra ze in Zug aankwamen – zou de wereld naar de hoogste versnelling schakelen. Dat wist hij gewoon. En als het zover was, zou het prettig zijn om schoon ondergoed te hebben.

Dus ging hij naar buiten en kocht kleren. Tweeënhalf uur lang zwierf hij door de kasseienstraatjes van de oude stad en zigzagde door een paar van de duurste herenmodezaken van de planeet. Hij kocht een weekendtas die meer vakken had dan een letterkast en waarvan de verkoper bezwoer dat hij sterker was dan de neuskegel van een raket naar Saturnus (negenhonderd Zwitserse franc). Ze hadden Franse overhemden à raison van vierhonderd franc per stuk, een paar Duitse pantalons voor min of meer hetzelfde bedrag, Armani-shirts die per stuk honderddertig deden en sokken à twintig franc per voet. Hij vond een jasje van pied-de-poule waardoor hij zin kreeg op korhoenderjacht te gaan (wat korhoenders ook mochten wezen en ongeacht waaraan ze dat hadden verdiend) en de basisuitrusting van de hardloper: schoenen, korte broek en sokken.

En toen hij klaar was, was het vier uur 's middags en had hij twee dingen geleerd. Een: Zürich was een erg dure stad om kleren te kopen. En twee: hij wist zeker dat hij werd gevolgd.

Het waren er twee; hij had altijd al geweten dat dat zo zou zijn. De blonde in de loden jas was er een en er was een tweede, een zware jongen op een rode Vespa. En ze deden er niet geheimzinnig over. Ze hielden wel afstand, maar deden niets om het feit te verbergen dat ze hem volgden. Wat inhield dat ze hem in hun zak hadden, of vonden dat dat zo was.

De scooterman zag er afgetraind uit. Hij had de stierennek en de opbollende schouders van een bokser, varkensoogjes en opgeschoren stekeltjeshaar. Luchtig gekleed in een spijkerbroek en een sporttrui leek hij ongevoelig voor het weer – of wilde dat anderen dat van hem dachten. Zijn maat liep een metertje of vijftig verderop met zijn handen in zijn zakken nijdig op een sigaret te zuigen.

Drie dagen hadden ze bij het Zum Storchen staan wachten, buiten, bedacht Dunphy. Dat wil zeggen dat het vasthoudende etterbakkies zijn die ik eigenlijk zou moeten uitdagen.

Hé! Klojo!

Maar nee. Dat zou geen goed idee zijn. Op de eerste plaats had hij te veel tasjes vast. En bovendien voelde hij zich niet al te best, of al te dapper. Integendeel, hij voelde zich als een beginnende zwemmer die vanaf de hoge naar het keiharde water in de diepte kijkt. Het was net geen duizeligheid, maar zijn scrotum verstrakte merkbaar, alsof het zojuist tweeënhalve centimeter was ingekort.

Wat hem verbaasde, want beroepshalve moest hij hier toch mee om kunnen gaan. Toen hij bij de Dienst ging werken, had hij in

Williamsburg en Washington de gebruikelijke achtervolgings- en contra-achtervolgingsoefeningen afgewerkt. Dat was een standaardprocedure en hij had het er heel behoorlijk vanaf gebracht. De omstandigheden waren dus niet helemaal vreemd – maar hetzelfde waren ze evenmin. Deze mensen hadden het, in tegenstelling tot de instructeurs die hij op de Farm had gehad, niet goed met hem voor.

Alhoewel ze hem dus nog niet geprobeerd hadden te vermoorden. Hun opdracht moest dus beperkt zijn tot babysitten. En al namen ze inderdaad niet de moeite hun belangstelling te verbergen, ze leken met een oogje op hem genoegen te nemen. En terwijl ze oogcontact niet aanmoedigden, gingen ze dat evenmin uit de weg. Het was met andere woorden een uiterst passieve achtervolging. Die je misschien kon vergelijken met wat hij bij Schidlof had gedaan.

Dunphy's adrenaline slonk langzaam tot een dun straaltje. Zijn ademhaling vertraagde en zijn hartslag ook. Terwijl hij zijn tegenstanders in de weerspiegeling van de etalage bij Jil Sanders bestudeerde, kwam het in hem op dat gevolgd worden in bepaalde opzichten net zoiets was als op het toneel staan, hoe onvrijwillig dat ook was. Plotseling gilde iedereen *licht! beeld! actie!* Je hart begon te bonken, je longen leken dicht te klappen en dan... nou, als je dan niet werd weggesleurd of -geblazen, stak je van wal. Omdat je uiteindelijk niets anders te doen stond. De mensen keken. Nou en?

Ze moesten van Blémont zijn, dacht Dunphy. Van de Dienst kunnen ze niet zijn. Die had hij in Londen afgeschud – de fine fleur bloedend achtergelaten in de hal van Clementines flat. Curry en zijn eikels wisten niet waar hij gebleven was. Ze hadden te veel pijn gehad. Dus waren dit mannen van Blémont.

Wat niet best was, maar het ergst was het evenmin. Tenzij hij er volkomen naast zat, wilde de Dienst hem niet ondervragen. Die wilde hem gewoon dood hebben, want dat was de meest efficiënte manier om een punt te zetten achter het onderzoek dat hij had ingesteld. Blémont had daarentegen een heleboel vragen te stellen: op de eerste plaats waar zijn geld was en hoe hij het kon terugkrijgen. Van de Fransman had hij eigenlijk niets anders te duchten dan ontvoering en marteling.

Bij nader inzien, dacht Dunphy, is dood zijn wel beter – maar dan misschien niet onder de huidige omstandigheden. Gevonden worden in een plas bloed, omringd door draagtasjes met dure merken, vond hij geen goede manier om eruit te stappen. Hij kon zich de koppen in de *Post* voorstellen: CIA-MEDEWERKER SHOPT ZICH TE PLETTER.

Voor hem uit wapperden de vlaggen op het hoteldak van het Zum Storchen en Dunphy versnelde zijn pas. Waar het om ging was namelijk dat Blondie en de Spierbal hem niet eeuwig gingen volgen. Want het was namelijk geen onderzoek. Het was een jacht. En ze hadden het punt bereikt waarop de vos in het nauw gedreven was en de honden niets anders meer konden doen dan wachten tot de schutter arriveerde. Wat inhield dat Dunphy zich in een tussentijds dradenkruis bevond en dat hij, als hij het er levend vanaf wilde brengen, iets moest bedenken om zijn achtervolgers af te schudden.

In het Zum Storchen ging Dunphy met de lift naar zijn kamer op de vierde verdieping en deed de deur van het slot. De wandeling leek hem goed gedaan te hebben. Zijn hoest was minder geworden en hij ademde met meer gemak dan hij in dagen had gedaan. Hij gooide de weekendtas op het bed en begon de kleren die hij had gekocht in te pakken toen er zachtjes werd aangeklopt.

Ik moet een vuurwapen hebben, zei hij in zichzelf. Of een honkbalknuppel... iets dergelijks. Na een wilde blik door de kamer bleven zijn ogen op het haardstel naast de open haard rusten. Hij griste een pook mee toen hij zo zachtjes als hij kon door de kamer liep en zijn oog tegen het kijkgaatje in de deur drukte.

'Jack?' Clems stem, zo zacht als de mist.

Hij trok de deur open, trok haar de kamer in en vervolgens in zijn armen. 'Ik dacht dat je nooit zou komen,' zei hij tegen haar.

'Ben je een vuurtje aan het maken?' vroeg ze met een knikje naar de pook in zijn hand.

Even wist hij niet wat ze bedoelde. En toen voelde hij zich een idioot. 'O, dit hier,' zei hij. 'Dit is... nou, ik wilde net... jazeker. Een vuurtje.' Hij zette de pook terug in het haardstel terwijl Clem naar het raam liep en naar buiten keek.

'Héééél fraai,' stelde ze vast. 'Veel fraaier dan bij Val.'

'Wie is Val?'

'Mijn vriendinnetje. En we zijn wezen shoppen, zie ik,' voegde ze eraan toe met een gebaar naar de lege tassen op het voeteneinde van het bed. 'Wat gezellig voor je, zeg! En ik me maar zorgen maken om jou!'

'Nou...'

'Zit er iets bij voor...?'

'Wie?'

'*Moi?*' Een bedeesde glimlach.

En Dunphy dacht: ze is me aan het jennen. Maar dat zei hij niet. Wat hij zei was: 'O! Ja, maar... ze moesten het opnieuw instellen.'

'Opnieuw instellen?!' Een wantrouwige blik van zijn Clem, die op de armleuning van een fauteuil bij het raam ging zitten.

'Ja, het was te groot, maar... verder heb ik alleen maar wat dingetjes voor mezelf gekocht. Die ik nodig had.'

Ze was even stil. Toen: 'Jack.'

'Wat is er?'

'Gucci maakt geen dingetjes die je nodig hebt.'

Hij besloot van onderwerp te veranderen. 'Je zou versteld staan,' zei hij, 'en bovendien hebben we een groter probleem dan wat jij kennelijk aanziet voor mijn ongebreidelde shopverslaving.'

'En wat mag dat dan zijn?'

'Ik ben gevolgd toen ik wegging van Jersey.'

Ze zei lange tijd niets, terwijl hij voor hen allebei een borrel inschonk uit de minibar. Uiteindelijk vroeg ze: 'Door wie? Wat willen ze?'

Hij liet het ijs in haar glas tinkelen en gaf het aan haar. Toen ging hij op de rand van het bed zitten en vertelde haar over Blémont.

'Dus je bent wél een verduisteraar!' Weer die grote ogen met uitroeptekens erin.

'Het geld was niet van hem,' zei Dunphy. 'Hij had het niet verdiend of zo.'

'Misschien niet, maar...'

'En aangezien hij het niet had verdiend, hoe kon ik het dan van hem stélen?' Met zijn wijsvingers zette hij het woord tussen aanhalingstekens.

Met de blik die Clementine hem toewierp keek ze hem eigenlijk niet aan. 'Daar zeg je wat,' zei ze (droogjes, vond hij). 'En wat doen wij nu?'

Dunphy liet zich achterover op het bed vallen, waardoor hij de gestippelde plafondelementen in het oog kreeg. Er steeg een vleug wasmiddel van de kussenslopen omhoog. 'Jou kennen ze niet,' antwoordde hij, zich evenzeer tot zichzelf richtend als tot Clementine. 'Dus weten ze niet dat jij hier bent.' Hij deed zijn hoofd omhoog en keek haar gewiekst aan. 'Tóch?'

Clementine schudde haar hoofd. 'Ik denk het niet.'

Zijn hoofd viel terug op de kussens. 'Je hebt niet naar me gevraagd bij de receptie?'

'Nee. Ik ben meteen naar boven gegaan.'

Ze hadden zeker de bedden verschoond toen hij weg was, want ze voelden lekker vers. 'Ik zat te denken,' zei Dunphy, 'dat je misschien een kamer moet nemen... aan de andere kant van de gang of zo. En dan kan ik hier weggaan en bij jou intrekken.' Hij keek haar verwachtingsvol aan.

'Ja-a... dat kunnen we doen... en dan?'

'Ik weet het niet... misschien denken ze dan wel dat ik weg ben.'

Clementine zweeg even. Ten slotte schraapte ze haar keel en vroeg: 'Is dat jouw plan?' Er klonk iets in door en toen ze het woord 'plan' zei, trok ze een gezicht en begeleidde dat met een vreemd hoofdknikje. Dat misschien wel ongeloof uitdrukte. Of sprakeloosheid. Of nog erger: ongelovige sprakeloosheid. Die binnenkort misschien wel kon omslaan in boosheid.

Dunphy bood die het hoofd, leunend op zijn elleboog. 'Het is geen plan,' legde hij uit. 'Het is maar een idee.' Slokje whisky (erg lekker en nog goed voor de verkoudheid ook).

'Maar er is een plan, toch? Je hebt er toch wel een?' vroeg Clementine.

'Natuurlijk heb ik een plan,' antwoordde Dunphy. 'Zie ik eruit als iemand die er geen heeft?' Was het Lemon-Fresh of...? Een zoete geur die er door de wasbeurt in was gaan zitten. Er moest een wasserij zijn, bedacht Dunphy, waar het linnengoed en de handdoeken van alle grote hotels werden gewassen.

'Ehhh, Jack?'

De kamermeisjes halen 's morgens de lakens op en brengen ze ergens heen... naar het souterrain, waarschijnlijk. Heeft het Zum Storchen een souterrain?

'Aarde aan Jack?'

Dat moest wel. En dan werden ze met een bestelwagen opgehaald...

'Hal-lo?'

Dunphy keek op. 'Wat?'

'Het plan. Je ging me vertellen wat het plan was.'

'O,' zei hij, 'ja, dat klopt.'

'Doe dan.'

'Nou... het plan is... ik dacht zo, jij neemt een kamer in het hotel...'

'Wat is er mis met deze kamer?'

'Niets, alleen... ik wil hier weg; op tv kan dat. Dus als ik me in jouw kamer installeer en ze hebben me een tijdje niet gezien, dan bellen ze naar déze kamer en krijgen iemand anders. En als ze dan bij de receptie naar me vragen, zeggen ze daar dat ik ben vertrokken. En misschien geloven ze dat.'

'En dan?' vroeg Clementine.

'Dan wil ik dat je een andere kamer reserveert... in Zug... voor morgenavond.'

'Wat is Zug?'

'Dat ligt hier in de buurt... dertig kilometer van Zürich. We hebben dus ook een auto nodig. Informeer maar bij de portier.'

'Dus ik zorg voor een kamer en een auto.'

Dunphy zwaaide zijn benen over de zijkant van het bed, ging zitten en zocht in zijn zak. Hij haalde er een sleuteltje uit dat hij naar haar toe gooide.

'En dit is? De sleutel die op je hart past?'

'Beter,' zei Dunphy. 'Hij past op een kluis bij de Credit Suisse. Op de Bahnhofstrasse. Nummer twee-drie-nul-negen. Onthou je dat?' Ze knikte. 'Vraag naar de directeur en geef hem de sleutel. Hij zal om je paspoort vragen...'

'Welk?'

'Dat van Veroushka. Ik heb de kluis op allebei onze namen laten zetten, dus dat zal geen problemen geven.'

'En dan?'

'Er zit een hoop geld in de kluis. Daar neem je wat van mee. Doe maar vijftig, trouwens.'

'Vijftig wat?'

'Duizend.'

Ze aarzelde even. 'Franc?'

Dunphy schudde zijn hoofd. 'Ponden.'

Haar mond viel open.

'Je neemt dat geld dus mee,' zei Dunphy tegen haar, 'en dan zien we elkaar op de parkeerplaats van het station in Zug. Ik zorg dat ik daar zo snel mogelijk na zessen ben.'

'Maar...'

'Het is een forenzenstationnetje, meer niet. Je ziet me meteen als ik naar buiten kom.'

'Dat bedoel ik niet. Wat ik bedoel is: hoe kom je weg uit het hotel? Zonder dat die mensen je zien?'

Dunphy pakte een van de kussens beet en schudde het op. 'Maak je daar maar niet druk om,' zei hij. 'Kom maar eens hier.'

21

Van het souterrain van het Zum Storchen was het krap anderhalve kilometer naar de trappen van het station, maar het kostte Dunphy honderd pond om er te komen. De Turk die het wasserijbusje bestuurde was eerst verbaasd toen hij een Amerikaanse zakenman in het hotelsouterrain aantrof. Maar zodra hij het geld zag, was hij maar al te bereid om zijn medemens te helpen ontkomen aan wat volgens Dunphy een boze echtgenoot was.

Er reden de hele dag treinen naar Zug en Dunphy had er met gemak voor het middageten kunnen zijn. Maar dan had hij uren tijd te verdrijven voordat Clem er was en daar leek Zug niet zo geschikt voor. Het enige wat hij over het stadje wist, was dat er het geheimste archief ter wereld was gevestigd, een databank die zo belangrijk – of gevaarlijk – was dat hij niet in Amerika kon worden bewaard. En aangezien dat archief tegelijkertijd aandachtspunt was in zijn onderzoek en de reden waarom er jacht op hem werd gemaakt, leek het geen goed idee om zomaar wat in Zug rond te hangen.

Erin en eruit was beter.

Een dagtochtje kon er dus vanaf, en hij wist precies waar hij naartoe wilde: naar Einsiedeln. Om naar de madonna op het hologram te gaan kijken: *la protectrice*.

Elk halfuur ging er een trein en zo lang duurde het ook ongeveer om er te komen. De rails volgde kronkelend door buitenwijken de Zürichersee-oever. Op een perverse manier leek de rit een keurig gepoetste, hooggelegen versie van de reis naar Bridgeport. Een montage van half geziene, onderweg opgevangen vignetten toonde de Zwitsers op hun allergewoonst: in hun tuintjes en in hun dagelijkse manier van doen die, als het erop aankwam, niet zoveel verschilden van de tuintjes en de dagelijkse manier van doen van andere mensen. De mannen en vrouwen die hij zag leunden uit hun raam, rookten een sigaret, hingen de was op, zaten op een fiets, veegden de trap, maakten een praatje, ruzieden en deden in het algemeen wat ze te doen hadden.

Toen de trein landinwaarts afboog en de bergen in begon te klimmen, maakten voorsteden als Thalwil, Horgen en Wädenswil plaats voor een reeks leuke plaatsjes, het ene nog besneeuwder dan het andere.

Biberbrugg.

Bennau.

Einsiedeln.

Bij het verlaten van het station pakte Dunphy een toeristenfolder mee en begon aan de hand van het kaartje op de omslag langs de skiwinkels en restaurants van het petieterige hoofdstraatje omhoog te lopen in de richting van het benedictijnenklooster dat aan Onze-Lieve-Vrouw van Einsiedeln was gewijd. Het woord, zag hij, betekende 'kluizenaars', waardoor ze (althans in postmoderne termen) Onze-Lieve-Vrouw van de Daklozen werd. In elk geval de zwarte Madonna.

Het stadje zelf was een skioord of, als het geen echt oord was, een plek waar een paar mensen heen gingen om te skiën, al leken het er niet echt veel te zijn. Dunphy kwam op weg naar het klooster langs een stuk of drie hotelletjes, maar er reden maar een paar auto's door de straat en veel voetgangers waren er niet. Zijn indruk was er een van een rustig, welvarend dorp dat zijn bekendheid uitsluitend dankte aan het merkwaardige beeld dat ermiddenin stond.

Zes zijstraten na het station maakte deze indruk plaats voor verbijstering toen hij vanuit de hoofdstraat op een plein van enorme afmetingen belandde. In het midden van het plein, op ongeveer vijftig meter van hem vandaan, stond een fontein waarvan het water was bevroren. Op een breed bordes achter de fontein stond het klooster zelf. Het gebouw, dat werd geflankeerd door een rij souvenirwinkeltjes waar prullaria en ansichten werden verkocht, was even elegant als massief. Dunphy, die het voor het eerst zag, was verbaasd door de omvang, maar ook omdat het gebouw zo eenvoudig en zonder opsmuk was. De simultane pracht en immense soberheid deden hem denken aan een gebeeldhouwde Mona Lisa.

Nadat hij de treden een voor een had beklommen, draaide hij zich bovenaan om en keek uit over het plein, het stadje en de bergen eromheen. Een zacht briesje vulde zijn longen met de natte geur van smeltende sneeuw, hooi en mest. Een blik in de folder leerde hem dat het klooster al meer dan vijfhonderd jaar een fokkerij exploiteerde. De monniken zouden befaamd zijn vanwege de paarden en het vee dat er werd gefokt.

Hij draaide zich om, betrad de kerk door een hoog oprijzende toegangspoort en knipperde met zijn ogen in het weidse duister. De kerk, die groter was dan sommige kathedralen, was een en al roezemoezige drukte, flakkerende kaarsjes, de geur van bijenwas en een restje wierookaroma. Terwijl zijn ogen aan de eeuwige schemer van het gebouw gewend raakten, besefte hij dat hij zich in een architecturale oxymoron bevond: het spectaculaire interieur van de kerk deed de eenvoud van de muren die het omgaven teniet. Vanbinnen, kortom, was de kerk een heksenketel van bloemen en versierselen, tapijten, schilderijen, fresco's en goud. Uit elke spleet gluurden cherubijntjes. Kandelaars stonden in lichterlaaie. Engelen sprongen op en spreidden hun vleugels tussen pilaar en muur. Het was net alsof een middeleeuwse Disney met een driekleurenpalet van ebbenhout, ivoor en goud de vrije teugel was gelaten.

Dit is niet de kerk waar ik als kind heen ging, bedacht Dunphy. Dit is iets anders... maar wat?

Hij drong verder het gebouw in dat, nu zijn ogen zich hadden aangepast, leek op te lichten en hem naderbij wenkte, en kwam bij de ingang van de Mariakapel. Dit op zichzelf staande heiligdom in de kerk was helemaal uit zwart marmer vervaardigd; er stonden albasten heiligen op het dak en er waren in goud aangebrachte basreliëfs. De kapel, ongeveer even groot als een flink tuinhuisje, lag vol bossen bloemen die de lucht verzadigden met de geur van natte varens en rozen. Een merkwaardige verzameling mensen – pelgrims uit allerlei landen, veronderstelde hij – knielde vlak bij hem neer op de onverzoenlijke vloer en bad met een intensiteit waar Dunphy zich niets bij kon voorstellen.

Hun adoratie richtte zich op een beeld van ongeveer een meter twintig hoog dat de Maagd Maria wel moest voorstellen. Ze was gehuld in een goudkleurig gewaad waarin afbeeldingen van fruit en graan waren verwerkt, had een kroon op en droeg een kindje op haar linkerarm.

En waar het om draaide was dat ze zwart was, net als het kind. Niet bruin maar zwart. Gitzwart. Zwart als kool. Als het heelal.

Het onwaarschijnlijke van het beeld was zo schokkend dat het Dunphy de adem benam en zich de profane vraag aan hem opdrong: wat heeft dit godverdomme hier in Zwitserland te maken? En het antwoord kwam meteen: wat heeft het waar dan ook te maken?

Op enige afstand van de kapel haalde Dunphy de toeristische folder uit zijn jaszak en begon staande achter de vrome aanbidders te lezen:

Graaf (Meinrad) van Hohenzollern leefde zeven jaar lang als kluizenaar in het Donkere Woud boven de plek waar nu de kloosterkerk staat. In de winter van 861 werd Meinrad doodgeslagen door rovers die vervolgens naar Zürich werden gevolgd door Meinrads enige vrienden: de betoverde raven waarmee de kluizenaar tijdens die lange eenzame jaren bevriend was geraakt. In Zürich vielen de raven de moordenaars van de oude monnik aan en zorgden voor zoveel beroering dat de bandieten al snel werden voorgeleid.

Klooster en kerk werden in 934 gesticht bij Meinrads grot. In de eeuwen die volgden kreeg het klooster te maken met een aantal branden totdat het in de achttiende eeuw in zijn huidige vorm werd herbouwd.

In 1799 werden agenten van Napoleon naar Einsiedeln gestuurd om de zwarte Madonna buit te maken, maar de kloosterlingen kregen van tevoren bericht over de strooptocht en smokkelden Onze-Lieve-Vrouw over de bergen naar Oostenrijk. Daar werd ze wit geverfd in een poging haar identiteit te verhullen. Na drie jaar ballingschap kreeg het beeld weer zijn oorspronkelijke kleur en keerde het terug naar Einsiedeln.

Tegenwoordig wordt de schedel van de H. Meinrad in een gouden kistje aan de voeten van de Madonna bewaard. Elk jaar wordt de schedel eruit gehaald en tijdens een speciale mis gezegend.

'Sie ist verblüfft, ist sie nicht?'
De vraag bereikte Dunphy in een eerbiedig gefluister dat van zo

dichtbij kwam dat hij zich lam schrok en onwillekeurig opsprong, wat hij niet wist te verbergen. Terwijl hij zich naar de stem toe draaide, vreesde hij het ergste, omdat hij meende dat hij was gevolgd. Maar Blondie was het niet en Spierbal evenmin. Het was een bleke Amerikaan in een zwarte regenjas. Puntbaardje.

'Pardon?' vroeg Dunphy.

Nu was het de man die verbaasd keek. 'O!' zei hij. 'U bent Amerikaan! Ik zei net...' Zijn stem werd weer een gefluister. 'Ik zei net, ze is geweldig, nietwaar?'

Dunphy knikte. 'Ja, dat klopt.'

De man zag er niet op zijn gemak uit. 'Ik dacht dat u Duits was,' vertrouwde hij hem toe. 'Meestal zie ik dat.'

Dunphy fronste bedachtzaam en hield zijn hoofd een beetje schuin, alsof hij wilde zeggen: kan gebeuren.

'Ik let op de schoenen,' voegde de man eraan toe met een knikje naar de vloer. 'Daar zie ik het altijd aan.'

Weer hield Dunphy zijn hoofd schuin, op dezelfde manier, alsof hij wilde zeggen: je meent 't, toen hij over 's mans schouder een hoogst onwaarschijnlijk groepje toeristen op hen af zag komen schuifelen. Het bestond uit een stuk of negen mannen van achter in de dertig, met bleke gezichten en allemaal gehuld in dezelfde zwarte regenjas.

'Mijn fanclub,' legde de man naast hem uit.

Dunphy dacht even dat ze voor hém kwamen. Maar nee, dit was écht een groepje dat werd rondgeleid, al was het er wel een dat helemaal uit vampiers van middelbare leeftijd leek te bestaan. Toen merkte Dunphy met een verontruste huivering dat minstens twee leden van het groepje een veterdas met clip droegen – een accessoire dat hem om de een of andere reden zenuwachtig maakte.

Plotseling keerde een van de toeristen het heiligdom de rug toe en richtte zich tot de groep met een tongval die regelrecht uit *Deliverance* kwam. 'Wa'k jullie daarnet vroeg... over Meinrads leven voordat-ie hierheen kwam? Wie?' Niemand bewoog, wat de man een zelfingenomen lachje ontlokte. 'Strikvraag hoor, ik geef 't meteen toe, maar het antwoord is: Paracelsus!' Hij keek van het ene gezicht naar het andere en knikte hun verbazing toe. 'Zo zit dat. De ouwe Paracelsus – misschien wel de grootste alchemist aller tijden – is uitgerekend hierboven op de top van de Etzel geboren, op de plek waar Meinrad zat. Nou jullie weer! Over blauwe appels gesproken!'

Met knikjes, gegrinnik en een uitdrukking van verwarde verbazing keken de mannen in het groepje elkaar aan. Dunphy kon duidelijk zien dat ze een geheim deelden of in de veronderstelling waren dat ze dat deden.

'Nou, ik moet er weer vandoor,' zei Dunphy. 'Leuk je ontmoet te hebben.' En met een korte groet liep hij achteruit bij de kapel vandaan, draaide zich om en ging weg.

Buiten kwamen er zo weinig sneeuwvlokjes uit de lucht gedwarreld dat Dunphy ze had kunnen tellen. Met zijn handen diep in de zakken van zijn overjas daalde hij in snel tempo de trappen af naar het plein. Hij dacht na over de man in de regenjas en de mensen uit zijn entourage en vroeg zich af wie ze waren en of ze waren wie hij dacht dat ze waren, toen zijn vermoedens werden bevestigd. Op de hoek van het plein stond een zwart bestelbusje in de kou; de motor draaide stationair en er kringelde rook uit de uitlaat. Een opmerkelijk wapen op de zijkant: een door engelen geflankeerde kroon met aureool en de woorden:

MONARCH VERZEKERINGEN

ZUG

Clementine (of Veroushka, zoals ze nu liever werd genoemd) en hij ontmoetten elkaar op de parkeerplaats van het forenzenstation van Zug. Ze zat aan het stuur van een gehuurde vw Golf en vertelde hem enthousiast dat ze een kamer had genomen in het Ochsen Hotel – dat 'gaaf' was – en dat ze 'even de stad in' was geweest.

'In Zug staan meer bedrijven ingeschreven dan dat er mensen wonen!' spuide ze. 'Wist je dat?'

'Hm-m,' antwoordde Dunphy met een blik achterom. 'En waar is het hotel?'

'Aan het eind van de Baarstrasse – Berenstraat, dus – waar we nu rijden. En je bent in een wip bij het water.'

Dunphy verstelde de zijspiegel om te zien of ze werd gevolgd, maar dat kon hij niet met zekerheid zeggen. Het was druk op de Baarstrasse en er reden veel auto's achter hen. 'Waarom zouden we naar het water willen?'

'Omdat het er mooi is,' zei ze, 'en omdat ik honger heb. En daar zijn de leukste restaurantjes.'

Kunnen we eigenlijk best doen, dacht Dunphy. We zullen het druk hebben morgen.

Het stadje verraste hem. Het oogde smaakvol modern en duidelijk hightech: een aangenaam uitziende verzameling moderne kantoorgebouwen geflankeerd door traditionelere bouwwerken waar een paar zeer oude bij zaten. Wat een architecturale ramp had kunnen zijn, maar het niet was, want het nieuwe was op menselijke maat gebouwd. Wolkenkrabbers kon Dunphy niet ontwaren, wel veel bomen.

En te midden van dat alles, op slechts vijf minuten van het station vandaan, was de middeleeuwse wijk, een doolhof van met kinderkopjes geplaveide weggetjes waar in de oude stadsmuren een hele reeks exclusieve winkeltjes waren ondergebracht die sieraden en kunst, oude kaarten en uitgelezen wijnen verkochten. Nadat ze hun auto op de binnenplaats van het Ochsen Hotel hadden gezet, liet Dunphy zich door Clem meevoeren naar de Oude Stad aan de overkant van de straat.

Door een gangetje in de muur bij het Rathaus gingen ze er naar binnen en doorkruisten een door gaslampen verlichte steeg totdat ze een parkje bereikten aan de oever van de Zuger See. Het schemerige licht begon net te verdwijnen en vanachter de Alpen kwam een volle maan op. Met zijn arm om Clems middel trok hij haar dicht tegen zich aan. 'Waar denk je aan?' fluisterde hij.

'Aan eten,' zei ze.

Ze werden het eens over een bistro met verticale raamstijlen, kanten gordijntjes en uitzicht op het water. Op dit vroege tijdstip hadden ze het restaurant vrijwel voor zichzelf. Ze zaten aan een houten tafel met hun rug naar een zachtjes sissende open haard en bestelden vis uit het meer en *longeole* met een portie rösti en een fles gekoelde Château Carbonnieux. En kwamen ter zake.

'We moeten vroeg op,' zei Dunphy. 'Nu komt het erop aan.'

'Hoe laat?' vroeg ze.

'Weet ik niet. Halfzes, zes uur. Waar het om gaat is dat ik van zeven tot één heb, meer niet... en dan zit ik er al tegenaan. Van zeven tot twaalf zou veiliger zijn.'

Ze nam een slokje wijn, smakte met haar lippen en lachte. 'Heftig,' zei ze.

'Net als Clem.'

Ze lachte. 'Eigenlijk moet je Veroushka zeggen.'

'Clém...'

'Wat is dat trouwens voor iets waar je naartoe gaat?'

'Monarch Verzekeringen, aan de Alpenstrasse.'

'Een verzekeringsmaatschappij dus.'

'Nee.'

'Wat dan?'

Dunphy schudde zijn hoofd. 'Ik weet het niet zeker,' antwoordde hij. 'Een soort speciaal archief.'

'Waarvoor?'

'Voor de zaak.'

'Je bedoelt...'

'De zaak waar ik heb gewerkt.'

'En die hebben hier zo'n archief? Helemaal in Zug?'

Dunphy knikte.

'Hoezo dan?' vroeg ze. 'Waarom zou je hier wat dan ook hebben?'

'Ik weet het niet,' antwoordde Dunphy. 'Maar hier ligt de meest vertrouwelijke informatie die ze hebben.'

'Me dunkt dat ze die juist dicht bij huis willen hebben.'

'Precies. Dat denk jij, ja. Maar dan zit je er dus naast.'

Clem fronste haar voorhoofd. 'Hoe weet jij dat allemaal?' vroeg ze.

Dunphy schonk zichzelf een tweede glas in, liet de wijn ronddraaien in de vuurgloed en vertelde haar wat hij als onderzoeksanalist op het wvi-bureau had gedaan.

'Geen wonder dat ze kwaad op je zijn,' riep ze uit.

'Ja,' mompelde Dunphy, 'geen wonder...'

'En hoe komen we hieruit? Want als die Fransman je niet vermoordt omdat je zijn geld hebt gestolen...'

'Het was zijn geld niet.'

'... dan doet de CIA het wel.' Ze keek hem verwachtingsvol aan, maar hij zei niets. 'Nóú?'

'Wat nou?'

'Wat ga je eraan dóén?'

'Waaraan?' vroeg hij. 'Aan de Fransman of aan de Dienst?'

Ze keek hem alleen maar aan.

'Want het zijn twee afzonderlijke problemen,' zei hij, 'alhoewel we ons volgens mij geen zorgen hoeven te maken om Blémont... tenzij je bent gevolgd. En ik weet niet waarom je gevolgd zou zijn. Ze kennen je niet. Hoe dan ook, ik heb niemand gezien, dus... dan blijft de Dienst over. En ik weet niet wat ik over de Dienst moet zeggen, want ik weet niet eens wat de vraag is.'

'Dan is het hopeloos,' oordeelde Clem.

Dunphy schudde zijn hoofd. 'Nee, hopeloos is het niet. Want ook al weet ik de vraag niet, dan weet ik wel waar de antwoorden zijn. In dat archief hier vlakbij. En jij gaat me helpen die te pakken te krijgen, want anders...'

'Wat?'

Hij keek haar langdurig aan. Toen boog hij zich vertrouwelijk voorover en fluisterde: 'Knokken.'

Ze werden de volgende ochtend om halfzes gewekt en ontbeten met geroosterd brood en koffie in een café dat in de Alpenstrasse een paar zijstraten bij verzekeringsmaatschappij Monarch vandaan lag. Het was de bedoeling dat Dunphy zich naar binnen praatte bij het Speciaal Archief terwijl Clementine voor die middag een vlucht naar Tenerife ging boeken.

'Ga naar het vliegveld,' zei Dunphy. 'Koop er tickets en kom me dan weer ophalen.'

Clem knikte. 'Om één uur.'

'Dan moet je er zíjn. Klokslag één uur sta je hier, met draaiende motor. Of ik kan het wel schudden. Want timing is alles. Er is een tijdsverschil van zes uur tussen Washington en Zug... en daar profiteer ik van. Met het pasje van Max kom ik het gebouw in, maar ze zullen Langley checken of ik het archief in mag. En niet zomaar Langley, ze zullen ene Matta willen spreken.'

'En die zegt dan dat het mag?' vroeg Clem.

'Nee. Die zegt dat ik dood moet. Maar daar speelt het tijdsverschil dus een rol. Ze gaan hem niet midden in de nacht bellen, want echt dringend is het niet. Het ziet er in elk geval niet dringend uit. En ik ga dus nergens heen of zo. Tenminste, voor zover zij kunnen nagaan. Dus wachten ze met bellen tot het ochtend is in de States.

Mijn houdbaarheidsdatum loopt volgens mij om een uur of één 's middags af. Daarna is er geen houden meer aan.'

Clementine overdacht het even. Ten slotte vroeg ze: 'En als ze het niet erg vinden om hem wakker te maken?'

Dunphy aarzelde en haalde toen zijn schouders op. 'Tja, *Veroushka*, als ik om vijf over een nog niet bij je in de auto zit? Dan pak je het geld en knijp je er gewoon tussenuit.'

Dunphy liet Clem bij haar koffie achter en liep de Alpenstrasse in op zoek naar Monarch Verzekeringen. Nummers boeiden hem niet. Hij zag het gebouw daarginds, een zijstraat of drie van hem vandaan. Het was een ultramoderne kubus van blauw glas, vijf volkomen ondoorzichtige verdiepingen. De CIA ten voeten uit – maar hij was, zo bleek, te ver doorgelopen. De kubus was het hoofdkantoor van een handelsfirma. Monarch lag een stukje terug aan de andere kant.

Toen hij terugliep zou hij het gebouw nogmaals voorbijgelopen zijn als hij geen Amerikaanse stemmen had opgevangen. Hij draaide zich om en stond voor Alpenstrasse 15. Aan de muur van een vakwerkkolos met glas-in-loodramen vlakbij hing een plaat van dof koper.

MONARCH VERZEKERINGEN NV

Het gebouw was aan renovatie toe, maar druk was het er wel: zelfs op dit vroege tijdstip kwam er een stroom mensen naar de werkplek. De meesten, zag Dunphy, waren mannen en bijna allemaal droegen ze een donkere overjas over een donker pak, een detail waardoor hij zijn jas wilde aanhouden. Wie weet wat ze van zijn sportjasje van pied-de-poule dachten.

Dunphy haalde diep adem en voegde zich bij de stroom die onder een hoog oprijzende ingang naar binnen ging. In de winterse kou stonden de oeroude houten deuren wijd open.

Binnen handelde een rij receptionisten vanachter een glimmend gepoetste mahonie balie telefoontjes en bezoekers af. Dunphy deed zijn best hen te negeren en voegde zich bij een rij kantoormedewerkers die bij een hightech tourniquet stonden te wachten tot ze erdoor konden. Het gedrang en geroezemoes deden Dunphy aan een bijenkorf denken.

Door degenen voor hem te observeren zag Dunphy dat ieder-een zijn toegangspas in een gleuf aan de linkerkant van het tour-niquet stak en tegelijkertijd zijn rechterduim tegen een verlicht glasplaatje aan de rechterkant drukte. Amper een seconde later rea-geerde het tourniquet met *tsjnnnk!* – alsof je je kaart in een prik-klok stak – en de medewerker kon doorlopen naar de gang aan de andere kant.

Tegen de tijd dat Dunphy aan de beurt was, was hij aan het hy-perventileren. Hij stak zijn toegangspas in de gleuf en drukte zijn rechterduim tegen het glas en wachtte... terwijl hij de seconden tel-de die verstreken. Drie. Vier. Vijf. Een zacht gemurmel, veeleer on-geduldig dan dreigend, voelde hij in zijn rug.

'Ik begrijp er niets van,' zei hij, tegen niemand in het bijzonder mompelend. 'Hij heeft het tot nu toe altijd gedaan.' Hij zag een van de receptionisten overeind komen met zijn blik op Dunphy gericht. De man zag er gealarmeerd uit.

Ik maak die vuile Rus af, dacht Dunphy, en hij probeerde het pas-je nog eens. Weer gebeurde er niets. De receptionist was nu opge-staan en Dunphy stond op het punt ervandoor te gaan. Met een beetje geluk kon hij met een sprintje de deur halen en ze kwijt-raken...

'Je hebt 'm ondersteboven.'

De stem deed Dunphy schrikken en hij keerde zich met een hart dat tegen zijn ribben bonkte om naar waar het geluid vandaan kwam. Zwarte regenjas. Veterdas. Bifocale bril.

'Wat?'

'Je houdt je pas ondersteboven.' De vent knikte naar het tourni-quet.

Dunphy keek. 'O ja,' zei hij en onhandig voerde hij de pas op-nieuw in zodat het hologram in de gleuf ging. *Tsjnnnk!* 'Bedankt.' Hij zweette.

De gang liep zo'n meter of negen rechtdoor en boog daar scherp af naar rechts voordat hij toegang gaf tot een tussenverdieping die uit een Batmanfilm leek te zijn geplukt. Glinsterende zwarte mar-meren vloeren en travertin muren met roestvrijstalen liften in de achterwand. En midden in de ruimte bevond zich het enige orna-ment: een doorzichtige cilinder op een door bloemen omringde gou-den pilaar. In de vaas een replica van *la protectrice*. Nog zwarter dan het marmer op de vloer. Een voor een regeringsgebouw – als dit er een was – hoogst ongebruikelijke inrichting.

Dunphy keek hoe de liftlampjes van een naar vier schoten en besefte een beetje verlaat dat hij zich tegenover iets enorm tegenstrijdigs bevond: een gelijkvloers gebouw dat vier verdiepingen had. Wat inhield dat het grootste deel ervan onder de grond zat.

'Hééé, vreemdeling!' Een klap op zijn rug deed Dunphy schrikken. Toen hij zich omkeerde zag hij de sik uit het klooster, de man van het groepje.

'Hééé,' antwoordde Dunphy, die een lachje tevoorschijn perste. 'Je bent er vroeg bij.'

De man haalde zijn schouders op. 'Niets nieuws. Maar jij? Ben je hier voor 't eerst?'

Dunphy schudde zijn hoofd. ''t Is even geleden, maar... ja, toen ik jou tegenkwam, was ik net aangekomen.'

'En je po-pel-de! om Haar te zien!' De man lachte en schudde zogenaamd verbaasd zijn hoofd.

Even wist Dunphy niet wat hij bedoelde. Maar toen begreep hij het en hij gaf de man waar die op stond te wachten: een schaapachtig lachje. 'Zal wel,' zei hij.

De lift was er en ze gingen allebei naar binnen. Uit de intercom klonk zachte klassieke muziek. De *Messiah*, meende Dunphy, maar dat dacht hij altijd als hij iets klassieks hoorde. Zelf gaf hij de voorkeur aan Cesaria Evora of, met een paar borrels op, de Cowboy Junkies.

'Waar moet je zijn?' vroeg de man, die een knop indrukte.

Dunphy stond voor de tweede keer in een minuut met zijn mond vol tanden. De man met het sikje hield afwachtend zijn vinger op het knoppenpaneel gericht. Uiteindelijk antwoordde Dunphy: 'Kantoor van de baas.'

De man trok een gezicht om te laten merken dat hij erg onder de indruk was en pookte met zijn vinger op het paneel. Een paar andere mensen kwamen naar binnen, de deur ging dicht en de lift begon aan wat een bewegingloze afdaling leek. Een paar seconden later ging de deur open en toen niemand zich verroerde liep Dunphy naar buiten.

'Linksaf,' zei de man. 'Helemaal aan het eind van de gang.'

Het was een brede, gedempt verlichte passage met donkerpaarse vloerbedekking, zachtpaarse muren en art deco-wandarmatuur. Aan de muren hingen schilderijen en tekeningen in bewerkelijke, met de hand gesneden, vergulde lijsten. Een oude houtsnede toonde 'Het graf van Jacques de Molay'. Een bouwkundige weergave van de plattegrond van een niet nader aangeduid kasteel – kathedraal – allebei. Een olieverfschilderij van een liggende ridder die door een beeldschone maagd van zijn haar wordt verlost. Nog een schilderij, dat Dunphy als een poging tot 'och, arme Yorick' beschouwde en waarop een herder in wat wel Arcadia moest zijn, zijn ogen liet rusten op de schedel van... Yorick. Meinrad. Iemand.

Ten slotte kwam Dunphy bij een rookglazen deur aan het einde van de gang. Eén woord op het glas: DIREKTOR.

Zijn hart bonkte in zijn borstkas en het kostte hem al zijn lef om met een ferme roffel op de deur naar binnen te stappen zonder een reactie af te wachten. Een vrouw met een vogelkopje en peper-en-zoutkleurig haar keek op vanachter een flinterdun beeldscherm. Ze had een leesbril met schildpadmontuur op en leek eerder geïrriteerd dan geschrokken.

'Kann ich Ihnen helfen?'

'Niet als u geen Engels spreekt,' zei Dunphy tegen haar en hij keek de kamer in. 'Ik kom voor de *Direktor.*'

Ze keek hem sceptisch aan. 'Dat kan niet,' zei ze met een afgebeten Duitse tongval. 'Om te beginnen moet u een afspraak hebben. En volgens mij hebt u die niet.'

'Nee,' antwoordde Dunphy, 'die heb ik niet. Maar ik heb iets beters.'

'O?'

'Ja. Ik heb een opdracht.' Hij knikte naar een deur in de hoek van de kamer en begon ernaartoe te lopen. 'Is dit zijn kantoor?'

Hij dacht dat ze ging zweven. In feite kwam ze half van haar stoel af. 'Nee! Ja, natuurlijk, bedoel ik... maar dat gaat u niets aan. Hij is er niet. Wie bént u eigenlijk?' Haar hand lag op de telefoon.

Zogenaamd geërgerd haalde hij zijn toegangspasje tevoorschijn en stak het haar toe. Ze tuurde er even naar en noteerde vervolgens zijn naam in een boekje op haar bureau.

'U bent hier al eens geweest,' zei ze met een onzekere blik.

Dunphy knikte, niet op zijn gemak. 'Een keer of twee, maar dat was een hele tijd terug.'

'Want ik herinner me uw naam, maar...' Ze gluurde hem over haar bril heen aan en schudde vervolgens haar hoofd.

'Die hebt u vast in een dossier gezien, want ik ben hier in jaren niet geweest.'

Ze keek weifelend. 'Misschien.'

'Hoe dan ook, hoe laat komt de Direktor?' vroeg Dunphy, die graag van onderwerp wilde veranderen.

'Meestal niet voor achten. Vandaag helemaal niet.'

Door het onverwachte antwoord was Dunphy even uit het veld geslagen. Hij had erop gerekend dat de man op kantoor zou zijn. 'Helemaal niet?' vroeg hij.

'Nee.'

'En waarom niet? Waar is hij dan?'

'In Washington... er is iets misgegaan. En als u het niet erg vindt...'

Dunphy waagde een gok. 'De kwestie-Schidlof, bedoelt u.'

Haar verbazing verzachtte haar manier van doen. 'Ja,' zei ze en ze liet zich in haar stoel zakken. 'Er is een schietpartij geweest...'

Dunphy knikte ongeduldig dat hij dat allemaal al wist. 'In Londen,' zei hij. Meelullen, zei hij in zichzelf. Zo gaat het goed.

Ze knikte kortaf, maar dat hij zoveel wist maakte duidelijk indruk op haar.

'Daarom ben ik hier,' zei Dunphy tegen haar. 'Die arme Jesse.'

'Ze zeggen dat hij erbovenop komt.'

'Misschien wel, ja. Helemaal de oude? Dat betwijfel ik.' Hij keek haar bedachtzaam aan. 'Ik heb een werkruimte nodig,' zei hij, 'voor een paar dagen, een week misschien. En een rechtstreekse verbinding met het kantoor van Harry Matta in Langley.'

Haar ogen werden groot toen Matta's naam werd genoemd. 'Nou,' zei ze met een onzekere blik.

'Wat nou?'

'Nou, ik weet het niet.'

'Wat weet u niet?'

'Dit!'

'U bent toch de secretaresse van de Direktor?'

'Eigenlijk,' verbeterde ze hem, 'ben ik zijn uitvoerend assistent.'

'Nog beter.' Hij gluurde naar het naambordje op haar bureau. 'Hilda, hè?'

Ze knikte minimaal, een en al achterdocht vanwege zijn informele aanpak.

'Oké, Hilda, mijn voorstel is... dat we moeten beginnen.'

'Maar ik kan u geen werkruimte geven. Daar heb ik toestemming voor nodig. Misschien de adjunct-Direktor...' Ze greep naar de telefoon.

Dunphy rolde met zijn ogen, hield zijn hoofd schuin en vroeg toen: 'Zie ik eruit als de stadsomroeper? Zie ik eruit als de wandelende agenda van iemand anders?'

De vragen brachten haar even van haar stuk. Toen schudde ze haar hoofd. 'Nee.'

'Goed. Want als het erop aankomt, bellen we hem zelf toch even.'

'Wie?'

'De Direktor. Jij weet toch wel waar hij logeert?'

'Uiteraard, maar...'

'Heb je het nummer?' Hij wilde de telefoon pakken, maar haar hand lag op de hoorn.

'We kunnen hem nu niet bellen. Het is daar halftwee.'

'Als je je baas niet wakker wilt maken, bel je Langley,' hield Dunphy aan. 'Zeg maar dat ze je met Matta moeten doorverbinden. Dan halen we hém uit bed!'

'Maar wat moet ik dan zeggen?' vroeg ze met ogen die groot werden van paniek.

'Zeg maar dat je wilt weten of ik werkruimte kan krijgen. Om twee uur 's morgens zal hij vast diep onder de indruk zijn.'

Ze weifelde. 'Waarvan?'

'Van de manier waarop jij iets afhandelt.'

'O,' zei ze, 'nu worden we zeker sarcastisch.'

Dunphy glimlachte verontschuldigend. 'Sorry... ik sta echt onder druk.' Hij wachtte even en boog zich naar haar toe met een air van sympathiserende vertrouwelijkheid. 'Luister,' zei hij, 'als jij me een werkruimte bezorgt, kunnen we vanmiddag met hen praten... het eerste wat we doen. Jouw baas, mijn baas, wie je maar wilt. En die bevestigen dan wat ik heb gezegd. Je hebt mijn pasje gezien. Ik zou hier niet staan als ik hier niet hoorde.' Hij kon de radertjes in haar hoofd zien rondwentelen: Matta... Curry... het pasje.

'Oké!' zei ze en ze legde hem met geheven hand het zwijgen op. 'Er is een kamer op de derde verdieping...'

'De derde verdieping is prima.'

'Om één uur bel ik de Direktor... hij staat altijd vroeg op. En als hij dat nodig vindt, nemen we contact op met *Herr* Matta.'

'Uitstekend,' zei Dunphy. 'Als je me even de weg wijst, ga ik aan de slag.'

Ze pakte de telefoon. 'Beveiliging zal je laten zien waar het is.'

'En nog iets.'

'Ja?'

'Ik moet iemand hebben die dossiers voor me opduikelt.'

Ze keek uitdrukkingloos. 'Dossiers? Opduikelt?'

'Zo is dat. Waarvoor denk je dat ik die werkruimte nodig heb?'

'Dat weet ik niet. Waarvoor dan?'

'Voor schadebeperking.'

'Wat?'

'Schadebeperking.' Hij keek haar indringend aan. 'Je weet toch wat Curry is overkomen?'

'Natuurlijk. Er is een telegram gekomen.'

'Weet ik,' zei hij. 'Dat heb ik geschreven. Hoe dan ook, de vent die hem heeft neergeschoten...'

'Dunphy.'

Hij keek geïmponeerd. Hij wás geïmponeerd. 'Juist. Jack Dunphy – die, tussen twee haakjes, een vuile klootzak is. Sorry dat ik het zeg.'

Ze haalde haar schouders op. 'Ik zit de hele dag tussen de mannen,' zei ze. 'Ik ben wel wat gewend.'

'Oké. Hoe dan ook, Dunphy werkte voor de Dienst... dat wist je toch?'

'Natuurlijk.'

'En wist je wat hij deed... wat voor werk hij deed?'

'Nee.'

Dunphy fronste zijn voorhoofd. 'Ik dacht dat ik dat in het telegram had gezet...'

'Ik dacht het niet.'

'Nou, hoe dan ook, hij was een wvi-mannetje.' Bij het zien van haar verwarde blik verklaarde hij zich nader. 'Hij werkte bij Vrijheid van Informatie.'

'O ja?' Ze zag er verward uit... en opgelucht. 'Is dat álles?'

'Ja. Dat is alles. En daarom doe ik nu wat schadebeperking.'

Ze keek hem aan op een manier waaruit hij opmaakte dat ze het niet snapte.

'Harry denkt dat er sprake was van schending,' legde hij uit.

'Schending?'

'In de Andromeda-dossiers. Die klootzak is erdoorheen gewandeld alsof hij op internet aan het surfen was.'

De informatie leek niet aan te slaan. En vervolgens, na een ogenblik of twee, zat ze heel lichtjes op haar stoel te wiegen. Even dacht Dunphy dat ze haar evenwicht zou verliezen. Maar dat deed ze niet. Ze zat daar alsmaar bleker te worden totdat ze ineens opsprong en zei: 'Dan zullen we je maar meteen installeren, hè.'

22

De eerste dossiers lieten bijna een uur op zich wachten, waardoor Dunphy de paranoïde verlamming nabij was. Ofschoon hij wist dat ze Matta niet om twee uur 's morgens zouden bellen, besefte hij nu pas dat het Speciaal Archief wel eens een kopie van Bradings persoonlijke gegevens kon hebben. Zij hadden tenslotte die pas uitgegeven. Als dat zo was, en de vrouw die hij gesproken had, Hilda, was achterdochtig genoeg om die gegevens in te zien, zou ze in één oogopslag zien dat Dunphy zich voor een veel ouder iemand uitgaf. En dan zouden ze hem te grazen nemen.

De werkruimte die hij had gekregen leek wel een blinde cel. Hij was drie passen in het vierkant en amper groot genoeg om plaats te bieden aan het bureau en de stoel waar Dunphy nu op zat. Zijn overjas hing aan een kapstok naast de deur, en dat was alles. Er was een telefoon, maar er waren geen boeken, dus hij had niets te doen totdat zijn 'hulp' – een beveiligingsbeambte met een stierennek die Dieter heette – binnen kwam vallen met zes bruine mappen waar 'Schidlof' op stond. Dunphy keek op zijn horloge. Het was 8.25 uur.

'U moet hiervoor tekenen,' zei Dieter en hij overhandigde Dunphy een klembord.

'Terwijl ik deze lees,' zei Dunphy terwijl hij Bradings naam op de documentencontrolelijst kalkte, 'wil ik graag dat je alles tevoorschijn haalt wat je hebt over een zekere Dunphy – d-u-n-p-h-y – voornaam Jack. Heb je dat?'

'Jazeker.'

'En dan wil ik ook de dossiers inzien van Optical Magick en alles wat je voor me te pakken kunt krijgen over de... eh... Boviene Census.'

Dieter fronste zijn voorhoofd.

'Is er iets?' vroeg Dunphy.

'We hebben karretjes,' zei Dieter, 'maar de Census... dat zal niet gaan. Dan moet ik een vrachtauto hebben.'

Dunphy probeerde zijn vergissing weg te moffelen. 'Alleen de afgelopen twee maanden. New Mexico en Arizona.'

Dit leek zijn nieuwe hulp tevreden te stellen. Toen de deur dichtging, leunde Dunphy met een zucht van verlichting achterover en boog zich vervolgens over de dossiers met de opwinding en onrust van een knul van twaalf die zojuist op de geheime pornocollectie van zijn ouders is gestuit.

Zijn eerste indruk was dat het dossier afweek van andere dossiers die hij bij de Dienst had gezien. Als iemand 'van operationeel belang' was voor de CIA, werd er gewoonlijk een loopbaandossier aangelegd en kwamen er verhoren aan te pas. Maar Schidlofs dossier bevatte geen verhoren, alleen maar data. Het overzicht van zijn telefoongesprekken en de strookjes van zijn creditcardbetalingen zaten in aparte mappen, net als de kopieën van zijn paspoortpagina's waarop de meeste landen waren te zien waar hij de afgelopen tien jaar naartoe was gereisd. Er waren enkele zwart-witcontactafdrukken van foto's die met een telelens vanuit een auto leken te zijn genomen. Toen hij de opnamen bekeek, herkende Dunphy het huis van de professor (hij had Tommy Davis geholpen de boel te verkennen) en Schidlof zelf. Er waren foto's van de professor die naar zijn werk ging, zijn post haalde, thuiskwam enzovoorts. Ziet er behoorlijk gezond uit, dacht Dunphy, voor iemand die op het punt staat een torso te worden.

En dat was het dus, in feite. Het dossier van Schidlof was geen onderzoeksdossier. Degene die het had samengesteld was niet zozeer geïnteresseerd in de man Schidlof, maar in het probleem Schidlof. Dus het deed er niet echt toe wie de vrienden van de professor waren of wat zijn buren van hem vonden. Het enige wat ze moesten hebben was 's mans adres en een goed lijkende foto.

Zodat ze, als de tijd daar was, de juiste persoon in stukken zouden hakken.

Wat inhield dat Schidlof iemand tegen zich in het harnas had gejaagd (Curry of Matta). Of erger nog, hen bang had gemaakt. En toen hij dat had gedaan, was de vraag gerezen: wie ís deze eikel? En knal! daar was het antwoord, in de vorm van het onderhavige dossier: dit is 'm, zei het. Zo ziet-ie eruit. Hier woont-ie.

De meeste informatie leek in een enkele sessie te zijn vergaard. En al kon Dunphy niet met zekerheid zeggen wanneer die sessie was begonnen, het zag ernaar uit dat dat afgelopen september was geweest. Dunphy, die snel door een map boordevol kopieën van creditcardstrookjes heen bladerde en door een tweede met kostenregistraties van Schidlofs interlokale telefoongesprekken, zag dat er na 9 september niets meer was toegevoegd. Wat inhield dat Schidlof rond die datum, een maand of zeven geleden, onder Matta's aandacht was gebracht. En dit kwam Dunphy te weten:

Leon Aaron Schidlof (MA, Oxon.; dipl. Anal.Psy., Zürich), Brits staatsburger, geboren 14 oktober 1942 te Hull. Behaalde zijn doctoraal aan het New College in Oxford (1963) en volgde een opleiding tot analyticus aan het C.G. Jung Instituut te Zürich (1964-67). Schidlof leverde bijdragen aan talrijke verzamelbundels en vaktijdschriften en schreef twee boeken: *A Dictionary of Symbols* (New York, 1979) en een boek over de jungiaanse psychologie: *Die Weiblichen in der Jungian Psychologie* (Heidelberg, 1986). Na twintig jaar analyticus te zijn geweest in Londen aanvaardde hij een docentschap aan het King's College aan de Strand. Nooit getrouwd geweest; naaste familielid is een oudere zus die in Tunbridge Wells woont. Daarna volgde Schidlofs eigen adres (dat Dunphy uit zijn hoofd wist).

Heel onschuldig, dacht Dunphy. Je zou niet denken dat iemand als hij zo'n ellende zou veroorzaken.

In de tweede map zaten Schidlofs creditcardstrookjes en telefoongesprekregistraties. Dunphy wist niet goed wat hij ermee moest aanvangen en vroeg zich af of het Matta werkelijk iets uitmaakte. De informatie was waarschijnlijk verzameld omdat er zo makkelijk aan te komen was, en door het te verzamelen wekten de detectives de indruk dat ze wisten waarmee ze bezig waren. Toch viel er een paar dingen op. Zoals het feit dat er vrij veel reisjes met Swissair bij zaten. Twee in juni, gevolgd door een in juli, een in augustus en een in september. Waar sloeg dat nu weer op?

De betalingen aan Swissair vermeldden niet waar hij naartoe gevlogen was, maar dat hoefde ook niet: er zaten creditcardstrookjes bij met hotelkosten voor diezelfde maanden. En de betalingen waren allemaal eender: aan Hotel Florida, Seefeldstrasse 63 in Zürich.

Dunphy kende het wel. Een keurig middenklassehotel dat een paar straten ten oosten van de Bellevueplatz lag, het eindpunt van de stadstrams. Het was een acceptabel logeeradres als je op de centen moest letten, precies het soort hotel waar een wetenschapper zijn intrek nam terwijl hij in een duur land als Zwitserland research deed.

Maar Schidlof vloog niet alleen met Swissair. Op zijn rekening van Visa stond een post van £371 voor British Airways, gedateerd op 5 september. Andere betalingen documenteerden Schidlofs bezoek aan New York op de zesde en zevende van die maand. Hij had gelogeerd in het Washington Square Hotel en iets gegeten bij een paar Indiase tentjes aan Third Avenue.

Nou én?

Dunphy bekeek de eerdere betalingen nog een keer. Het laatste bezoek van de professor aan Zürich had op 3 september plaatsgevonden. Het reisje naar New York volgde een dag of drie daarna... en kort daarna was de man onder telefonische surveillance geplaatst. Wat leek te suggereren (al kon dat niet bewezen worden) dat er een verband was tussen de drie gebeurtenissen: de reis naar Zürich, het bezoek aan New York en de afgetapte telefoontjes.

Wat deed hij in New York? vroeg Dunphy zich af. En het antwoord luidde: wat deed hij in Zürich? En toen, gefrustreerd: wat deed hij sowieso?

De derde map bevatte Schidlofs bankafschriften, teruggeboekte cheques en... hebbes. Op 4 september had de professor, die toen in Zürich was, een cheque voor tweeduizend pond uitgeschreven ten bate van een zekere Margaritha Vogelei. Drie dagen later had hij tijdens zijn bezoek aan New York een kleinere cheque uitgeschreven ten bate van een onderneming genaamd Gil Beckley Associates.

De naam kwam hem bekend voor. Dunphy had hem eerder gezien of gehoord... op televisie of in de film. Beckley was een acteur of zo. Nee. Geen acteur. Maar...

Dunphy bekeek de cheque. Ze was ter waarde van vijfhonderd pond en had er bijna twee maanden over gedaan om van Schidlofs rekening bij de National Westminster in Londen overgeschreven te worden naar die van Beckley bij de Citibank in New York. Onder aan de cheque, op een regel waar 'Memo' voor stond, was iets genoteerd in Schidlofs handschrift: *Voorschot*, stond er, maar niet waarvoor.

Toen wist Dunphy het weer.

Handschrift. Beckley was geen acteur, maar hij was vaak op televisie geweest. Hij was grafoloog... of, zoals de man het zelf graag noemde, 'documentair inspecteur'. Hij had een tijdlang bij de FBI gewerkt, was met pensioen gegaan en voor zichzelf begonnen. Hij was een getuige-deskundige, en Dunphy herinnerde zich dat hij zijn importantie hoog inschatte. Dunphy had hem op A&E gezien in het programma *Investigative Reports*. Men had hem geëngageerd om de authenticiteit vast te stellen van liefdesbrieven die J. Edgar Hoover zou hebben geschreven aan een agent die Purvis heette. Dunphy wist nog dat Beckley de brieven aan flarden had gereten en ze 'onbeholpen vervalsingen' had genoemd.

Het begon interessant te worden. Schidlof gaat naar Zürich en betaalt een vrouw die Vogelei heet een paar duizend pond... ergens voor. Dan vliegt hij naar New York en dokt nog eens vijfhonderd pond bij wijze van voorschot voor een grafoloog. Daarna worden zijn telefoons afgeluisterd... en vervolgens is hij dood. Wat is er dan gebeurd? vroeg Dunphy zich af.

Nou ja, zeg... hij heeft in Zürich wat *documenten* gevonden.

Oké... maar waarom die in de States authentiek verklaren? Waarom niet in Londen?

Omdat het Amerikaanse documenten zijn, veronderstelde Dunphy, of degene die ze had geschreven was Amerikaan. Maar wie was dat?

Dunphy leunde tegen de rugleuning van zijn stoel en keek naar het plafond. Hij probeerde zich te herinneren wanneer Curry had gebeld om hem om die gunst te vragen. Ergens in het najaar. September. Oktober. Zoiets. Hij wist het eigenlijk niet meer. Maar rond de tijd dat Schidlof uit New York terug was.

Er was een map met kopieën van Schidlofs vermeldingen in de *Who's Who*, zijn huurcontracten en medisch dossier; allemaal zaken die voor Dunphy niet van belang waren. Tot slot was er een dun mapje waar twee telegrammen in zaten. Het eerste luidde:

ZEER URGENT

TELEGRAMTEKST 98LANGLEY 009100

BLAD 01

VAN KORPS VEILIGHEIDSONDERZOEK

DIRECTIEKANTOOR/HQ LANGLEY

AAN CIA/HOOFD VESTIGING/LONDEN

AMERIKAANSE AMBASSADE RECHTSTREEKS 1130

PRIORITEIT

BIJL: GEEN

ONDERW: SCHIDLOF

MBT: ANDROMEDA

1. ZEER GEHEIM/ULTRA GEHELE TEKST

2. UNILATERAAL AANGESTUURDE BRON MELDT TELEFONISCH CONTACT MET BRITS INGEZ./SCHIDLOF LEO/5 SEPT. VOORTS ONTMOETING NEW YORK 7-8 SEPT.

3. SCHIDLOF ZEGT WOONACHTIG TE ZIJN IN LONDEN.

4. SCHIDLOF IN BEZIT VAN ANDROMEDA-MATERIAAL.

5. WIE IS SCHIDLOF?

Jesse Curry's antwoord kwam de middag erna. Als je de aanhef weg-liet, stond er:

VISUMAANVRAAG (EN VERMELDINGEN IN WHO'S WHO) GEVEN AAN DAT LEON SCHIDLOF JUNGIAANS ANALYTICUS IS EN DOCENT AAN KING'S COLLEGE. GEEN STRAFBLAD. WAAR LET IK OP?

Verder waren er geen telegrammen, al moest er nog meer commu-nicatie hebben plaatsgevonden. Als Matta het hem niet had opge-dragen, had Curry de informatie die hij had bijeengebracht niet ver-gaard en had hij Dunphy geen opdracht gegeven de telefoons van de professor te laten afluisteren. Wat inhield dat...? Matta gewoon de papierstroom indamde, omzichtig te werk ging. Daarbij paste de beslissing om iemand als Dunphy, die onder een niet-officiële dek-mantel opereerde, in te zetten als degene die iemand als Tommy

Davis inschakelde. Matta had MI5 om dekking kunnen vragen, maar door deze aanpak verkreeg hij volslagen ontkenbaarheid. Mocht er ongewenste publiciteit komen, dan zou Schidlof zijn afgeluisterd door een Ierse crimineel die op zijn beurt werkte voor iemand die niet bestond.

De een na laatste map gaf zijn hart een optater. Er zat een bruin envelopje in met een rond lipje op de plakstrook. Een aan de envelop vastgeniet, heel dun koordje dat om het lipje heen was gewikkeld, hield wat erin zat binnen. Dunphy rolde het koordje af en hield de envelop ondersteboven, zodat er een tiental microcassettes op het bureau terechtkwam. *Hal-lo!*

Hij herkende de bandjes. Stuk voor stuk in zijn handschrift van nummer en datum voorzien. Op nummer een stond '14/9-19/9' genoteerd, wat zijn vraag van daarnet, wanneer het afluisteren was begonnen, beantwoordde. Ongeveer een week nadat Schidlof uit New York naar Engeland was teruggegaan. Met andere woorden, bijna direct na Matta's telegrafische vraag aan Curry: *Wie is Schidlof?*

Dat was prettig om te weten, maar nu moest hij een besluit nemen: hij kon de beveiligingsbeambte om een cassetterecorder vragen zodat hij de bandjes kon beluisteren of hij kon doorgaan met dossiers lezen. De bandjes waren verleidelijk. Het was alleen al interessant om Schidlofs stem weer te horen. Aan de andere kant kon hij niet echt veel tijd doorbrengen in het Speciaal Archief en bestreek hij met het doorbladeren van de dossiers een groter terrein dan met het beluisteren van de bandjes. Dus was lezen beter.

De laatste map bevatte een stapeltje in drieën gevouwen brieven die werden bijeengehouden door een vezelig touwtje. Dunphy knoopte het touwtje los en vouwde het eerste vel open. Het was, zag hij, een felicitatie gericht aan C.G. Jung, Küsnacht, Zwitserland. Het vel droeg onder een briefhoofd van een New Yorks advocatenkantoor, Sullivan & Cromwell, de datum 23 februari 1931 en was met de hand beschreven in groene inkt:

Geachte dr. Jung,

Gelieve mijn diepe dankbaarheid te aanvaarden voor uw niet-aflatende inspanningen ten behoeve van mijn toelating tot het Magdalena Genootschap. Het is het baken dat vanaf heden voorgoed mijn leven tot gids zal dienen. In ons gezamenlijke

217

streven naar het Nieuwe Jeruzalem wil ik u laten weten dat ik altijd aan uw zijde zal staan. (Ik heb met mijn broer John, die u zelf zal schrijven, gesproken en zijn gevoelens vormen een afspiegeling van de mijne.) In alle eerbied en met mijn grote dank,

Allen

Er was een post scriptum:

P.S. Clove laat u groeten (en gedijt, door uw toedoen).

Allen? Welke Allen? vroeg Dunphy zich af. En herinnerde zich de verwijzingen in Schidlofs dossier, niet het dossier dat hier op tafel voor hem lag, maar dat in Langley. Dulles... Dunphy... Jung. En wat nog meer? Dunphy probeerde het terug te halen. Optical Magick... of de 143ste. Maar in elk geval Dulles. De broer van John. Allen.

Dunphy pakte de brieven en bladerde er snel doorheen. Schidlof had ze van die mevrouw Vogelei gekocht. Dat moest wel. Maar wie was zij? vroeg hij zich af, terwijl het antwoord zich direct aandiende: een antiquaar, een familielid... een medewerkster van Jung. Het deed er eigenlijk niet toe. Waar het om ging was dat dit de documenten waren waarvan Schidlof de authenticiteit had willen laten vaststellen. Dit waren de documenten die hem het leven hadden gekost.

Met het gevoel dat hij voor het eerst vorderingen begon te maken, vouwde Dunphy de tweede brief open en las verder. Net als zijn voorganger was dit een brief op Sullivan & Cromwell-papier. Hij was bijna twee jaar na de eerste geschreven en begon als bedankje voor de gastvrijheid die Jung Dulles en diens vrouw de zomer ervoor had betoond. Maar nadat op een kruiperige toon die dank was betuigd, sneed Dulles een delicatere kwestie aan en sprak zijn zorg uit over 'onze nieuwe Stuurman'.

Uiteraard drukt zijn genie een aanzienlijk stempel op de literaire nalatenschap. Weinigen hebben zo goed geschreven en er zijn er nog minder wier invloed op hun tijdgenoten zo indringend is. De visie en moed waar alles in zijn geschriften blijk van geeft zullen hem beslist goed van pas komen wanneer hij de ontzaglijke taken van zijn nieuwe post ten uitvoer brengt. Ofschoon het al vaker is voorgekomen dat onze Stuurman een kunstenaar of literator was (Bacon, Hugo, Debussy – geen appèl meer illuster), vrees ik toch dat wij aan het begin staan van wat de Chinezen 'een interessante episode' noemen. En in een dergelijke episode is een zaak als de onze het beste gediend door een kalme diplomaat, iemand die te midden van de aanvaringen tussen de schepen der naties een veilige doorgang weet te bewerkstelligen. Naar mijn mening is Ezra wellicht te uitgesproken – wellicht, in feite, te flamboyant – om ons kleine gezelschap veilig naar het duizendjarige vrederijk te gidsen.

Allen

Dat geeft te denken, meende Dunphy. Bacon, Hugo en Debussy? Ezra? Hadden ze het over de man over wie ze het volgens hem hadden? Eigenlijk was er geen twijfel mogelijk. Hoeveel uitgesproken en 'flamboyante' Ezra's waren schrijver in de jaren 1930, en naar hoeveel van hen werd er verwezen in het Andromeda-archief? Eén. E. Pound.

Dus Pound was de Stuurman. Maar waarvan? Het Magdalena Genootschap. Maar wat was dat voor iets? En dan dat Nieuwe Jeruzalem...

Toen hij de brieven in chronologische volgorde had gelegd, zag Dunphy dat Dulles Jung elk jaar vier à vijf keer schreef. Inhoudelijk waren deze brieven doorgaans eenvoudig te begrijpen, zoals wanneer Dulles advies vroeg over de 'nerveuze aandoening' van zijn vrouw. Maar raadsels waren er ook, meer bepaald de identiteit van iemand die door Dulles herhaaldelijk 'onze jongeling' werd genoemd. Over deze persoon konden behalve zijn jonge jaren en geslacht weinig bijzonderheden bijeengesprokkeld worden. Een van die bijzonderheden was echter een moedervlek. In een brief uit Biarritz van 9 juli 1936 schreef Dulles over

het grote voorrecht dat ik smaakte om de middag met onze jongeling door te brengen. Hij was vanuit Parijs een weekend naar het zuiden gekomen en vergezelde ons naar onze cabana op het strand. Daar zag ik het merkteken op zijn borst – het 'blazoen' waar u over sprak. De afbeelding is zo exact dat Clove haar aanvankelijk voor een gewone tatoeage aanzag – wat onze jongeling kostelijk amuseerde.

Weer andere brieven gaven blijk van een opmerkelijke vooruitziendheid in geopolitieke kwesties, zoals een schrijven van 12 juli 1937: 'Ik vermoed dat het uiteindelijk gemakkelijker zal zijn,' schreef Dulles,

om Jeruzalem terug te geven aan de joden dan om het verscheurde continent waar onze hoop zozeer aan is opgehangen, te verenigen. En toch moet het allebei worden gedaan en dat zal gebeuren, zo niet halverwege deze eeuw, dan toch tegen het einde ervan. Een Israël zal er al spoedig zijn (al vraag ik me wel eens af of er nog joden over zullen zijn om het te bevolken), evenals een verenigd Europa. En twijfel niet aan mijn bedoeling. Met 'een verenigd Europa' bedoel ik een Europa dat spreekt met één stem, betaalt met één munteenheid en tot één koning bidt. Een continent zonder binnengrenzen.

Hoe deze gebeurtenissen hun beslag zullen krijgen is een andere kwestie en eerlijk gezegd ben ik bang dat onze Stuurman zich wel eens op een gebarsten schaal kan hebben verlaten. (Wat heeft Rome ooit aan goeds opgeleverd, of Berlijn, wat dat betreft?)

Mijn gevoel zegt me dat de grenzen van Europa op zekere dag veeleer door mannen die de pen hanteren moeten worden geslecht, en niet door soldaten vanuit een tank. Idem wat het Heilige Land aangaat en de teruggave daarvan aan de joden. Maar ongeacht de wijze waarop deze doelen worden bereikt, mag u, beste vriend, er zeker van zijn dat wij zúllen zegevieren.

Hij heeft natuurlijk gelijk, dacht Dunphy. Het vertrouwen van hun 'Stuurman' was inderdaad misplaatst. Door ten koste van Roosevelt Mussolini te omarmen had Pound in eigen doel geschoten, tegen zichzelf én tegen het Genootschap dat hij aanvoerde.

Of misschien niet. Als je het anders bekeek, kon je bepleiten dat Hitlers genocidale oorlog, weliswaar onbedoeld, de weg had bereid voor zowel Israël als de Europese Gemeenschap: dat waren immers allebei tot op zekere hoogte reacties op de slachting die eraan was voorafgegaan.

Dunphy bekeek de brief nog eens en zag iets waar hij bij de eerste lezing overheen had gekeken. 'Tot één koning bidt...' Dunphy fronste zijn voorhoofd. Je bidt niet tot een koning. Het was een denkbeeld dat Dunphy zeker de moeite waard leek, maar het werd algauw terzijde geschoven toen hij bij de kortste en meest cryptische brief in het stapeltje belandde. Deze was van 22 november 1937 en er stond:

In 's hemelsnaam... *wat nu?*
Dunphy had er een lief ding voor over om te weten waar dát over ging, maar zonder Jungs antwoord was er geen touw aan vast te knopen. De volgende brief wekte daarentegen de indruk dat er indringende gebeurtenissen in gang gezet waren.

Mijn beste Carl,
Je brief was een grote troost. Ik wist niet van het instituut in Küsnacht af en ook niet van de donatie die hij had gedaan. Godzijdank is het bewaard gebleven! Op zekere dag vindt de wetenschap wellicht een manier om datgene te volbrengen wat hij niet meer kan doen.

En misschien moest het wel zo zijn. Nadat ik over de catastrofe in Spanje had gehoord, zocht ik troost bij de *Apocryphon* en voor het eerst begreep ik die profetische, mysterieuze regels:

Zijn koninkrijk komt en gaat,
En komt dan weer wanneer hij,
gewond aan de kern,
de laatste, hoewel niet de laatste is,
geblazoeneerd en alleen.
Deze vele landen zullen dan één zijn
en hij hun koning tot, verscheiden zijnd,
hij te allen tijde zonen verwekt,
aldoor dodelijk en celibatair.

Dat Zijn koninkrijk 'komt en gaat' is een gegeven waarmee we al eeuwen leven. Dat het weer moet komen wanneer hij 'gewond aan de kern' is, is reden tot vreugde. Want, beste Carl, dit is exact wat er met onze jongeling is gebeurd, wiens afschuwelijke verwondingen niet treffender kunnen worden beschreven. Dat is dus nog niet alles. Dermate gewond en zonder nakomelingen moet hij wel 'de laatste' van zijn tak zijn, dat is al net zo duidelijk als het blazoen op zijn borst.

Maar mijn blik in de kristallen bol eindigt hier. Dat hij 'de laatste, hoewel niet de laatste' zou zijn is een raadsel waarvan de oplossing wellicht pas bekend zal zijn wanneer 'deze vele landen (...) één (zullen) zijn'.

En dat is niet het enige raadsel. Hoe moeten we de belofte uitleggen dat 'hij hun koning (zal zijn) tot, verscheiden zijnd, hij te allen tijde zonen verwekt, aldoor dodelijk en celibatair'? Ik kan alleen maar hopen dat de betekenis van deze passage op een dag kan worden verklaard door wat hij aan het instituut in Küsnacht heeft geschonken. Als dat het geval is, zal de Wetenschap de verlosser van de Verlossing zijn – en dan zal onze jongeling inderdaad 'de laatste, hoewel niet de laatste' zijn geweest.

Deze interpretatie van de *Apocryphon* als een soort christelijke kabbala is natuurlijk een speculatieve. Maar als mijn lezing van deze regels klopt, dan is de jongeling die onder onze hoede staat zelf de uitkomst van een voorspelling en als zodanig *het laatste voorteken*. Dientengevolge is hij de sine qua non van al onze hoop. Om die reden dienen kosten noch moeite bespaard te worden om hem beschutting te bieden totdat het tijdstip daar is waarop alle andere symbolen en voortekenen zich hebben gemanifesteerd en getoond.

Alleen dan kan onze jongeling, ongeacht zijn leeftijd, koning zijn. En als zijn koninkrijk slechts een fractie van een minuut zou duren, dan is dat niet erg. Zoals men voorspeld heeft zal hij 'verscheiden', en zo de Wetenschap wil, zal hij onvergankelijk zonen voortbrengen.

Dunphy wreef over zijn hoofd, al had hij er net zo goed aan kunnen krabben. Wat, vroeg hij zich af, is de *Apocryphon* en wat heeft dit allemaal te betekenen? Daar kon hij niet achter komen. De briefwisseling stond vol mysteries: grote en kleine, belangrijke en onbelangrijke. Erover lezen was net als luisteren naar één deelnemer aan een telefoongesprek. Sommige dingen spraken voor zich. Andere werden verklaard. Maar de rest bleef giswerk:

12 juli 1941

Mijn beste Carl,

Het verheugt me dat je de heer Pound ervan hebt overtuigd dat onze jongeling in Parijs wellicht niet veilig is. Niemand van ons kan voorspellen wat het komende jaar misschien zal brengen, maar de voorzichtigheid gebiedt dat hij in elk geval op veilige afstand van alle vijandelijkheden wordt geplaatst. Hij is nu eenmaal onze raison d'être; zonder hem rest ons niets... hoop noch richting.

Zwitserland is, zoals je voorstelt, waarschijnlijk vrij veilig, en niet alleen voor onze Gomelez. In het naoorlogse zal het kapitaal van het Genootschap voor onze missie van wezenlijk belang zijn, wat zich ook moge voordoen, en ook dat dient te worden veiliggesteld. Gezien de omvang van dit kapitaal moet ervoor gezorgd worden dat onttrekking ervan uit de strijdende landen geen onnodige ontregeling of publiciteit veroorzaakt. Ik stel daarom voor dat de overdracht in handen komt van onze contactpersonen bij de Bank for International Settlements in Basel. Zij weten hoe de verschillende activa dienen te worden afgewikkeld en kunnen deze vervolgens herinvesteren via Zürich en Vaduz. (Naar mijn mening moet veeleer worden gestreefd naar behoud van kapitaal dan naar groei.)

'Onze jongeling' had dus een naam, dacht Dunphy. Gomelez. Wie is hij? vroeg Dunphy zich af en hij zette de kwestie toen uit zijn hoofd. Daar kon hij niet achter komen.

Maar wat wél duidelijk werd, was dat Dulles en Jung steeds gewichtiger verantwoordelijkheden aanvaardden in het geheime genootschap waar zij lid van waren, namelijk:

19 mei 1942

Mijn beste Carl,

Wanneer je deze brief leest, heb ik een aanvang gemaakt met mijn geheime werkzaamheden in Bern. Ik waardeer je aanbod om als tussenpersoon te fungeren tussen onze Stuurman en mij, maar helaas is voor ons beiden op en neer reizen vanuit of naar Italië uitgesloten.

Je aanbod van een clandestiene demarche aan de heer Speer neem ik echter met beide handen aan. Begrijp ik het goed dat hij een van de onzen is? Daar sta ik van versteld. Waarom heb ik hem nooit ontmoet?

Naast Speer beschik ik over namen van goede vrienden; me dunkt dat we er verstandig aan doen hen binnenboord te halen. Geen van beide heren zal voor jou een verrassing zijn. Hun goede trouw is meermalen ter sprake gekomen en je hebt beiden in informele sfeer ontmoet. Ik doel op dr. Vannevar Bush en de jonge Angleton. Gelieve dit schrijven derhalve te beschouwen als een officiële voordracht van hun namen voor het lidmaatschap van ons Genootschap.

Dunphy leunde achterover. Dit was zo'n moment waarop een sigaret meer dan lekker zou zijn geweest. Vannevar Bush en 'de jonge' Angleton. Was het mogelijk? vroeg hij zich af. Hoeveel Angletons zou Dulles gekend hebben? Een, waarschijnlijk: James Jesus Angleton, die in de naoorlogse jaren leidinggaf aan de contraspionagedienst van de CIA. Hij was een legendarische geheim agent die tot over zijn oren in van alles en nog wat verwikkeld was, van Israëlpolitiek tot de Warren Commission. Waar was – wát was – Angleton in '42? Dunphy dacht erover na. Een gewoon studentje, maar dan wel een die over een buitengewoon netwerk beschikte... bij de OSS of daar in de buurt.

Over Bush wist Dunphy minder, maar hij herinnerde zich dat hij in de Tweede Wereldoorlog het wetenschappelijk onderzoek had geleid naar wapenontwikkeling voor de Verenigde Staten.

Nuttige mannen om aan jouw kant te hebben, veronderstelde Dunphy, met name wanneer je een geheim genootschap hebt. Maar... Speer? Albert Speer? Dat was... eh... Hitlers architect en... rijksminister van Bewapening. Een fraai contact voor iemand als Dulles, die vanuit Zwitserland spionageoperaties voor de geallieerden coördineerde. Maar... was het mogelijk dat een nazi als Speer iets gemeen had – en dan nog wel iets *geheims* – met mensen als Dulles en Jung?

Waarom niet? mompelde Dunphy voor zich uit. Hoe zou hij

trouwens anders kunnen? Het Magdalena Genootschap had zijn eigen agenda, dat bleek wel, en er was geen reden om aan te nemen dat die uitgesproken Amerikaans was... of liberaal. Integendeel, degene die aan de touwtjes trok of die dat althans werd verondersteld te doen – de 'Stuurman' – was niet goed snik, een dichter met fascistische sympathieën die propaganda-uitzendingen verzorgde vanuit Italië en Mussolini tot verlosser had bestempeld. Dat wist Dunphy nog uit de geschiedenisles. Dus waarom Speer dan niet? Die was waarschijnlijk minder excentriek dan Pound. Bovendien begon het Dunphy steeds meer te dagen dat het Magdalena Genootschap (de organisatie had tenminste een naam) een soort geheime kerk was.

Maar wat voor een? Uit de naam viel niets op te maken: Maria Magdalena was een prostituee die het licht had gezien. Ze belichaamde het denkbeeld dat zelfs de ergste zondaar vergeven kon worden. Maar wat zou dat? Wat had dát ermee te maken?

Misschien wel alles, misschien niets. Maar wat vaststond was dat het genootschap, als dat inderdaad een soort kerk was, volgelingen kon hebben die uit alle uithoeken van de aarde kwamen, ongeacht politieke grenzen... ook grenzen tussen landen in oorlog.

Wat alleen maar aantoonde dat godsdienst nog merkwaardiger bondgenoten bijeenbracht dan politiek.

Hij keek op zijn horloge. Het was vijf voor tien. Nog drie uur. En dan veranderde hij in een pompoen (als hij geluk had) of een torso (als hij pech had).

Er werd zachtjes aangeklopt en Dieter kwam binnen met zijn armen vol dossiers. Toen hij er een stapeltje van had gemaakt op het bureau, zei hij met een nietszeggend gebaar: 'Het dossier van Dumpy is niet beschikbaar.'

'Dunphy, bedoel je.'

'Die, ja. Maar ik zeg al... het is niet beschikbaar.'

'Waarom niet?'

'Iemand raadpleegt het.'

Dunphy probeerde niet te teleurgesteld te kijken – of te geïnteresseerd. 'Weet je wie?'

Dieter knikte. 'De Direktor.'

Een flauwe glimlach van Dunphy. En een rilling. 'Het is hier koud,' klaagde hij.

'Daar wen je aan,' antwoordde Dieter.

Toen de kolos weg was, keerde Dunphy terug naar het dossier van Schidlof. Nu Dulles in Bern zat, zag hij Jung vaker, maar schreef hem minder vaak – misschien omdat de oorlog communicatie riskant maakte. Toch waren er in de weinige epistels die tussen '42 en '44 waren geschreven juweeltjes te vinden. 'Mijn dank gaat met name uit,' schreef Dulles na een bezoek aan Jung in Küsnacht in 1943,

naar jouw juffrouw Vogelei, die zo vriendelijk was mevrouw Dulles te vergezellen op een verrukkelijk zeiltochtje naar Rapperswil en terug. Je hebt het erg getroffen met zo'n getalenteerde en hoffelijke secretaresse.

Dus dat is ze, dacht Dunphy, blij dat er weer een los eindje was weggewerkt. Hij keek op zijn horloge. Kwart over tien.

Het volgende schrijven was geen brief, maar een ansicht. Dulles had hem op 12 april 1943 verstuurd. Op de beeldzijde stond een foto van een groots, ongerept berglandschap; alle bomen waren met sneeuw bespikkeld. Een bijschrift op de achterzijde omschreef het afgebeelde als een deel van het Zwitserse Nationalpark (gest. 1914) in het kanton Graubünden, vlak bij de Italiaanse grens.

'Ik heb onze jongeling opgezocht,' schreef Dulles.

Hij is, zoals je weet, ongelukkig met zijn opsluiting en toont geen greintje belangstelling voor onze plannen. Zijn gezondheid is evenwel redelijk en hij is op de been, voor zover zijn verwondingen dat toelaten.

Daar hebben we 'onze jongeling' weer, dacht Dunphy. Gomelez.

De volgende brief was ná de oorlog geschreven. Op 29 mei 1945 was hij vanuit Rome verstuurd.

Beste Carl,

Ik kom net uit het disciplinair opleidingscentrum in Pisa, waar Ezra moet blijven totdat alle documenten gereed zijn voor zijn terugkeer naar de Verenigde Staten.

Je kun je vast wel indenken dat het een akelige plek is, het centrum, een vergaarbak voor Amerikaanse soldaten die van ernstige misdrijven zijn beschuldigd (moord en verkrachting, desertie en drugsverslaving). Dat ik onze Stuurman hier moest aantreffen was hartverscheurend.

Maar het had erger gekund. Zijn 'aanhouding' was door majoor Angleton geregeld, die erop heeft toegezien dat er geen verhoor heeft plaatsgevonden. (Volgens Ez was ik de eerste Amerikaan die hem sinds zijn arrestatie 'twee woorden heeft toegevoegd'.)

De omstandigheden waarin hij wordt vastgehouden zijn evengoed voorspelbaar ontstellend. Net als de bewijslast in zijn nadeel: tientallen, zo niet honderden radio-uitzendingen die joden, bankiers en alles wat Amerikaans is aanvallen terwijl de moed en visie van Il Duce worden opgehemeld.

Ik weet niet wat ik moet zeggen. Ik denk dat de kans bestaat dat hij wordt opgehangen.

Een zestal berichten volgde in het halfjaar erna. Sommige lang, andere kort, maar ze handelden allemaal over hetzelfde thema: hoe redden we de Stuurman? De Amerikaanse opinie neigde sterk naar een lynchpartij en een terechtzitting zou volgens Dulles catastrofaal zijn. Derhalve werd gekozen voor een strategie waarin Pound zou toegeven dat hij krankzinnig was, maar hoogverraad zou ontkennen. En in dezen bleek Jung de waardevolste bondgenoot. Als de stichter van de analytische psychologie was hij het boegbeeld van de psychiatrische wereld. Voor hem was het dus een peulenschil om Dulles en 'de jonge Angleton' bij te staan bij het ontketenen van een stortvloed aan deskundig commentaar ter staving van de anders dubieuze stelling dat de politiek incorrecte Pound eigenlijk knettergek was.

12 oktober 1946

En dus hebben wij gezegevierd.

Ezra is opgenomen in de nationale psychiatrische inriching in Washington D.C.. In het Sint-Elizabeth verblijft hij als patiënt van dr. Winfred Overholser – die een van de onzen is. Ik ben nog niet in de gelegenheid geweest om de grote man een bezoek te brengen in zijn psychiatrische toevluchtsoord, maar ik heb uit betrouwbare bron vernomen dat Ezra een soort suite heeft gekregen waar hij hof houdt voor bewonderaars uit de hele wereld.

Winnie verzekerde me dat hem geen voorrechten zijn (of zullen worden) onthouden – bewegingsvrijheid buiten het terrein daargelaten. Zijn maaltijden worden door restaurateurs bereid en in zijn vertrekken is het een constant komen en gaan van bezoek – in die mate dat hij begint te klagen dat hij geen tijd heeft om te schrijven omdat hij zoveel afspraken heeft.

Wat dat betreft gaat alles goed...

Twee maanden later wenste Dulles Jung een allervrolijkste kerst en meldde 'een fascinerend tête-à-tête met dr. Overholsers patiënt'.

Nu Pisa en de terechtzitting achter de rug zijn, lijkt hij veel van de verloren gegane vitaliteit herwonnen te hebben – en alle scherpzinnigheid. Op basis van de middag die ik met hem heb doorgebracht kan ik je verzekeren dat zijn langdurige opsluiting allesbehalve improductief is geweest. Het ziet er zelfs naar uit dat deze zijn aandacht in verbazingwekkende mate heeft geconcentreerd.

Vanuit zijn vertrekken in de inrichting stelt onze Stuurman een strategie voor die wel eens effect kan sorteren: 'Het is noodzakelijk,' zei hij tegen me, 'dat ons kleine gezelschap jegens de *Apocryphon* [Daar heb je dat woord weer, dacht Dunphy.] een proactieve houding aanneemt; zijn voorspellingen zullen niet minder bewaarheid worden omdat er een vroedvrouw aan te pas is gekomen.'

Je begrijpt waar het om gaat. In plaats van passieve bijstand ziet onze *Nautonnier* ons liever tussenbeide komen door de voortekenen die de *Apocryphon* opsomt te verstoffelijken en daarnaast zijn voorspellingen laten uitkomen – in feite treden we dan op als vroedvrouw voor het millennium. Op die manier is het volgens Ez mogelijk ons doel te verwezenlijken terwijl onze jongeling nog aan deze zijde vertoeft.

Dunphy wist niet precies waar Dulles het over had. Om te beginnen wist hij niet wat 'verstoffelijken' inhield en verder had hij nog nooit van de *Apocryphon* gehoord. De passage over voorspellingen laten uitkomen begreep hij wel, maar wat dat te maken had met hun doel verwezenlijken 'terwijl onze jongeling nog aan deze zijde vertoeft' was een mysterie.

'Om dit te realiseren,' vervolgde de brief, 'moet er natuurlijk een politieke en psychologische strategie komen. Er is met name een werkwijze nodig die het Magdalena Genootschap afschermt voor de blikken van de kritische massa. Gelukkig staat ons zo'n werkwijze ter beschikking.'

De volgende brief, van 19 februari 1947, leverde een uitvoerig antwoord op de vragen die dit opriep.

Vorige week merkte Ezra tijdens onze bijeenkomst op dat geheime diensten een ideale schuilplaats bieden aan een broederschap als de onze. Dit omdat de dagelijkse bezigheden van de inlichtingendiensten van nature clandestien zijn. Dat is zelfs het waarmerk van hun gewone bedrijvigheid. Een geheim genootschap in een geheime dienst zou derhalve ongeveer even zichtbaar zijn als een glasplaat op de bodem van de zee. (Dat was een metafoor van hem.)

Je kunt je indenken dat dit een inzicht is waar ons genootschap gemakkelijk van kan profiteren.

De Britse en Franse diensten zijn op dit ogenblik voor ons beslist onbruikbaar. Leden van ons hebben weliswaar in beide organisaties op het allerhoogste niveau gediend (Vincent Walsingham is tenslotte negen jaar onze Stuurman geweest), maar vandaag de dag hebben we er niet op dezelfde schaal invloed als destijds. (Dankzij Nesta Webster.)

Dunphy stond op en rekte zich uit. Wie Walsingham was wist hij niet, maar Nesta Webster was een roemrucht auteur van boeken over geheime genootschappen.

Hij liet zijn hoofd rollen in een poging de stijfheid te verdrijven. Het was een hele tijd geleden dat hij had hardgelopen en dat miste hij. Morgen misschien, dacht Dunphy en hij hoorde zichzelf antwoord geven: als er een morgen ís. En dus ging hij weer zitten en las verder.

Maar sinds het afgelopen jaar dient zich een mogelijkheid aan. President Truman heeft het geheime handvest getekend van een nieuwe Amerikaanse inlichtingendienst, die voortbouwt op het werk van de OSS. De nieuwe organisatie, die de Central Intelligence Group wordt genoemd, heeft het Rode Gevaar als opdracht en concentreert zich op Moskou. Ik denk niet dat het je zal verbazen dat mij een centrale rol is toebedeeld bij het laten draaien van de CIG voordat de aanstelling van de eerste directeur van de dienst een feit is.

Als zodanig was het een relatief eenvoudige klus om *binnen de CIG* een soort intern heiligdom te creëren waardoor wij kunnen handelen zonder bang te hoeven zijn voor kritische blikken of onbedoelde gevolgen. De onderneming waar ik op doel is het Korps Veiligheidsonderzoek, een onderdeel van het contraspionageapparaat dat binnenkort onder leiding zal komen te staan van de jonge Angleton. Met zijn hulp zullen de bezigheden van het genootschap schuilgaan onder een oceaan van wazige onzichtbaarheden, het dagelijkse spionage-bedrijf dat pers en regering binnenkort vanzelfsprekend zullen moeten vinden.

Als de metafoor van een innerlijk heiligdom duister lijkt, beschouw ons dan maar als het politieke equivalent van *Dracunculus medinensis*. (Zoek dat maar op.)

Dunphy liet de brief uit zijn hand glijden. Hij liet zich achterover vallen in zijn stoel en keek met een zucht van vermoeide verbijste-ring naar het plafond. Zo is het net alsof de CIA een dekmantel is voor iets belangrijkers, dacht hij. En de Koude Oorlog: een smoes voor iets anders. Dat Magdalena-gedoe...

'Excuseer...?'

Dunphy keek op. Dieter stond in de deuropening. 'Wat is er?' vroeg Dunphy, die de woorden uitsprak alsof hij de man met de gummiknuppel om een klap vroeg.

'Ik dacht... dat ik u hoorde. Ik dacht dat u vroeg...' Dieter was in de war, maar het was Dunphy die in verlegenheid was gebracht: hij had hardop zitten praten.

'Ik moet een encyclopedie hebben,' zei Dunphy.

Dieter keek hem eens goed aan. 'Een héle encyclopedie? In het

Engels?'

Dunphy schudde zijn hoofd en probeerde de situatie onder controle te krijgen. 'Nee,' zei hij, 'alleen de D. Maar wel in het Engels, ja.'

Toen de deur dichtging, keek Dunphy op zijn horloge. Het was kwart over elf... net vijf uur geweest in de States. Wat inhield dat hij nog ongeveer anderhalf uur had voordat hij weg moest.

De tijd vliegt om als je het naar je zin hebt, dacht hij en hij streek de volgende brief glad op het bureau voor hem.

23 april 1947

Beste Carl,

Ik zit weer achter mijn bureau na acht dagen in het westen, op bezoek bij het Laboratorium voor Straalaandrijving in Californië en enkele van onze faciliteiten in Nevada. Dr. Bush heeft me tijdens de laatste etappe vergezeld en ik kan melden dat we onze tijd buitengewoon goed hebben besteed.

Het eerst archetype wordt de komende weken geïntroduceerd. De gebeurtenis vindt plaats in de buurt van Roswell in New Mexico (een stadje vlak bij de Sandia-laboratoria). Leden van het Korps Veiligheidsonderzoek zijn tijdelijk gedetacheerd bij de 509de nucleaire bommenwerpersgroep en zullen zich bezighouden met de 'berging' van het object en alle verdere contacten met publiek en pers.

Zoals afgesproken zal het bestaan van het geborgen voorwerp (in werkelijkheid een weerballon) erkend en vervolgens ontkend worden, waardoor de gebeurtenis verandert in een 'symbolisch gerucht', zoals jij dat zo treffend hebt omschreven.

Het gerucht zal van tijd tot tijd worden bekrachtigd totdat het moment daar is dat het archetype zelfwordend blijkt. Te dien einde wordt onder dekking van de luchtmacht door de CIG een bekrachtigingsbasis ingericht in Wright Field (in Dayton, Ohio). Ten gerieve van Amerikaanse en buitenlandse nieuwsdiensten zal de basis het fenomeen wettigen door het bestaan ervan te ontkennen, ongeacht een eventueel positieve bewijslast.

Een klop op de deur onderbrak zijn leeswerk. Hij keek op. Dieter stond in de deuropening met een paar boeken. 'Hier,' zei hij terwijl hij met één pas de kamer doorliep. 'Uit '93, oké?'

Dunphy nam de boeken met een ongeduldig knikje aan en keek vervolgens hoe zijn babysitter zijn hielen lichtte. Even later ging de deur achter hem dicht.

Het waren twee dikke, in Marokkaans leer gebonden boekdelen. Een ogenblik lang wist Dunphy niet meer waarom hij om de encyclopedie had gevraagd. Iets in een van Dulles' brieven, iets Latijns, maar... wat? In zijn hoofd was alles aan het draaien, en niet als een compact disc. Het had meer weg van een bijna uitgedraaide tol die tegen het einde van zijn rondgang dan weer naar de ene, dan weer naar de andere kant overhelt en binnenkort uitgedraaid zal zijn.

Hij greep terug naar de eerdere brieven van Dulles en keek de pagina's vluchtig door totdat hij de brief vond die hij zocht – 19 februari – en de woorden 'als het politieke equivalent van *Dracunculus medinensis*. (Zoek dat maar op.)' Dat deed Dunphy.

GUINEAWORM. Een in het water levende draadworm die een gruwelijke ziekte veroorzaakt. De larvipare wijfjes, die een lengte van één meter of meer kunnen krijgen, verplaatsen zich via de twaalfvingerige darm naar het onderhuidse weefsel, waar de parasiet miljoenen eitjes afzet in het uiteindelijke gastlichaam (*Homo sapiens*). De tijdelijke gastheer is het éénoogskreeftje (*Cycloop*). Het voorkomen van een zweertje op de huid duidt op de aanwezigheid van de worm, die in een pijnlijk proces dat verscheidene weken duurt geleidelijk kan worden geëxtraheerd door deze langzaam om een stokje te winden. Dit proces zou aan de oorsprong liggen van het geneeskundige symbool van de om een hermesstaf gewonden slang.

Het was vijf voor twaalf.

Hij had bijna vier uur zitten lezen in Dulles' brieven en had het gevoel dat hij aan het kortste eind ging trekken. De paranoia die hij een paar uur eerder had ondervonden kwam weer terug. Het drong telkens weer tot hem door dat hij zich drie verdiepingen onder de grond bevond, een besef dat een dosis claustrofobie teweegbracht waarvan hij niet had geweten dat hij die had. En er was een vraag in hem opgekomen, een van die vijandige vragen die veeleer uit de gal dan uit de hersenen lijken voort te komen: hoe kwam hij erbij dat hij enkel omdat hij een toegangspasje had het Speciaal Archief zomaar in en uit kon lopen? Stel dat Hilda en haar vrienden hem niet zouden laten gaan totdat ze Harry Matta hadden gesproken?

Ach, dat is simpel, zei Dunphy tegen zichzelf. Als ze dat doen, ben je een torso.

Plotseling wilde hij per se frisse lucht inademen – dat maakte hij zichzelf althans wijs. Maar hij trapte er niet in. Hij wist wat hij echt wilde weten: of Dieter hem de kamer uit zou laten. Hij stond op vanachter het bureau, liep naar de deur en deed die open. Zoals verwacht was daar Dieter, die op een rechte stoel *Maus* zat te lezen.

'Is hier ergens koffie te krijgen?' vroeg Dunphy.

'Ja hoor,' zei Dieter met een hoofdknikje naar de liften. 'In de kantine op de eerste etage.'

Dunphy trok de deur achter zich dicht en zei achteruitlopend tegen de beveiligingsbeambte dat hij niemand in de kamer mocht laten.

'Natuurlijk niet,' zei Dieter en hij sloeg de pagina om.

De cafetaria was niet moeilijk te vinden. Het was tussen de middag en het halve gebouw leek die kant uit te gaan. Door de menigte te volgen, bereikte Dunphy algauw de prachtigste – in feite de enige prachtige – cafetaria die hij ooit had betreden. Elke muur was bedekt met fresco's – landelijke taferelen met moderne gezichten – waaronder die van Dulles en Jung, Pound en Harry Matta. Er waren geen kassa's. Iedereen tastte gewoon toe. En Dunphy kwam in de verleiding: er waren een heleboel volkoren broodjes en knapperig brood en schalen met dunne plakjes rosbief, eend en wildbraad. Porties raclette, spätzle en rösti, braadworst en dampende fondue stonden naast ijskoude biertjes en kleine flesjes wijn. Er waren kaasplankjes, bergen fruit en mandjes met salade.

Hij schonk een kop cafeïnevrije koffie in en ging langs dezelfde route terug.

'Hier,' zei Dieter, die hem een gevouwen velletje papier aanreikte.

'Wat is dat?' vroeg Dunphy, wiens angst terugkwam.

'Een briefje...'

'Voor mij?'

'Ja, pak aan! Van je vriend... Mike.'

Mike?

Dunphy pakte het briefje en ging het kantoortje in, waarbij hij de deur achter zich dichtdeed.

Gene!

Wat doe jíj hier? Ik dacht dat je ziek was! Ik was vanmorgen bij Hilda en zag jouw naam op haar bureau en ze zei dat je met iets van schadebeperking bezig was: wat heeft dát allemaal te betekenen? Sinds wanneer heb jij verstand van 'schadebeperking'? Cowboy die je bent! (Ha ha!) Laten we in elk geval even samen lunchen... ik ben in tien minuten terug.

De ondertekening was een geroutineerde krabbel: *R nog wat nog wat G-O-L-D*. R-gold. Mike R-gold. Rhinegold! Godverdomme!

Alhoewel het er niet meer toe deed hoe laat het was, keek Dunphy op zijn horloge: acht voor halfeen. Hij moest maken dat hij wegkwam, want... Dunphy kent Rhinegold en Rhinegold kent Brading – en dat is niet best. Rhinegold was de neurotische nerd die hem in de dode kamer in Langley had verhoord en *als hij me hier ziet – in Zug – in het Archief... wegwezen wegwezen.*

En mijn fraaie overjas laten hangen. Die me duizend pond heeft gekost op het pleintje achter het Zum Storchen. Omdat ik denk dat Dieter me hier niet laat gaan met mijn jas aan.

Met bedroefde blik keek Dunphy naar de dossiers op het bureau. Er lagen zes ongelezen brieven van Dulles aan Jung en een stapel dossiers waar *Boviene Census – N.M.* en *Boviene Census, C.O.* op stond. Nu zou hij ze nooit kunnen lezen. Tenzij...

Hij liet een van de Census-dossiers in zijn hemd glijden en propte de laatste Dulles-brieven in een jaszak. Hij greep net naar de bandjes van Schidlof toen de deur openvloog en Mike Rhinegold binnen kwam huppelen met een hartelijk uitgestoken hand en een stupide grijns die ogenblikkelijk verschrompelde van wanbegrip om vervolgens uit te dijen toen zijn geheugen in actie kwam. Tot slot verscheen er een diepe frons.

'Hééé...'

Erger dan dit kon heterdaad niet zijn, maar Dunphy's reflexen waren uitstekend. Voordat Rhinegold kon reageren, greep een van zijn handen de kleinere man bij zijn nekvel en de andere greep de wortels van zijn vetkuif. Terwijl hij de deur dicht schopte, sleurde Dunphy de nerd het vertrek in en smakte hem met zijn neusbrug op de rand van het bureau. Er spoot een boogje bloed de lucht in terwijl de bandjes opsprongen en Rhinegold zakte in elkaar.

Dunphy hield hem overeind door hem bij zijn armen te pakken en schudde hem losjes alsof hij een spaarvarken was. Nul reactie. Helemaal vertrokken.

En toen werd er geklopt. 'Hallo?'

'Niets aan de hand,' zei Dunphy. 'Mike en ik zijn alleen...'

Rhinegolds hiel landde met een draaibeweging op Dunphy's wreef, wat aan Dunphy een pijnkreet ontlokte.

'Dieter!' gilde Rhinegold terwijl Dunphy hem optilde, ronddraaide en tegen de muur aan kwakte. Nog eens. En nog eens, terwijl de deur openvloog en Dieter binnenkwam en geschokt zag dat Dunphy's maat als een zak meel op de grond neerkwam. En dat de muur achter Dunphy bespikkeld was met elleboogjes bloed van Mike Rhinegold.

'*Was der fuck?!*' De grote man zette een stap in de richting van Dunphy, en nog een, waardoor hij de Amerikaan een hoek van het kleine vertrek in dreef. Zijn ogen stonden helder van opwinding toen hij een schijnbeweging op links maakte en met zijn rechter toesloeg, waarbij hij Dunphy in één seconde twee keer raakte. Het hoofd van de Amerikaan klapte tegen de muur terwijl zijn bovenlip openspleet en begon te bloeden. Het is een bokser, dacht Dunphy en de moed zonk hem in de schoenen toen Dieters linkerhand zich in zijn maag begroef en Dunphy dubbelklapte.

Toen ging de Zwitser de fout in. Hij greep Dunphy bij zijn das en zette hem met één ruk op zijn benen. '*So!*' vroeg hij met zijn banale accent, 'jij speelt het hard, nietwaar?' En met een lach liet hij zijn vlakke hand op Dunphy's gezicht neerkomen. Dunphy was bijna pleite, zijn bewustzijn was aan het wegebben toen het gebeurde – hij kon het gewoonweg niet geloven. Dit uilskuiken had hem een *bitch-slap* gegeven!

En nog een! *De klootzak gaf hem er nog een!*

Dunphy's hand kwam snel en vlak omhoog en de knokkels kromden zich in een punt die als de rand van een plank tegen Dieters keel aan dreunde en het kraakbeen van zijn strottenhoofd verbrijzelde. Dieter sloeg ogenblikkelijk dubbel en omklemde zijn keel alsof die ertussenuit probeerde te knijpen.

Het lawaai dat hij daarbij produceerde was afschuwelijk, een gorgelende ademtocht waar geen einde aan kwam. Dunphy keek wild om zich heen in de kamer, op zoek naar iets om hem het zwijgen op te leggen, maar het enige wat hij vond was de ijzeren nietmachine op het bureau. Veel was het niet, maar hij pakte het apparaat beet, draaide het om en gebruikte het, terwijl de nietjes er met een *ping!* uit sprongen, als een honkbalknuppel die hij tegen het achterhoofd van de beveiligingsmedewerker aan liet komen. En nog eens, en nog eens, wat de man aan het wankelen bracht en van zijn huid een soort zachte pudding maakte. Uiteindelijk zakte de kolos op zijn knieën, viel naar voren en bleef met uitgestrekte ledematen liggen. Het gegorgel was intussen een gereutel geworden.

Dunphy's hart ging tekeer als een conga toen hij het bloed van zijn handen veegde en ze aan de slippen van Rhinegolds jas afdroogde. Terwijl hij zijn das fatsoeneerde, liet hij zijn tong over zijn bovenlip gaan en kromp ineen toen die bleef steken bij de opengespleten plek. Toen deed hij zijn overjas aan, duwde zijn haar op zijn plek en...

De telefoon 'kwinkeleerde', een vreemde elektronische triller.

Zonder te weten wat hij moest doen stond Dunphy ernaar te staren. Hij ging nogmaals over en vervolgens een derde keer. Uiteindelijk nam hij op.

'Hallo?'

'Met Hilda.'

'Hallo, Hilda.'

'Eugene?'

'Ja.'

'Je vriend Michael is bij je langs geweest, denk ik.'

'Ja,' zei Dunphy. 'We zaten net te praten.'

'Welnu, ik denk dat wij nu de Direktor moeten bellen. Dus als je naar mijn bureau wilt komen...'

'Ik kom eraan.'

'En kan ik Dieter misschien even spreken?'

'Eh... ik zal even kijken of hij buiten is.' Dunphy wachtte even en ademde eens diep in. En nog een keer. Tot slot zei hij: 'Ik geloof dat hij niet op zijn plaats zit.'

'Pardon?'

'Hij is een dossier voor me gaan halen. Moet ik op hem wachten of zal ik gewoon vast komen?'

'O, nou... ik denk... kom jij maar.'

'Ik kom eraan.' Dunphy hing op, boog zich voorover en rukte het snoer uit de muur. Toen liep hij naar Dieter en betastte zijn kleding. Met de sleutel die hij in de zak van de gevallen man vond, ging hij naar de deur, opende die op een kiertje en gluurde naar buiten.

Een langzame, gestage stroom mensen bewoog zich door de gang naar hun bestemming. Dunphy liep de kamer uit, trok de deur dicht en sloot hem af. Hij plooide zijn kapotte lippen in een onnozele grijns en liep zo langzaam als hij kon naar de lift, waarbij hij de neiging om te gaan rennen onderdrukte. Een vrouw maakte oogcontact en toen hij wegkeek zag hij een frons over haar gezicht trekken, alsof ze dacht: er klopt iets niet aan hem.

Hij wist dat het niet alleen kwam door zijn bloedlip of door de wanorde waarin hij wel moest verkeren: het was zijn uitstraling. Ze zag het aan zijn ogen en zij wist dat hij wist dat ze het zag. Maar toen was hij haar met een glimlach voorbijgelopen en er was niet echt iets wat ze kon doen: het was maar een ogenblik geweest, in het voorbijgaan, en dat ogenblik was nu voorbij. Ze had zich vast vergist.

Of dat dacht ze toch, hoopte hij.

Bij de deuren van de lift duwde hij op de knop die hem moest oproepen en stond vervolgens naar zijn gevoel een eeuwigheid te wachten – op de kreet achter zijn rug. Maar er kwam niets en toen gingen de deuren open en het was net alsof hij op het toneel stond: een stuk of zes mensen bekeken hem van top tot teen – dat duurde maar een seconde – en toen stond hij in hun midden en de deuren gingen dicht. Langzaam ging de lift omhoog in een stilte die zo oorverdovend, zo doordringend en op de een of andere manier zo beschuldigend was dat hij ervan ging fluiten. Een vrolijk deuntje.

Toen ging de lift open en hij bevond zich in de hal, waar hij snel op de draaideur af liep die tussen hem en de straat in stond. Een – drie – vijf passen. Nu was hij de deur door en ging hij de trap af, op weg naar zijn ontmoetingsplek...

Toen er een hand op zijn schouder neerkwam en een mannen-stem zei: *'Entschuldigen Sie...?'*

Dunphy draaide zich om met zijn rechterhand laag tegen zijn zij aan, helemaal slagvaardig en klaar om te meppen.

'Ich denke, daß Sie dieses fallenließen.' Dunphy verstond de woorden niet, en erger was dat hij dat kennelijk uitstraalde, want de glimlach van de man werd een afkeurende blik. Hij had een vel papier vast en Dunphy zag in een oogopslag wat het was: een van Dulles' brieven moest in de hal uit zijn zak zijn gevallen. Toen Dunphy hem wilde pakken, keek de man even naar het vel dat hij vasthad. Er verscheen een frons van wanbegrip die werd gevolgd door een blik van geschrokken herkenning. Eén ogenblik hielden ze samen de brief vast. Toen liet de man los en hij draaide zich achteruitlopend om voordat hij het op een lopen zette.

Dunphy deed een paar passen achteruit en deed de brief in zijn zak. Toen draaide hij zich om en begon aanvankelijk langzaam te joggen naar het cafétje waar Clementine zou zitten wachten. Terwijl hij liep, keek hij even op zijn horloge en dat gaf aan wat hij had verwacht: de grote wijzer stond op *torso*, de kleine op *rennen!*

23

Ze was een minuut te laat.

Of hij was een minuut te vroeg. In beide gevallen stond hij daar voor het café op de Alpenstrasse naar links en naar rechts te kijken als een hert dat zich opmaakt om vliegensvlug een drukke autoweg over te steken. Hilda kon zich nu ieder ogenblik afvragen wat hem was overkomen. Dieter en Rhinegold zouden in beweging komen. Die vent die de brief had gevonden zou rapporteren wat hij had gezien. En dan zou er uit het Speciaal Archief een menigte tevoorschijn komen die zich naar noord, zuid, oost en west zou begeven totdat ze hem vonden.

Dus waar is ze? vroeg hij zich af. Het geld halen.

Juist. Het geld. Het drong niet voor het eerst tot Dunphy door dat er in de kluis aan de Bahnhofstrasse dus echt een hele hoop geld lag. En nu hij zich tegenover Clementine zo had gedragen – maanden aan één stuk verdwijnen zonder iets van zich te laten horen –, kon iemand het haar dan kwalijk nemen als ze er gewoon vandoor ging? Naar Rio vloog, zich een jaar of wat aan het zonnebaden wijdde, verliefd werd op iemand die niet voortvluchtig was.

Veroushka
♥
Paulinho

Maar ja, bedacht hij, waar vindt ze nou zo'n leuk iemand?

Met zijn blik op waar hij vandaan kwam, voelde Dunphy meer

dan hij zag dat er op het trottoir voor het Speciaal Archief enige opschudding was ontstaan. Zes in zwart pak geklede mannen die er als de Blues Brothers uitzagen, stonden alle kanten op te kijken. Ik ben er geweest, dacht hij. Ze kunnen me elk ogenblik zien. O, Clem, ik kan niet geloven dat je me zo in de stront laat zakken. En tegelijkertijd zwiepten zijn ogen van links naar rechts, op zoek naar een auto die hij kon inpikken.

Toen zag hij haar in de gehuurde Golf de Alpenstrasse in komen rijden, toeterend en zwaaiend alsof ze een voetbalmoeder was die de kids vlak voor de grote wedstrijd bij het clubterrein afzet. Heel on-Zwitsers, stelde Dunphy vast, terwijl hij de afstand tussen hen in met een tiental passen overbrugde, het portier openrukte en naar binnen dook.

'Wil jij rijden?' vroeg ze.

'Nee,' antwoordde Dunphy, die zich op zijn zitplaats dubbelvouwde zodat zijn hoofd niet boven het dashboard te zien was.

'Want mij maakt het niet uit, hoor.'

'Nee, het is oké zo.'

'Als je liever wilt...'

'Rij je godverdomme nog weg?!'

Ze keek hem een weloverwogen lang ogenblik aan en schakelde toen naar de eerste versnelling. 'Je hoeft niet zo te katten,' zei ze toen de auto zich in beweging zette.

'Sorry,' antwoordde hij tandenknarsend. 'Dat komt alleen omdat... daar mensen staan die me willen vermoorden. Dus als jij me nu eens vertelt wat je ziet? Dat zou mooi zijn. *Alsjeblieft.*'

'Mensen. Nogal veel mensen, trouwens. Ze komen een gebouw uit en ze hebben haast.'

'Wélk gebouw?'

'Weet ik niet. Het ziet er oud uit. Nummer 15.'

'Jezus!'

'Zat jíj daar?'

'Ja.'

'Nou, het lijkt of er een soort... brandweeroefening gaande is. Maar dan een die helemaal de mist in gaat.'

'Niet naar hen kijken.'

'Waarom niet?'

'Rij nou maar.'

'Het is best moeilijk om niet naar hen te kijken,' zei ze. 'Ze zitten overal.'

Hij voelde dat de auto remde en toen stonden ze stil, met draaiende motor. 'Wat nu weer?'

'We staan stil.'

'Ik merk ook wel dat we stilstaan... maar waarom?'

'Omdat we voor een stoplicht staan. Moet ik door rood rijden?'

'Nee!'

'Goed, want van meerijders moet ik niets hebben... al helemaal niet als ze naast me zitten met hun hoofd onder het handschoenenvak.'

Tering, dacht hij. Het lijkt wel of we getrouwd zijn. 'Zeg nou maar gewoon... wanneer we de stad uit zijn, oké?'

'Toppie.'

De auto slingerde even en daar gingen ze weer. Dubbelgevouwen in zijn stoel hield Dunphy zich koest totdat Clem aankondigde dat ze de stad uit waren. Hij ging overeind zitten en keek om zich heen. Ze volgden de bochtige route naar het vliegveld, door de bergen.

'Heb je de tickets?'

'Businessclass. Rib uit m'n lijf.'

'En het geld?'

Ze knikte.

Dunphy slaakte een zucht van verlichting en dook vervolgens in haar handtas, op zoek naar de sigaretten die daar, wist hij, in zouden zitten. Toen hij een pakje Marlboro had gevonden, stak hij er een op. Leunde achterover en inhaleerde. Zijn brein draaide op volle toeren en ricocheerde van Dulles naar Jung naar Brading en diens koeien.

Na een tijdje keek Clem naar hem, trok een wenkbrauw op en zei: 'En?'

Dunphy keek terug. 'Wat?'

'Heb je gevonden wat je zocht?'

Hij dacht erover na. 'Dat weet ik niet,' zei hij. 'Ik denk het wel... maar het is knap ingewikkeld. Ik moet uitzoeken hoe het zit.'

Ze keek hem sceptisch aan en reed verder.

De luchthaven Kloten was riskant, maar minder riskant dan Heathrow een paar dagen eerder zou zijn geweest. De Dienst was in

Zwitserland niet helemaal zonder invloed, maar beschikte er nu ook weer niet over het prestige dat men in Engeland genoot. Om hun onafhankelijkheid en neutraliteit te beschermen, hielden de Zwitsers buitenlandse geheime diensten, inclusief die van de Verenigde Staten, op afstand. Daardoor werd alles meestal volgens het boekje afgehandeld, en traag; als de Dienst de luchthaven in de gaten wilde houden, kwam het er dus op neer dat ze dat zelf moest doen.

Maar zo snel konden ze niet tot actie overgaan. Het was nog geen uur rijden van Zug naar het vliegveld en eenmaal daar checkten Dunphy en Clem luttele minuten nadat ze de huurauto hadden teruggebracht in voor hun vlucht. Het halfuur daarna zaten ze in de Swissair-lounge aan één stuk door koffie te drinken in afwachting van het afroepen van hun vlucht. Dunphy verwachtte ieder moment Rhinegold in gezelschap van een stuk of zes zware jongens, maar er gebeurde niets. Hun vlucht werd om vijf voor drie afgeroepen. Een halfuur later vlogen ze, op weg naar Madrid, hoog boven het Berner Oberland. Dunphy nam kleine slokjes van zijn flûte non-vintage Mumm.

Weer was hij de dans ontsprongen.

'Vertel eens,' zei Clem.

'Wat?'

'Waar dit allemaal over gaat.'

Dunphy dacht na. Ze had beslist recht om het te weten... ze zaten in hetzelfde schuitje en zij liep evenveel gevaar als hij. Van de andere kant wíst hij eigenlijk zelf niet waar het allemaal over ging. 'Ik weet er maar een beetje van,' zei hij tegen haar. 'Wat losse dingetjes. Een paar namen. Ik weet van sommigen niet eens wie het zijn of wat het betekent.'

'Vertel het toch maar.'

Hij keek achterom. De stoel achter de hunne was niet bezet en voor hen was er alleen de cockpit. Aan de andere kant van het gangpad zat een jonge Afrikaanse man onderuitgezakt op zijn stoel met zijn ogen dicht naar zijn walkman te luisteren. Het schrille gegons van het ding was net hard genoeg om er Cesaria Evora in te herkennen.

'Je verklaart me voor gek,' zei hij.

'Nee, hoor.'

'Dat doe je wel.'

'Waarom dan?'

'Omdat het...' zei Dunphy, 'nou ja, een geheim genootschap is.'

Clem dacht dat hij haar voor de gek hield. 'O ja?'

Dunphy lachte meesmuilend. 'Ja-a.'

Ze hield zijn blik vast tot ze zag dat hij het meende. 'Je houdt me toch niet voor de gek, hè?'

'Nee,' zei hij, 'echt niet.'

Ze dacht er even over na. 'Zoiets als de vrijmetselarij, dan?'

Dunphy schudde zijn hoofd. 'Nee. Niet zoiets.'

'Wat dan?'

Hij nam een slokje champagne. 'Ik weet het niet,' zei hij. 'Ik weet niet zeker wát voor iets het is. Maar het heet het Magdalena Genootschap. En het is heel oud.'

'Hóé oud?'

Dunphy haalde zijn schouders op. 'Volgens hen was Francis Bacon er lid van.'

Clementine lachte hem uit. 'Je lult maar wat.'

'Nee, hoor.'

Ze keek onzeker. 'Nou, dan zou het vierhonderd jaar oud moeten zijn.'

Dunphy schudde zijn hoofd. 'Ze zeiden dat hij lid was. Niet dat hij het eerste lid was. Het kan best ouder zijn. Misschien wel veel ouder.' Hij keek uit het raampje naar wat een ansicht van Swissair had kunnen zijn: een hemelsblauwe lucht en omberbruine, met sneeuw bedekte bergen. Op tien kilometer hoogte was het een mooie wereld.

Maar op de grond was het een gevaarlijke.

Hij verstelde zijn stoel, leunde achterover en deed zijn ogen dicht. Het is te groot, dacht hij. Wat het ook is, het is gewoon te groot. We kunnen er niet aan ontsnappen. Hij deed zijn ogen open, keek weer naar buiten en dacht: het doet er niet toe hoeveel ik ontdek. Wat moet ik ermee... naar de politie gaan? Naar de pers? Ze sluiten me op.

'Een cent voor je gedachten,' stelde Clem voor.

Hij dacht juist: *Die lui maken ons af.* Maar hij zei: 'Dan betaal je te veel.'

Clem hief haar glas en nam er een slokje uit voordat ze het neerzette op het klaptafeltje boven haar schoot. 'Je hebt me niet verteld waarom we naar Tenerife gaan,' zei ze.

'Daar zit een vriend van me.'

Weer een sceptische blik. 'Niemand heeft vrienden op Tenerife,' zei ze. 'Het ligt overal ver vandaan.'

Dunphy grinnikte. 'Tommy is een geval apart.'

'Waarom?'

'Omdat hij in dezelfde zaak verwikkeld is als wij.'

Er leek een hele tijd voorbij te gaan terwijl ze niets zeiden. Dunphy keek naar de wolken die zich om de Alpen wikkelden terwijl Clem door een aflevering van *Mein schöner Garten* bladerde. Ten slotte duwde ze het tijdschrift in het net aan de stoel voor haar.

'Is het een godsdienstig genootschap?' vroeg ze.

Dunphy knikte.

'Dacht ik al,' zei ze.

'Hoezo?'

'Vanwege die Magdalena.' Ze keek hem plagerig aan. 'Weet je,' zei ze, 'ik heb me altijd afgevraagd of er niet iets geweest is tussen die twee, jij niet?'

Hij wist niet waar ze het over had. 'Tussen wie?' vroeg hij.

'Je weet wel... Hij! En zij. Maria Magdalena!'

Dunphy kromp ineen. 'Clem... toen ik klein was, zat ik bij de nonnen, dus...'

'Wat?'

'Nou, als je zoiets zegt, verongelukt voor je het weet het vliegtuig. Blikseminslag. Dat gebeurt voortdurend.'

'Ik meen het, Jack!'

'Clem...'

'Ze waste zijn voeten, hoor!'

'En?'

'Niets. Ik vraag me alleen maar af of er niet íéts was, verder niets.'

Dunphy schudde zijn hoofd om het helder te krijgen. 'Ik snap het niet.'

'Ik zeg gewoon dat ze zijn vóéten waste, Jack. Ik heb die van jou nog nooit gewassen.'

'Waarvan acte.' Weer trokken ze zich allebei terug in hun eigen gedachten, waarbij Dunphy probeerde te begrijpen wat hij die ochtend had gelezen en Clem... tja, Clem... wie weet wat Clem dacht.

Na een tijdje leunde hij wat meer naar haar toe en begon hardop te peinzen. 'In Einsiedeln hebben ze zo'n beeld.'

'Dat stadje waar je naartoe bent geweest? In de bergen?'

'Ja. Daar hebben ze een beeld... een soort Maria, behalve dan dat ze zwart is. En Jezus ook. Hij is zwart. En waar ik in Zug naartoe ging? Het Speciaal Archief? Daar hebben ze datzelfde beeld op hun toegangspasjes staan. Als hologram. En op de begane grond, meteen bij de ingang, is een altaar.'

'Heet het daar zo? Het Speciaal Archief?'

'Hm-mm.'

'Wat saai.'

'Het zijn bureaucraten.'

'Maar goed... hoe is het daar?' vroeg ze.

Dunphy dacht even na. 'Shakespeare vanbuiten, en Arthur C. Clarke zodra je binnen staat.'

'En daar hebben ze dossiers?'

'Jawel.'

Clem maakte een geërgerd geluidje. 'Nóú?'

'Wat nou?'

'Heb je ze kunnen inzien?'

'Een paar.'

'Én?!'

Dunphy schoof ongemakkelijk in zijn stoel. 'Er waren brieven,' zei hij. 'En nog wat dossiers waar ik niet aan toe ben gekomen... maar dat geeft niet. Ik weet waar ze over gaan.'

'Hoe weet je dat?'

'Ik heb iemand gesproken die erin voorkomt.'

'Gesproken? Wanneer?'

'Een paar weken geleden. Iemand die in Kansas woont.'

'En wat zei hij?'

'Hij zei dat hij zijn hele militaire loopbaan – twintig jaar – heeft doorgebracht met het verminken van vee.'

Clem keek hem raar aan.

'En dat was nog maar een gedeelte. Het wordt nog vreemder. Vliegende schotels en graancirkels – zoiets mafs heb je van je leven niet gehoord.'

Clementine giechelde. Nerveus.

'Maar waar het om gaat, is dat dat geen van alle van belang is,' zei Dunphy. 'Niet echt. Het is gewoon allemaal...'

'Wat?'

Hij zocht het goede woord. 'Een lichtshow.'

Aan haar verwarde blik zag hij dat ze hem niet begreep. 'Rook en spiegels,' legde hij uit. 'Dat doen ze voor het effect.'

'Wie doen dat?'

'Het Magdalena Genootschap.'

'Maar ik dacht dat je zei dat die man die je hebt gesproken...'

'Een militair was. Dat was hij ook. Maar dat was alleen maar een dekmantel.'

'En dat effect?' begon ze. 'Wat voor een effect was dat dan?'

'Psychologisch.'

'Het vee... en de rest?'

'Ja.'

Ze dacht erover na. 'Dus wat je wilt zeggen is dat het net zoiets is als de Wizard of Oz.'

Dunphy knikte. 'Ja – daar lijkt het op – maar dan in opdracht van Ted Bundy.'

Clementine fronste haar voorhoofd. 'Ik weet niet wie dat is.'

Dunphy schudde zijn hoofd. 'Mislukt grapje. Het gaat erom dat jouw vriend Simon het bij het rechte eind had: Schidlof heeft een aantal brieven gevonden die aan Jung zijn geschreven. Over het Magdalena Genootschap en het eh... collectieve onbewuste.'

'Wat schreven ze daar dan over?'

'Ze wilden het gaan herprogrammeren.'

'Wat bedoel je daarmee?'

'Precies wat ik zeg. Ze wilden het collectieve onbewuste gaan herprogrammeren.' Toen Clementine zweeg, voegde hij eraan toe: 'Eigenlijk heel indrukwekkend, als je erbij stilstaat.'

'Dat is het 'm nu net: ik wil er niet bij stilstaan,' zei ze. 'Het is krankzinnig.'

'Het klinkt krankzinnig, maar het is het niet. Het verklaart heel veel.'

'Zoals?'

'Het feit dat mensen dingen in de lucht zien die nergens op slaan; en dat elk jaar honderden runderen worden verminkt door iets of iemand die geen mens te zien krijgt; en dat er overal ter wereld van die geometrische patronen opduiken in korenvelden. We weten nu waarom.'

'Nee, dat weten we niet,' zei ze. 'Ook als jij gelijk hebt, weten we dat niet. We weten alleen wie... en hoe.'

Ze had natuurlijk gelijk. 'Hoe dan ook,' vervolgde Dunphy, 'waar het om gaat is dat Schidlof vanwege die brieven die ik heb zitten lezen is vermoord. En je raadt nooit wie ze schreef.'

Ze keek hem aan met een 'zeg op'-blik.

'Allen Dulles.'

'O!' zei ze. En toen fronste ze haar voorhoofd. 'Wie dat is weet ik ook niet.'

Dunphy lachte. 'Een Amerikaanse diplomaat. En een spion. In de jaren veertig. Eerder nog.'

'Dus?'

'Hij en Jung speelden hier dus een belangrijke rol bij. En een van de dingen die ze deden, was de CIA oprichten, zodat die als dekmantel kon fungeren.'

'Waarvoor?' vroeg Clem.

'Voor het Magdalena Genootschap. Dulles heeft de CIA zowat zelf bedacht en voor wat ze van plan waren, was die perfect. Aangezien alles wat de Dienst doet geheim is, is hij net een zwart gat: alles wat in de invloedssfeer ervan belandt, verdwijnt.'

'Maar wat deden ze dan?'

'PSY-OPS,' zei Dunphy. 'Psychologische beïnvloeding. De lichtshow waar ik het over had.'

Ze dacht daar even over na en vroeg toen: 'Maar met welk doel? Wat willen ze bereiken?'

Dunphy schudde zijn hoofd alsof hij wilde zeggen: wie weet? 'De brieven die ik heb gezien, hadden het over Jeruzalem voor de joden. En de eenwording van Europa.'

'Dat is niet zo erg,' merkte Clem op. 'Die ís er al!'

'Ik weet dat die er al is. En de kans is groot dat zij daar een hoop mee te maken hebben gehad. Maar daar gaat het niet om. Dat politieke gedoe is ondergeschikt.'

'Waaraan?'

Dunphy haalde zijn schouders op. 'Weet ik niet. Maar deze lui zijn er al eeuwen. Het begon allemaal met de inquisitie. En de Rozenoorlog. En... nog veel meer dingen die ik ben vergeten.'

'En... waar zijn ze op uit?' vroeg Clem.

'Weet ik niet,' zei Dunphy. 'Ik moest er snel vandoor.'

Ze kwamen vroeg in de avond in Madrid aan en gingen meteen naar La Venta Quemada, een klein hotel of logement aan de Plaza Zubeida. Dunphy had er een jaar of drie geleden overnacht, toen hij zaken deed met een uiterst frauduleuze manager van stierenvechters. Het was een toevluchtsoord voor de bedrijfstak die zich met de dood in de namiddag bezighield, en was dat al bijna deze hele eeuw. Voor Manolete en Domínguín was het een tweede thuis geweest, net als voor een groot aantal minder groten, picadors en liefhebbers. Dunphy kwam er graag en kon het met name goed vinden met de receptionist, een verklaard anarchist die tegen een kleine toeslag kamers verhuurde zonder de gasten te registreren.

Nadat ze zich er hadden gemeld, trokken Dunphy en Clem er bijna direct weer op uit in een taxi die hen naar de Gran Via bracht. Op deze boulevard, een van de meest grandioze van Europa, die inmiddels wat verslonsd oogde (maar nog wel opzichtig was, op een afgeleefde manier), wemelde het van de oude jazzclubs, variététheaters en de vorstelijke bioscopen van weleer. Aan de gebouwen prijkten enorme, met de hand geschilderde affiches die de spierbundels van Stallone en de lippen van Basinger aanprezen. Midden op straat stond, zich kennelijk niet bewust van de verkeersopstopping die hem omringde, een bewegingloze performer wiens kleding en huid in aluminiumkleur waren gespoten. De Tinnen Man, meende Dunphy, of misschien gewoon een blikje.

Wat maakte het uit. Schoenpoetsertjes van middelbare leeftijd wezen verwijtend naar Dunphy's voeten. Zigeunerkinderen omsingelden hen als coyotes. Clementine, mooi, nieuwsgierig, met wijd open ogen en paranoïde blik, klampte zich met beide handen aan zijn rechterarm vast alsof de chaos om hen heen hen uiteen probeerde te rukken. Ergens op de brede straat flitsten lichtgevende groene letters op een art-decobord: BIS. Vlakbij beloofde een verlicht menu zeevruchten en steak. Na een blik op Clem ging Dunphy met een licht schouderophalen als eerste de trap op naar een zwak verlicht restaurant op de eerste verdieping. Door de obers in smoking, de witte tafelkleden en de oude eiken lambrisering hing er de sfeer van een herenclub – een goede, bovendien. Voor het avondeten was het in Madrid aan de vroege kant – amper tien uur – dus lieten ze een uur voorbijgaan met mezze, tapas en een fles Spaanse rode.

Ze zaten als enigen naast een vensterwand met enorme ramen

met dubbel glas die over de Gran Via uitzag en Dunphy vertelde haar alles wat hij verder wist over het wespennest waar ze zich in hadden begeven. Hij vertelde over Dulles en de CIA, die Ezra Pound – de 'Stuurman' van het genootschap – hadden beschermd door hem te laten opnemen in het Sint-Elizabeth Hospitaal. Hij vertelde over het belang van een mysterieuze man die Gomelez heette en hoe Dulles en Jung hadden samengespannen om de boel in gang te zetten door nieuwe archetypen te introduceren en oude exemplaren nieuw leven in te blazen. Toen ze hem vroeg waar hij het in vredesnaam over had, vertelde hij haar wat Simon had gezegd over Schidlofs theorieën over het archetypische veld en over het bedrog in Roswell. Toen stelde hij haar een vraag. 'Wat is "verstoffelijken"?'

Ze spietste een *pinchito* aan een prikkertje en bracht het lachend naar haar mond.

'Wat is er zo leuk?' vroeg hij.

'Ik heb ooit een links vriendje gehad,' zei ze.

'Wat voor een vriendje?'

'Ultralinks. Een trotskist. Lang geleden. En "verstoffelijken" was zo'n beetje zijn lievelingswoord.'

'Grote god! Ben jij een communist geweest?'

'Nee. Ik was zestien. Híj was een communist.'

'En wat betekent het?'

'Wat betekent wat?'

'"Verstoffelijken"!'

'O, dat,' zei ze. 'Dat zeg je als je iets echt maakt wat anders alleen maar een abstractie is.'

'Zoals?' vroeg Dunphy.

Clem dacht na. 'O, weet ik het... tíjd. Tijd is een abstractie. En een klok "verstoffelijkt" die. Maar wat heeft dat ermee te maken?'

'In een van Dulles' brieven heeft hij het over "voortekenen" die ze willen "verstoffelijken". Hij zegt tegen Jung dat ze – ik citeer, oké? – dat ze "tussenbeide moeten komen door de voortekenen te verstoffelijken en de voorspellingen te laten uitkomen" die in dat boek van hen staan.'

'Welk boek?' vroeg Clem.

'Niet te geloven dat ik hier over voortekenen zit te praten,' mopperde Dunphy, die de ober wenkte om hun bestelling op te nemen.

'Welk boek?' herhaalde Clem.

Dunphy zuchtte. 'Ik ben vergeten hoe het heette. *De Apocriefe* of zoiets. Je reinste kwakzalve...'

'Dat denk ik niet.'

'Waarom niet?'

'Nou, ik denk dat je de *Apocryphon* bedoelt... en dat is echt heel oud.'

Dunphy keek haar verrast aan. 'Je blijft me verbazen.'

'Ik heb er een gezien,' zei ze, 'in Skoob. Een pocket. Dover heeft het herdrukt; het is eigenlijk geen boek. Het is een gedicht, meer niet, maar ze noemen het een boekwerk. Dover heeft het gepubliceerd in een bloemlezing over het einde van de wereld: *Millenarian Yearnings* hebben ze die geloof ik genoemd.'

's Morgens gingen ze op zoek naar Engelstalige boekwinkels en ze vonden er diverse, maar geen enkele die boeken van Dover in het assortiment had. Met nog een paar uur over voordat hun vliegtuig vertrok, gingen ze per taxi naar de Puerto del Sol, waar ze een internetcafé vonden dat zichzelf aanprees met

450 mhz pc's en i-mac's

+

los churros mejores en madrid!

Buiten was het tien graden, maar in het café was het warm en er hing een vettige geur van gefrituurde *churros*. Dunphy bestelde een portie Spaanse beignets voor hem en Clementine en bedierf toen voor allebei het ontbijt toen hij het dossier opensloeg dat hij bij het Speciaal Archief had gestolen. De Boviene Census.

Clem zag één foto en hapte naar adem.

'Dat is afgrijselijk,' riep ze uit. 'Waarom zou iemand zoiets doen?'

Dunphy dacht erover na. 'Volgens Schidlof, volgens Simon? Ze "zetten de boel in gang". "Blazen een archetype nieuw leven in."'

'Wat een gelul,' zei Clem, die opeens tranen in haar ogen had.

'Ik vertel je gewoon wat hij zei. Jij was er niet bij. Hij zei dat het dierenoffer zo oud is als de wereld – en daar had hij gelijk in.'

'Maar ik hoef er niet naar te kijken,' antwoordde ze. 'Ik ga een krant halen.' En ze kwam overeind.

'Een eindje verderop is een kiosk,' zei Dunphy tegen haar. 'Ik zag de rekken.'

Toen ze wegging, volgden Dunphy's ogen haar. Ze liep met die soepele tred die je soms in Rio en Milaan ziet. Een bebaarde jongeman die vlakbij achter een 21-inch beeldscherm zat, staarde haar bewegingloos na met een blik waar louter ondervoeding uit sprak.

Kort daarna kwamen de *churros* samen met twee dampende koppen *café con leche*. De goudkleurige, warme beignets lagen als een handvol heel dikke mikadostokjes op het bord. Dunphy strooide er een lepel suiker overheen, plukte er een uit de stapel en doopte hem in zijn koffie. Toen richtte hij zijn aandacht weer op het dossier dat voor hem lag en begon te lezen.

Al na een minuut of twee besefte hij dat er eigenlijk niet veel in stond. Het dossier had bewijskracht in de zin dat het de verminkingen documenteerde, maar dat geloofde Dunphy toch al. Hij hoefde geen bijzonderheden te weten. En dat besef maakte hem nerveus. Het benadrukte eens te meer dat hij geen echt plan had, geen strategie om hier onderuit te komen. Geen politiemacht ter wereld kon het Magdalena Genootschap aan. Alsof die hem serieus zou nemen, hè. Zwarte Mariabeelden en verminkt vee, geheime genootschappen en de CIA? Hij stelde zich voor dat hij rond de tafel ging zitten met een rechercheur van moordzaken... of met een CBS-gigant als Mike Wallace, wat dat betreft. Hij zou beginnen te praten en tegen de tijd dat hij bij het paard Snippy of Onze-Lieve-Vrouwe van Einsiedeln was aanbeland, zou het rode lampje op de camera uitfloepen en Wallace een taxi bestellen. Het 'verhaal' was te groot, de spelers te machtig, de samenzwering te groots en te bizar. Ongeacht de hoeveelheid bewijzen die Dunphy bijeen zou weten te brengen; dat zou er niet zoveel toe doen. Dit was geen 'bruikbaar' nieuws. Dit was nieuws dat je de kop kon kosten.

Wat inhield dat er voor Dunphy en Clem maar een paar uitwegen beschikbaar waren. Een: ze konden naar buiten worden gedrágen, in lijkzakken. (Onaanvaardbaar.) Twee: ze konden een schuilplaats zoeken waar ze de rest van hun leven rug aan rug doorbrachten. (Ook onaanvaardbaar en waarschijnlijk ook niet haalbaar.) Drie: ze konden het Magdalena Genootschap vernietigen voordat het hen vernietigde. (Tof plan, Jack, maar...?) In laatste instantie was onderduiken het enige verstandige traject. Uiteindelijk was het een grote planeet – net zoals de CIA een grote organisatie was – en dan maakten ze in elk geval nog kans dat ze het er levend vanaf zouden brengen.

Toen hij zich weer op de rapporten richtte, zag hij dat ze allemaal hetzelfde waren. Ze bevatten de datum van elke vlucht, met vertrek- en aankomsttijden. De namen van de bemanningsleden waren genoteerd, evenals de meteorologische omstandigheden. Tot slot werd elke missie beknopt verslagen.

03-03-99 Vertr. 0510Z Ret. 1121Z
143ste Luchtmobiele Precisie-eenheid
J. Nesbitt (piloot)
R. Kerr   E. Pagan
P. Guidry   T. Conway
J. Sozio   J. MacLeod
Dr. S. Amirpashaie (uitvoerend chirurg)

Temp. 23° Wind ZW, 4-10 knopen
Zicht 18 kilometer
Barometerstand 30,11 en ↑

Beslag gelegd op Black Angus-runderen in weiland dat eigendom is van Jimmy Re, Platte 66, Perceel 49, op 16,3 km ten n.n.w. van Silverton. Verdoving toegediend door kapt. Brown. Verwijdering van oculair weefsel, ogen, tong, in- en uitwendig gehoororgaan. Onder in de okselholte incisies van 6,5 cm aangebracht en spijsverteringsorganen verwijderd. Aarsopening verwijderd, holte aangezogen met vacuümpistool. Voortplantingsorganen weggenomen. Perforaties van 2,5 cm aangebracht op thorax en borst. Wervelkolom op drie plekken doorgezaagd met laserzaag. Dier laten leegbloeden en naar weide geretourneerd. Geen contact met burgers.

Zoals dit waren er tientallen rapporten die, als je ze met de foto's erbij las, een misselijkmakend geheel vormden. Toen Clem met een exemplaar van *The Independent* terugkwam, deed Dunphy het dossier dicht en schoof het weg.

'Lekker gelezen?' vroeg ze.

'Nee,' zei Dunphy. 'Het is echt afschuwelijk.'

Ze reikte over de tafel om het dossier te pakken en begon erin te bladeren, waarbij ze talmde bij de foto's. 'Wat ga je ermee doen?' vroeg ze.

'Ik weet het niet,' zei Dunphy. 'Niets, waarschijnlijk.'

'Als dat zo is... mag ik het dan hebben?'

Hij dacht even na. 'Waarom niet?' zei hij.

Met een glimlach stond ze op. Ze maakte rechtsomkeert, liep naar de bar en zei tegen een medewerker dat ze graag een van de computers wilde gebruiken. Hij gaf haar een lidmaatschapskaart die ze op naam van Veroushka Bell invulde. Toen nam hij het abonnementsgeld, vijftienhonderd peseta, in ontvangst en bracht haar naar een van de computers. Ze ging zitten, logde in op het internet en gebruikte de zoekmachine van AltaVista om een adres in Londen op te sporen.

Het duurde maar een minuutje tot ze had gevonden wat ze zocht, en toen ze het had, haalde ze een stevige envelop uit haar handtas. Nadat ze wat eruitzag als veel te veel postzegels op de voorkant had geplakt, schreef ze er het gevonden adres in blokletters op. Toen kwam ze weer naar het tafeltje waar een niet-begrijpende Dunphy zat en deed het dossier in de envelop. Tot slot plakte ze de envelop dicht en zei toen met een tevreden glimlach: 'Moeten we niet gaan?'

Dunphy keek naar wat ze geschreven had:

People for the Ethical
Treatment of Animals
10 Parkgate House
Broomhill Rd.
London SW 18 4JQ
England

'Weet je zeker dat het een goed idee is?' vroeg hij.

Ze glimlachte. 'Yep.'

24

Achter hen werden Europa en Afrika steeds kleiner toen het vliegtuig koers zette boven de Atlantische Oceaan en Dunphy uit het raampje een wereld zag van blauw op blauw. Er waren plekken waar je kon verdwijnen, bedacht hij. Dat kwam zo vaak voor. Je ging ergens heen waar de mensen die je achterna zaten niets te vertellen hadden. Naar steden als... Kabul. Pyongyang. Bagdad.

De moeilijkheid bij een plaats als Kabul was dat het soort voorzieningen dat Dunphy en Clem vanzelfsprekend vonden vaak niet zomaar voorhanden was. Verworvenheden zoals... de twintigste eeuw. In honing gebrande pinda's. Adequaat sanitair. Dus kon je het er beter op wagen op een plek als Tenerife, die weliswaar overal ver vandaan was, maar in honing gebrande pinda's in overvloed had.

Tenerife ligt circa honderdvijftig kilometer van het zuidelijkste puntje van Marokko af en is het grootste eiland van de Canarische archipel. Befaamd om zijn spectaculaire, gevarieerde natuurschoon (van zonovergoten stranden tot 'Spanjes' hoogste berg) en berucht om zijn uitdijende toeristencentra en decadente uitgaansleven – dat meestal kort na het ontbijt op gang komt. Dunphy, die er twee keer eerder was geweest, vond het er heerlijk, hoewel hij er tegelijkertijd een rothekel aan had.

Ze vlogen al bijna een uur over de oceaan toen de stewardess naar hun plaatsen kwam en langs Clem heen reikte om Dunphy's plateautje uit zijn armleuning te trekken. Ze dekte het met een wit linnen kleedje en overhandigde Dunphy een menu met de vraag of hij een glas champagne wilde. Hij sloeg het aanbod af en ze herhaalde haar handelingen bij Clem, die om een Perrier vroeg.

'Weet je waar we gaan logeren?' vroeg ze.

Dunphy haalde zijn schouders op. 'We vinden wel iets.'

'En dan?'

'Dan? Nou, dan ga ik ervan uit dat we gewoon... zien wat zich voordoet.' Bij het zien van haar gefronste voorhoofd trad hij wat meer in detail. 'Als ik Tommy heb gesproken, heb ik meer zicht op wat ons te doen staat.'

'Waarom gaan we niet gewoon naar de kranten?' vroeg Clem.

Hij glimlachte bij de gedachte. 'Net als in *Three Days of the Condor*, bedoel je?'

'Het was maar een idee,' zei ze. 'Je hoeft me niet uit te lachen.'

'Ik lach je niet uit,' antwoordde hij. 'Maar de kranten zouden niets doen.'

'Hoe weet jij dat?'

'Vertrouw mij nu maar.'

'Waarom zet je het dan niet gewoon op internet?' vroeg Clem. 'Geen mens die je kan tegenhouden en de hele wereld kan het lezen.'

Dunphy dacht erover na. Eén seconde. Toen schudde hij zijn hoofd en zei: 'Het stikt van de krankzinnige sites op internet. Vliegende schotels, *chupa cabras*, satanistisch seksueel misbruik... van de Aardmannetjes tot Zorro, iedereen heeft een eigen homepage. Wie gaat onze bescheiden aanklacht dan lezen... of maalt erom dat we bewijzen hebben? Dossiers. Die hebben ze allemáál.'

De stewardess bracht Clementines water en informeerde of ze kalfsvlees of linguini wilden voor het diner. Clem ging voor de pasta en Dunphy koos het kalfsvlees. Toen de stewardess weer weg was, keek Clem hem beschuldigend aan en vroeg: 'Hoe kún je?'

Dunphy snapte het niet. 'Hoe kan ik wat?' vroeg hij.

Ze keek weg.

'Hoe kan ik wát?' herhaalde Dunphy.

Ze stak haar hand in het netje dat aan de stoel voor haar zat en trok een stukgelezen blad van de luchtvaartmaatschappij tevoorschijn. 'Kalfsvlees eten!' zei ze. Ze draaide zich van hem af, sloeg het blad open en begon te lezen, waarbij ze Dunphy negeerde en een haarstreng om haar vinger wond.

Baby-koetjes?

'Ik ga even mijn benen strekken,' zei Dunphy. Hij kwam overeind en liep langzaam naar achteren; hij voelde het toestel onder hem trillen. Bij de pantry hield hij halt, wenkte de stewardess en veranderde zijn bestelling. 'Ik doe toch de linguini maar,' zei hij. Ze lachte instemmend.

Toen hij van de businessclass naar de economyclass was gelopen, ving hij een flard sigarettenrook op die uit de staart van het vliegtuig afkomstig was, waar wat mensen op een kluitje rondhingen voor de toiletten. Met een blik om zich heen zag hij dat het vliegtuig niet zo vol zat als hij had gedacht. Maar een gevarieerd gezelschap was het wel. Er waren moeders met kleine kinderen, zakenlui en studenten, rugzaktoeristen en Arabieren. Een reisgezelschap van zeker zestig Britten zat met enorm enthousiasme te drinken en te kaarten en had het reusachtig naar hun zin. Ongeveer een derde van hen droeg hetzelfde rode vest met op het voorpand een soort wapen. Terwijl hij zich in het gangpad een weg tussen hen door baande, zag Dunphy dat hij het vliegtuig deelde met de Heilige Orde van de Gaspeldoorn. Een van de mannen keek op van zijn kaarten, merkte dat Dunphy hem perplex aankeek en lachte. 'Golfers,' verklaarde hij.

Dunphy zette zijn tocht door het gangpad voort en pauzeerde bij een nooduitgang waar hij op zijn hurken door het raampje naar buiten keek. In de diepte lag de oceaan alle kanten op te glinsteren: een met schuimkoppen bespikkeld, azuurblauw oppervlak waarop vrachtschepen elkaars routes kruisten. Een paar minuutjes nam hij het panorama in zich op en vroeg zich half af of Clem nog steeds van streek was vanwege hem.

Toen kwam hij overeind, keerde het raampje de rug toe en begon aan de terugweg. Hij was bijna bij het gordijntje dat de businessclass van de tweede klasse afscheidde, toen hij iets in zijn nek voelde... het gewicht en de zindering van iemands blik. Hij draaide zich om en zijn ogen maakten contact met die van een man van middelbare leeftijd met platinablond haar en een slechte huid.

Blondie.

En daarginds op een zitplaats bij de scheidingswand: *de Spierbal*, in slaap.

Tyfus, dacht Dunphy. Ik ben er geweest. Hij voelde de adrenaline als een vloedgolf door zijn hart pompen en vervolgens wegvloeien en weer opkomen.

Hij wist niet wat hij moest doen. Of hoe ze hem gevonden hadden. Of wat hem te wachten stond als het vliegtuig landde op het vliegveld van Tenerife. En vervolgens liep hij tot zijn eigen verrassing op de blonde man af.

'Is deze plaats vrij?' Zonder op antwoord te wachten stapte Dunphy over de benen van zijn achtervolger heen en liet zich in de stoel naast hem vallen.

'Spreek je Engels?' vroeg Dunphy terwijl hij de armleuning tussen hen in opklapte.

De man knikte. Slikte.

'Mooi,' zei Dunphy, 'want het is belangrijk dat dit goed tot je doordringt. Als jij me niet de waarheid zegt, draai ik je godverdomme je nek om – hier ter plaatse. Nek, dat snap je wel, hè? *Le cou?*'

De man keek wild om zich heen alsof hij hulp zocht en greep toen naar zijn veiligheidsriem om die op de tast los te maken. 'Geen trubbels, alsjeblieft,' waarschuwde hij met een zware Elzasser tongval. 'Of ik roep *la hôtesse.*' Hij liet de veiligheidsriem los en reikte omhoog naar het knopje waarmee je de stewardess kon oproepen, maar verstijfde en liet zich terugvallen toen Dunphy's linkerhand zich om zijn ballen sloot. En kneep. Hard.

De ogen van de man puilden uit en dreigden uiteen te barsten toen Dunphy zijn greep verstevigde.

'Alsjeblieft!'

En nog wat meer verstevigde.

In de stoel aan de andere kant van het gangpad zat een jongetje aan zijn moeders mouw te trekken en naar hen te wijzen. Dunphy lachte hem toe alsof het een enorme grap was. Ten slotte deed hij zijn hand open en de Elzasser hapte opgelucht naar adem.

'Hoe heb je me gevonden?' vroeg Dunphy.

De andere man kneep zijn ogen dicht, knipperde en schudde zijn hoofd om het helder te krijgen. Toen haalde hij diep adem en zei: 'Het meisje.'

'Welk meisje?'

'De Engelse. Als zij naar Zürich komt, herken ik haar van Jersey.'

'Dus je bent me gevolgd...'

'Van St. Helier naar Zürich. Toen schud jij ons af bij het hotel. Maar dan komt zij, dus volgen wij háár.' Zoals hij het zei klonk het als een verwijt, alsof hij kritiek had op Dunphy's vakmanschap.

'Ik wist niet dat je haar op Jersey had gezien,' legde Dunphy uit.

'Ja. Wij zien haar. En niet moeilijk om te onthouden.'

'Dus...'

'Wij volgen haar naar de bank. Dan naar het vliegveld. Dan Zug.'

'En Madrid.'

'Ja hoor,' zei de man, die de kraag van zijn overhemd losknoopte. 'Madrid.'

'En nu?' vroeg Dunphy.

De Elzasser haalde zijn schouders op. 'Ik denk: jij moet maar met Roger praten. Want nu... hij vermoordt je.'

'Doet hij dat, ja?' vroeg Dunphy retorisch. 'En staat hij me op Tenerife op te wachten?'

Toen de man geen antwoord gaf, leunde Dunphy dichter naar hem toe, maar de Elzasser hief zijn handen in een kalmerend gebaar. 'Ik kan niet zeggen. Zie je, hij heeft moeilijkheden met de autoriteiten... in Kraków. Jij bent in St. Helier, de Polen houden zijn paspoort vast. Anders had jij hem in Zürich gezien, dat verzeker ik je.'

'En nu?'

Een pruilmondje. 'Ik denk: hij krijgt misschien zijn paspoort terug.'

Dunphy liet zijn hand op de onderarm van de man rusten. 'Dat dénk je?'

Het gezicht van de Elzasser kreeg een behoedzame uitdrukking. 'Ja, hij heeft het nu. Denk ik.'

Dunphy knikte en begon toen met gedempte stem te praten. 'Dus je zult hem heel binnenkort zien, dat is goed. Want ik wil dat je iets tegen hem zegt. Zeg tegen hem dat ik hem de helft van het geld meteen kan bezorgen, en de rest... wat later. Maar níét als ik hem op Tenerife zie. Als ik hem op Tenerife zie...' Hij liet de zin bungelen in de hoop dat zijn onzekerheid een dreigement zou lijken.

De Elzasser keek hem aan, een en al onbewogen onschuld, terwijl achter de angst in zijn ogen verwarring de overhand kreeg. 'Ja?' vroeg hij. 'Als jij hem ziet op Tenerife? Wat moet ik hem zeggen?'

Zit je me nou te fokken? vroeg Dunphy zich af. Want als dat het geval is... kan ik daar helemaal niets aan doen. Niet in het vliegtuig.

Ten slotte zei hij: 'Zeg maar dat dat een verrassing is.' En hij stond op en liep terug naar zijn stoel.

De route van het Reina Sofía-vliegveld naar Playa de las Americas zag eruit als een door asfaltridders neergezette filmset die het met een boze vulkaangod op een akkoordje hadden gegooid. De setting was een okerkleurige, dorre omgeving met cactussen, rotsen en een keiharde onderlaag, doorsneden door een verkeersopstopping waar kennelijk geen einde aan kwam. Na drie kwartier stapvoets rijden maakte deze woestenij plaats voor zijn stedelijke evenbeeld: las Americas. Dat was een uitdijende toeristische enclave die werd overspoeld door geheel verzorgde charters, kitscherige pubs, bonkende disco's en winkeltjes waar T-shirts en souvenirs werden verkocht. Een bord bij de Banco Santander gaf zesendertig graden aan.

'Welkom in de hel,' zei Dunphy.

De taxi hield halt voor een ALLEEN VOOR VOLWASSENEN! nachtclub in de wijk Veronicas. *'Abajo allí,'* zei de chauffeur en hij wees naar een zijweggetje voor voetgangers dat via een zacht glooiende helling langs palmbomen en bloementuinen kronkelend heen en weer schoot om bij de zee uit te komen.

Dunphy gaf hem duizend peseta. 'Het laatste stukje moeten we lopen,' legde hij uit aan Clem.

Ze deden er een halfuur over om The Broken Tiller te vinden, waar Dunphy bijna drie jaar niet was geweest. In die tijd waren er aan weerszijden en aan de achterkant gebouwen verrezen, zodat Frank Boylans pleisterplaats nu in de luwte stond van een wit gepleisterd, vijf verdiepingen hoog 'aparthotel' dat Miramar heette. Aan de ene kant een Duitse *Bierstube* en aan de andere een discotheek (Studio 666). Verder was er niet veel veranderd.

Verankerd tegen de helling van een groene, goed bewaterde heuvel was de Tiller een eenvoudig, bijna chic visrestaurant annex bar dat via een naaktstrand uitzag over zee. De zonsondergangen waren vaak spectaculair, wist Dunphy, vooral in de regentijd. En vanavond was geen uitzondering.

Een bolle rode zon lag loom op de horizon onder een lucht vol schapenwolkjes waar de kleur heen en weer trilde tussen perzik en boter. Dunphy en Clem zetten hun handbagage naast een lichtblauwe bank en kozen een tafeltje waar witte rieten stoelen omheen stonden. Een knappe, jonge Tenerifeño kwam glimlachend achter de bar vandaan.

'Wat mag ik jullie brengen?' vroeg hij.

'Een biertje voor mij,' antwoordde Dunphy, 'en... wat?' Hij keek naar Clem.

'Voor mij graag een gin-tonic.'

Voordat de barman kon weglopen, zei Dunphy tegen hem: 'Ik ben op zoek naar een vriend.'

'O? Ja?'

'Ja. Tommy Davis heet hij. Ik dacht: misschien heb jij hem wel gezien.'

De jongen – ouder dan achttien kon hij niet zijn – knipperde met zijn ogen en dacht er uitvoerig over na. Ten slotte schudde hij schouderophalend zijn hoofd. *Lo siento.*'

Stomme vraag, dacht Dunphy. Tommy wilde niet gevonden worden, dus het antwoord zou hetzelfde zijn geweest, of hij hem nu gezien had of niet. 'En Frank Boylan? Hoe is het met hem? Is deze zaak nog steeds van hem?'

Grote grijns. 'O, jazeker. Die verkoopt hij niet. Kent u meneer Boylan?'

Dunphy knikte. 'We zijn al lang bevriend. Kun je hem bellen voor mij?'

'Ja, ik denk het wel,' zei de jongen. 'Als hij niet aan het drinken is. Soms is hij aan het drinken en dan...'

'Ik weet het.'

'... zet hij zijn mobiel uit. Zegt dat hij niet lastiggevallen wil worden.'

'Ja, nou... kijk maar of je hem kunt bereiken. Zeg maar dat Merry Kerry in de bar zit.'

'Mary Kelly?'

'Mer-ry... Ker-ry,' verbeterde Dunphy. 'Als in Happy Kerry, maar dan met andere letters. En als je toch bezig bent, kijk dan even achter de bar. Ik denk dat er een pakje voor me ligt.'

Om halfnegen kwam Tommy binnenzeilen met naast zich Francis Boylan, gering van lengte maar stevig gebouwd. 'En wie we daar hebben!' riep Tommy, wiens Ierse accent na al die maanden in Spanje nog zwaarder was geworden. 'Ik heb je telkens weer proberen te bellen,' kraaide hij, 'maar dat leverde alleen maar een hele hoop rare geluiden op. Ik dacht echt dat je d'r geweest was!'

Een stevige *abrazo* en toen maakte Dunphy zich los om Boylan de hand te schudden. 'De nacht is nog jong,' antwoordde hij. 'Ik kan elk ogenblik gaan.' Ten slotte stelde hij Clementine voor.

'Aangenaam kennis te maken,' zei Tommy, die haar met iets meer enthousiasme dan strikt noodzakelijk was omarmde.

'En dit is onze gastheer,' kondigde Dunphy aan en hij pakte Clem bij haar elleboog om haar aan 'de grote Francis Boylan' voor te stellen.

De Ier gaf haar een hand en wendde zich met een goedkeurende blik tot Dunphy. 'Mooi werk.'

Ze zaten algauw met een schaal *tapas* voor zich te drinken terwijl Tommy zijn beklag deed over het 'harde leven' op Tenerife.

'Het nekt ons allebei,' beweerde hij. 'Francis hier is een schaduw van de man die hij ooit was. Kijk hem toch eens wegkwijnen, met die wallen onder zijn ogen...'

'Ik vind hem er best fit uitzien,' zei Clem.

'Dankjewel,' merkte Boylan op.

'Seks, zon en drank, dat doet 't 'm,' hield Tommy vol. 'Ik bedoel: denk je eens in. Elke dag komen er wel duizend vrouwen aangevlogen, en die zijn er stuk voor stuk helemaal klaar voor. Dus als je hier fulltime woont en je kent de weg een beetje... nou, dan vraag je je af waarom er geen lichamelijk onderzoek wordt gedaan.'

In de uren erna beproefden ze de keuken van The Broken Tiller en constateerden dat de chef goed in vorm was. Tussen een mondvol zwaardvis en nieuwe aardappels, sperzieboontjes en Riesling in vertelde Dunphy zijn metgezellen over Blémont en zijn ontmoeting tijdens de vlucht vanuit Madrid.

'Dus jij hebt zijn geld gejat,' zei Boylan. 'En nou wil hij het terug.'

'Zo is dat,' antwoordde Dunphy.

'Tja, wie kan hem dat verwijten?' vroeg Tommy. 'Ik zou hetzelfde doen.'

'Natuurlijk zou je dat doen,' legde Dunphy uit, 'iedereen zou dat doen. Maar we moeten dit wel vanuit de goede hoek bekijken. Dit is een hele slechte man. Ik heb geen geld gejat van arme nonnetjes of zo.'

'Maar toch...'

'Het is een antisemiet!' drong Dunphy aan. 'En het is bovendien niet eens zíjn geld.'

'Dan moeten de joden zijn geld maar jatten!' stelde Tommy voor.

Voordat Dunphy kon reageren, deed Boylan een voorstel. 'Ik kan eens met hem gaan praten, als je wilt. Een paar jongens langs sturen. Vragen of hij een beetje geduld oefent.'

Dunphy dacht erover na en schudde toen zijn hoofd. 'Het is mijn probleem. Ik pak het zelf wel aan.'

'In dat geval...' Boylan reikte naar zijn onderrug en haalde een klein, gestroomlijnd pistool tevoorschijn. Hij liet het tussen de bladzijden glijden van een opgevouwen *Canarias7*, de plaatselijke krant, die hij over tafel naar Dunphy toe duwde. 'Dat is een P7,' zei Boylan. 'Heckler & Koch. Acht patronen in het magazijn.'

Clem rolde met haar ogen, leunde achterover en keek weg.

'Jezus! Hartstikke bedankt,' riep Dunphy uit en hij duwde het wapen in de ruimte tussen zijn riem en zijn hemd. 'Je krijgt het terug voordat we vertrekken, daar zorg ik voor.'

Boylan knikte. 'Dat zou fijn zijn. 't Heeft me 'n rug gekost.'

'En waar logeren jullie?' vroeg Tommy.

'Dat weet ik niet,' zei Dunphy. 'We zijn pas een paar uur geleden aangekomen.'

'Dan kunnen jullie eigenlijk best naar Nicky Slades flat gaan,' stelde Boylan voor. 'Je kent Nicky toch nog wel?'

'De huurling,' zei Dunphy.

'*Himself*,' zei Tommy instemmend.

'Het is een leuke flat,' merkte Boylan op, 'en Nicky zal 'm een poosje niet nodig hebben.'

'Waarom niet?' vroeg Dunphy.

Boylans ogen schoten van Tommy naar Dunphy. 'Hij is op reis, hè.'

'Daar weet ik niets van. Is dat zo?' vroeg Dunphy.

'Ja,' zei Tommy. 'Het is zelfs zo dat hij heel de nabije toekomst op reis is.'

'Een lang uitgesmeerde reis, dus,' meende Dunphy.

'Zo is het.'

'En waarom?' informeerde Dunphy.

'Nou,' verklaarde Boylan, 'omdat de man slecht aangeschreven staat, hè.'

'Bij wie?'

'Bij bepaalde partijen.'

'Welke partijen?'

'De Navo,' antwoordde Tommy. 'Je bent wel vasthoudend, zeg... Dat weet je zelf ook wel, hè?'

Clem schoot in de lach en Dunphy fronste zijn voorhoofd. 'Hoe raak je in vredesnaam "slecht aangeschreven" bij de Navo?'

'Het ging allemaal om een tikfoutje op een van zijn eindgebruikerscertificaten,' zei Boylan.

'Je meent het,' zei Dunphy.

'Jazeker,' voegde Tommy eraan toe. 'En geloof het of niet, die pennenlikkers sleepten hem voor de federale rechter.'

'Wat voor tikfout was het?' vroeg Dunphy.

'Ik heb horen zeggen dat hij in een van die kleine vakjes op het formulier *laminaten* had getikt, terwijl het juiste antwoord eigenlijk meer iets als *granaten* had moeten wezen.'

Kort na middernacht kwamen ze bij de flat van Nicky Spade aan. Het was een van de twaalf koopflatjes in een stille straat in Las Galletas, dat iets voorbij Las Americas aan de kust lag, en niet ver van het strand. Een drietal stewardessen huurde het linkerhuis, zei Tommy, terwijl een bejaarde Schotse vrouw in het rechterpand woonde. 'Je zit hier prima,' zei Tommy tegen hen.

Ze werden door een muf luchtje begroet toen ze binnenkwamen. 'Dat zal de Navo wel zijn,' grapte Tommy. Er was kennelijk al weken niemand geweest. Maar daar was zo iets aan gedaan. Met de ramen en gordijnen open werd de atmosfeer algauw opgefrist door een briesje. Dunphy deed de lampen in de huiskamer aan.

'Ik breng morgen de Pearlcorder mee,' zei Tommy. 'Dan kun je naar het bandje luisteren.' Hij doelde op de opname die Dunphy zichzelf had toegestuurd, per adres The Broken Tiller.

'Geef me een seintje voordat je komt,' antwoordde Dunphy. 'Ik zou je niet graag door de deur heen moeten neerknallen.'

'Dat zal ik zeker doen,' beloofde Tommy toen hij met een wuivend gebaartje achteruitstapte. 'De mazzel.'

Dunphy sloot de deur achter hem af en ging naar de keuken. Hij deed de koelkast open, waar hij drie blikjes Budweiser aantrof, twee soorten mosterd en niet veel meer. Terwijl hij bedacht dat een six-pack Bud op de Canarische Eilanden een kapitaal moest kosten, trok hij er een open en liep terug naar de woonkamer.

'Ik vind ze aardig, je vrienden,' zei Clem, die een stapeltje cd's bekeek. 'Maar wel...'

'Wat?'

'Een beetje grof.'

Dunphy knikte. 'Ja, och,' zei hij. 'Komt door hun vak.' Hij haalde het pistool uit zijn riem en legde het op de salontafel naast een vaas stoffige zijden anjers. Toen liep hij naar het raam en zoog zijn longen vol warme zeelucht.

'Denk je dat ze ons zullen vinden?' vroeg Clem.

'Ik weet het niet,' zei Dunphy, die zich afvroeg aan welke achtervolger zij dacht: Blémont of de CIA. 'Ik denk niet dat we gevolgd werden toen we van het vliegveld weggingen, maar toen we van Jersey weggingen, dacht ik dat ook. Dus wat weet ik er eigenlijk van?'

Ze zette een cd op en algauw werd het vertrek gevuld met een gevoelvolle stem die klaaglijk zong dat *easy's gettin' harder every day*. 'Iris DeMent,' zei Clem, wier lichaam op de melodie meewiegde.

Geleund tegen de vensterbank dronk Dunphy met kleine teugen van zijn bier. Hij keek uit over een tuintje (wie zou gedacht hebben dat iemand als Slade zou tuinieren?) en staarde naar een snoer van lichtjes aan de donkere horizon. Vracht- en passagiersschepen, zeilboten en tankers. Het was een prachtig gezicht, romantisch zelfs, maar hij kon zich er niet aan overgeven. Hij dacht aan de mannen in het vliegtuig, Blondie en de Spierbal. En hoe ze verdwenen waren zodra ze op Tenerife waren geland.

Wat een troost had moeten zijn.

Aangezien ze geen bagage hoefden op te halen, waren Dunphy en Clem als een speer door de douane gegaan en vervolgens door het luchthavengebouw, waarna ze met de eerste taxi die ze zagen naar de stad waren gereden. Als zijn achtervolgers ook maar enigszins in de buurt waren geweest, had Dunphy ze gezien. Maar ze waren er niet. Waardoor hij zich afvroeg of...

Nee joh.

Even had Dunphy de mogelijkheid overwogen dat hij hen om de een of andere reden schrik had aangejaagd. Maar hoe waarschijnlijk was dat? Blondie had niet echt bang geleken... eerder balend van de overlast dan wat anders. Dus...

Ze hadden vast vanuit Madrid al gebeld. Zodat er iemand op het vliegveld stond te wachten. Wat inhield...

Met een grimas trok Dunphy de gordijnen dicht en bekeek de sloten op de openslaande tuindeuren. Die stelden niet veel voor. Eén stevige trap en ze vlogen open.

Terug in de woonkamer pakte hij de 9-mm die Boylan hem had gegeven en liet hem in zijn zak glijden. Clem wiegde nog steeds mee op de muziek.

'Jack?' vroeg ze.

'Ja.'

'Het komt allemaal goed, hè?'

's Morgens kwam Tommy langs, kort na tienen. Aangezien er in Slades flatje niets eetbaars was, gingen ze op de buurtmarkt croissantjes halen en reden toen naar Las Americas.

'We kunnen net zo goed naar The Tiller gaan,' stelde Tommy voor. 'Boylans koffie is even lekker als alle andere, en twee keer zo sterk.'

Ze lieten Tommy's rode eend op de parkeerplaats bij Cinema Dumas staan en daalden te voet af naar The Broken Tiller. De jongen van de avond ervoor stond achter de bar glazen af te drogen.

Verder was er geen mens. Het vertrek was donker en koel.

'Espresso's, Miguel!'

'Voor mij niet, dank je,' zei Clem. 'Ik ga zwemmen.'

Dunphy keek sceptisch. 'Ben je niets vergeten?'

Ze keek hem verbaasd aan. 'Wat dan?'

'Een badpak,' antwoordde Dunphy, die aan een tafeltje bij de hoek van de bar ging zitten.

Clem kuste hem op zijn kruin. 'Wat ben je toch een schatje,' zei ze en ze maakte rechtsomkeert en liep met een badlaken onder haar arm naar buiten, het zonlicht in.

'Dit moet ik zien!' riep Tommy.

'Nee, dat moet helemaal niet,' zei Dunphy terwijl hij hem bij zijn elleboog pakte en in de stoel naast de zijne duwde. 'Heb je de Pearlcorder bij je?'

'Ja,' antwoordde Tommy, die hem uit zijn borstzakje haalde en aan Dunphy gaf. 'Is dat de professor op het bandje?'

Dunphy knikte en duwde de microcassette in het houdertje van de recorder. 'De laatste opname die we gemaakt hebben voordat hij in stukken werd gehakt.'

'Nou, als je het niet erg vindt,' zei Tommy, 'en aangezien er maar één tegelijk naar kan luisteren, ga ik met mijn koffie naar het strand.'

Dunphy bevestigde de koptelefoon aan de Pearlcorder en schoof hem over zijn oren. 'Je gaat toch niet naar mijn vriendin zitten gluren, hè?'

'Kom nou!' protesteerde Tommy. 'Waar zie je me voor aan?'

'Een viezerik.'

Wat Tommy daarop zei, ving Dunphy niet meer op, want hij drukte op de afspeelknop en de spoeltjes begonnen te draaien.

... Meadow gold.
Meadow gold?
Ja.
Nou, als jij het zegt, maar... vind je dat niet een beetje...
Wat?
Geel?
Ik wist wel dat je dat zou zeggen! Maar, nee, dat vind ik niet. Het komt prachtig uit bij de Kirman.
O, dat is waar ook! Jij hebt de Kirman!

Het duurde even voordat Dunphy de stemmen kon onderscheiden en nog een minuutje om erachter te komen waar ze het over hadden: in dit geval een stoel die Schidlof liet bekleden.

Het tweede gesprek was relatief makkelijk te volgen: Schidlof maakte een afspraak met een arts vanwege een vermoedelijke slijmbeursontsteking. Toen dook onverwacht en uit het niets Dunphy's koffie op. Hij had over de Pearlcorder heen gebogen geconcentreerd zitten luisteren met de koptelefoon op, zodat hij Miguel niet had horen aankomen.

'Dankjewel,' zei hij een beetje te hard. En nam een slok. *Auwoea!*

Het derde en vierde telefoongesprek was van studenten die Schidlof vroegen of ze hun afspraak met hem konden verzetten. Het vijfde was door Schidlof begonnen en het was een internationaal gesprek: Dunphy telde vijftien afzonderlijke tonen voordat de telefoon aan de andere kant overging. En vervolgens kwam er een Amerikaanse stem aan de lijn.

Gibeglipatnes.

Hallo! Met Schidlof!

Ja...

Dunphy drukte op stop en spoelde het bandje terug.

Gibegli Partners.

Nog een keer.

Gil Beckley Partners.

Hallo! Met Schidlof!

Ja, dr. Schidlof. Fijn dat u belt.

Ik bel over de cheque die ik u heb gestuurd.

Oké... ja, hartelijk dank daarvoor.

Eigenlijk was dat een voorschot.

Dat begrijp ik.

En ik vroeg me af of u tijd hebt gehad om de brief te bekijken.

Dat heb ik gedaan.

En? Hebt u zich een beeld kunnen vormen?

O, die is authentiek. Zonder twijfel.

Het bandje draaide een seconde of vijf, tien in stilte.

Professor?

Ja.

Ik dacht even dat de verbinding wegviel.

Nee, het is alleen dat...

Als u wilt, kan ik u in contact brengen met iemand die, eh, bij Sotheby's werkt. Eersterangs.

Nee...

Hij kan er voor u waarschijnlijk wel duizend dollar voor krijgen... misschien meer. Dan zit u niet zonder geld.

Door Beckleys stem wist Dunphy weer waar hij hem had gezien: in zo'n ontbijtprogramma met Diane Sawyer, waar hij de vermeende dagboeken van Hitler had besproken.

Ik stel dat zeker op prijs, hoor, maar... op het ogenblik wil ik alleen weten of de brieven authentiek zijn.

Nu was Beckley aan de beurt om stil te vallen. Vervolgens: *O! Ik besefte niet dat er...*

Ja. Het is een briefwisseling. Ik dacht dat ik dat had gemeld.

Nee.

Nou...

En ze zijn... u zegt dat ze allemaal van Allen Dulles zijn?

Ja. De eerste zijn van begin jaren dertig. Jung is in 1961 gestorven. Toen was het dus afgelopen.

Ik begrijp het. Weer viel Beckley stil. *Weet u, dit zou wel eens een beetje gevoelig kunnen liggen.*

O? Hoe dat zo?

Nou... Allen Dulles was een heel hoge ome. Had op veel plaatsen een vinger in de pap.

Dat besef ik natuurlijk wel, maar...

Als u wilt, kan ik de rest van de briefwisseling eens bekijken.

Dat is vriendelijk van u, maar...

Zonder dat ik dat in rekening breng.

Het heeft in feite weinig zin.

Het gesprek ging nog een minuut of wat door: Beckley probeerde Schidlof over te halen dat hij de andere brieven zou laten zien en Schidlof wimpelde dat beleefd af.

Dunphy herinnerde zich het urgente telegram dat hij in het Speciaal Archief had gezien, van Matta aan Curry: 'Unilateraal aangestuurde bron... Andromeda-materiaal... Wie is Schidlof?'

Nou, dacht Dunphy, inmiddels weten we in elk geval wie de bron was... niet dat daar ooit veel twijfel over heeft bestaan. Die arme Schidlof was op de foutst mogelijke persoon afgestapt. Beckley was een van die figuren uit Washington die nooit echt hadden kunnen verkroppen dat ze geen betrouwbaarheidsverklaring meer hadden. Die op hun vijftigste verplicht met pensioen moesten en er alles aan deden om hun aanhoudende bruikbaarheid voor de spionagewereld aan te tonen, alles om 'in de running te blijven', alles om 'een speler' te blijven.

Dus had Beckley zijn cliënt in ruil voor een schouderklopje aan de beveiligingsdienst van de CIA verlinkt. Ik vraag me af of hij er een gehad heeft, dacht Dunphy. Of dat hij net als Schidlof onder de groene zoden rust. Dunphy hoopte het laatste.

Hij keek op van de minirecorder, gebaarde naar Miguel dat hij nog een espresso wilde en keek om zich heen. Tot zijn verbazing zag hij dat hij niet langer de enige klant was in de bar. Er zat een jong stel ergens geanimeerd over te praten aan een tafeltje op de veranda. En er zat een man met zijn rug naar hem toe rustig een biertje te drinken aan de bar. Mooi werkmanshemd, dacht Dunphy, die de kleur, een soort kobaltblauw, bewonderend in zich opnam.

Vervolgens zocht hij het strand af naar Clem, maar hij kon haar niet vinden. Er waren tientallen zwemmers die het water in en uit waadden en zeker honderd mensen die lagen te zonnen, ongeveer de helft in hun blootje: ze sliepen, lazen, lagen te bakken in de hitte.

Hij niet. Het was koel in de bar. Klam, zelfs.

Dunphy schoof de koptelefoon goed, drukte op Play en luisterde.

Hallo 'allo?!

Dr. Van Worden?

Zeg maar Al, hoor!

O! Ja, met Leo Schidlof dus... van King's College?

Ja?

Ik had gehoopt je te ontmoeten.

O?

Mmmm. Ik had eigenlijk gehoopt dat we samen konden lunchen, als je kunt. Een stilte die Schidlof haastig invult. *Ik ben nogal geïnteresseerd geraakt in het Magdalena Genootschap.*

Gegrinnik van Van Worden. *Echt?!*

Ja. En, eh, als ik het goed begrijp, ben jij een van de weinigen die me erover kan vertellen.

Nou, ja... ik neem aan van wel, maar... ben je een historicus?

Miguel bracht Dunphy's espresso, die hij stilletjes op de tafel zette.

Psycholoog, eigenlijk.

O... ik begrijp het. Een lange stilte. *Alhoewel, niet heus. Waarom is een psycholoog in zoiets geïnteresseerd? Ik bedoel maar, ze zijn tweehonderd jaar geleden uitgestorven!* Stilte van Schidlof. *Professor?*

Ja?

Ik vroeg me af waarom een psycholoog...

Omdat ik daar niet zo zeker van ben.

Waarvan?

Dat ze uitgestorven zijn.

Dit keer was het Van Wordens beurt om stil te zijn. Ten slotte zei hij: *Goed! Laten we dan in elk geval maar gaan lunchen.*

Dunphy vroeg zich af wie Van Worden was. De een of andere professor... een historicus, waarschijnlijk. Iemand die hoe dan ook zoveel van het Magdalena Genootschap af wist dat Schidlof contact met hem zocht.

Hij spoelde het bandje terug tot vlak voor het begin van het gesprek. Er waren zeven kiestonen te horen, gevolgd door Van Wordens opgewekte stem. *Hallo 'allo?!* Wat inhield dat het een lokaal gesprek was en dat Schidlof vanuit huis belde. Wat Van Worden ergens in het centrum van Londen plaatste.

Dunphy bedacht net dat Van Worden wel in het telefoonboek van Londen zou staan toen hij een gedempt geschreeuw hoorde. Terwijl hij opkeek, doemde er iets op in zijn linkerooghoek, maar juist toen hij zich ernaartoe draaide, verstijfde hij van schrik omdat de man aan de bar Miguel een klap met een fles gaf. Vervolgens werd hij achter zijn oor geraakt door een eind hout of een steen of íéts en de wereld flitste op, een zee van wit dat algauw uitdoofde toen Dunphy neerging en hard tegen de vloertegels smakte. De koptelefoon was inmiddels weg en de schreeuw klonk harder en werd een jammerkreet toen Dunphy achter zich graaide naar het pistool dat Boylan hem had gegeven. Hij had het half uit zijn broekriem tevoorschijn gehaald toen de punt van een laars hem een dreun tegen zijn nieren gaf, en tegen zijn schouder, en toen nog eens tegen zijn nieren. Nu waren er twee mensen aan het roepen of schreeuwen en hij besefte vaag dat hij die tweede was. Iemands instapper beukte tegen zijn ribben, waardoor hij omrolde en op dat moment ging het pistool af, in het wilde weg en snel. Hij wist niet op wie of wat of op hoeveel doelen hij schoot, maar op de een of andere manier was hij gaan schieten, maaide met zijn armen en schoot, terwijl hij zijdelings op zijn rug over de vloer kroop en uit de buurt van de laars probeerde te blijven. Mensen schreeuwden... híj schreeuwde...

Toen gebeurde er iets achter in zijn hoofd en met een zachte klik en een stortbui van heldere lichtjes floepte de wereld uit.

25

Hij voelde zich beroerd. Zijn maag, zijn hoofd, alles voelde beroerd. Zijn onderrug leek wel gebroken en zijn ribbenkast was versplinterd.

Hij zat ergens en keek naar zijn knieën omdat hij niet op durfde te kijken. Bijna niet durfde te ademen. En toen werd hij overspoeld door een golf van duizeligheid en misselijkheid waardoor hij moest kokhalzen, een droge oprisping. De wereld zwom in beeld.

Hij bevond zich in een soort werkplaats. Tl-buizen flakkerden en zoemden en de lucht was doortrokken van een scherpe, onaangename geur. Beits. Zijn hart bonkte alsof erin werd geknepen en dan weer werd losgelaten, erin werd geknepen en dan weer werd losgelaten. Bijna tegen zijn wil keek hij op en zag...

Meubels. Heel veel. En rollen bekleding. IJzerdraad en veren. Een meubelstoffeerder. En toen – langzaam en aanvankelijk leek het van ver weg te komen – werd het vertrek gevuld met klapgeluiden. Dunphy draaide zich ernaartoe.

In een overdadig gestoffeerde oorfauteuil zat Roger Blémont zo langzaam te applaudisseren dat elke klap wegstierf voordat zijn opvolger de lucht doorkliefde. Hij glimlachte en was zoals altijd onberispelijk gekleed. Het Breitling-horloge, de Cole-Haans, de messcherp geperste broek en dito... werkmanshemd.

Hij had aan de bar gezeten terwijl Dunphy het bandje van Schidlof had beluisterd. Dunphy had hem gezien, maar alleen op de rug, en nu...

'Je ziet er belabberd uit,' merkte Blémont op.

Er ontsnapte een zacht gekreun aan Dunphy's lippen.

'*Un vrai merdiers.*'

Dunphy hoorde een lachje en draaide om om te kijken wie dat was: de Spierbal, met zijn laarzen en zijn leren jack, die op zijn gemak op een bank zat en Dunphy met onverhulde nieuwsgierigheid opnam. En op een stoel vlakbij zat de Elzasser met een blanco gezichtsuitdrukking.

Waarom hier? dacht Dunphy, die om zich heen keek. Toen zag hij hem: de witte vlag, net als het speldje dat Blémont wel eens droeg, die boven de afgeladen werktafel hing. Daarop een blauw met gouden spandoek met de tekst *Contre la boue*. Blémont had zijn vrienden kennelijk tot op de Canarische Eilanden zitten.

Wegwezen, zei Dunphy tegen zichzelf. Instinctief probeerde hij uit alle macht te gaan staan, met opeengeklemde kaken vanwege de pijn... maar nee. Zijn polsen waren achter zijn rug samengebonden.

'Weet je, Kerry...' begon Blémont met zachte stem.

'Ik heet geen Kerry,' mompelde Dunphy.

Blémont grinnikte. 'Jouw naam zal me worst wezen.'

'Maar niet heus,' pareerde Dunphy. 'Je zult hem nog nodig hebben om je geld terug te halen.'

'Ahhhh,' zei de Corsicaan, alsof het hem nu net pas te binnen schoot. 'Het geld. Ik zei nog tegen Marcel, ik zei: "We zullen het over het geld hebben, Kerry en ik."' Hij keek even naar de Spierbal. 'Nietwaar?'

De grote man knikte en stak een sigaartje op.

Nog altijd glimlachend liep Blémont het vertrek door en ging op zijn hurken voor Dunphy zitten om hem recht aan te kijken. 'Waarom heb je mijn geld gepakt?' vroeg hij.

'Ik had het nodig,' zei Dunphy. 'Ik zat enorm in de problemen.'

'Zát?'

Dunphy keek weg. Alles deed pijn en hij wist dat dit nog maar het begin was. Blémont ging hem afmaken. Dat zag hij aan zijn ogen.

'Het is echt heel veel geld, weet je,' merkte de Corsicaan op. 'En niet alleen het geld van de effecten. De rente is er ook nog. *N'est-ce pas?*'

Dunphy zuchtte.

'En na de rente is er bovendien de...' Blémont fronste zijn voorhoofd. 'Hoe zeg je... *le dessous de table?*'

'Het smeergeld,' zei de Spierbal.
'Juist.'
'Welk smeergeld?' vroeg Dunphy.
'Voor de secretaresse,' antwoordde Blémont. 'In St. Helier. Hoe dacht je dat we je gevonden hadden?'
Dus hij had gelijk gehad. Geweldig.
'En dan de onkosten nog. Marcel en Luc. Zij hebben hun honorarium, begrijp je. Hun onkosten. Aanzíénlijke onkosten. Schepen. Vliegtuigen. Hotels. Restaurants. Tja, ze moeten eten.'
Dunphy's ogen gingen van Blémont naar de Spierbal en vervolgens naar de Elzasser.
'Hé,' zei Blémont met een licht verwijtende stem. 'Hier ben ik.'
Maar Dunphy kon niet wegkijken. Zijn ogen zogen zich vast aan die van de Elzasser, die hem onderuitgezakt in een luxe leunstoel woedend zat aan te staren. Even meende Dunphy dat dit de agressieve blik moest voorstellen die vijanden uitwisselen wanneer ze elkaar in een drukke ruimte in het oog krijgen. Maar toen zag hij de rode band om zijn middel en wist dat het geen cummerbund was. De Elzasser zat daar, in die stoel, dood te bloeden. En de blik op zijn gezicht was de blik van iemand die zijn uiterste best doet om niet weg te glijden. De situatie de baas te blijven. Zichzelf in bedwang te houden. Alles in bedwang te houden.
Tyfus, dacht Dunphy. Ik kan het wel schudden.
Blémont volgde zijn blik en weer ging het herkenningsalarm af. 'Ahhhh, ik begrijp wat je bedoelt,' riep de Corsicaan uit. 'Jij denkt dat Luc niet meer betaald hoeft te worden als hij *passé* is.' Hij duwde zijn lippen bijeen in een pruilmondje. 'Goed gedacht. Maar met Luc komt het helemaal in orde, hè, Luc?'
Een weifelend gemompel van de Elzasser.
'Wat is er gebeurd?' vroeg Dunphy.
Blémont trok een komiek gezicht. 'Jij hebt hem neergeschoten.'
Dunphy's verbazing was zonneklaar.
'Je viel,' legde de Spierbal uit. 'Je vuurde een paar schoten af. Een gelukstreffer.'
'Hij gaat dood,' zei Dunphy tegen hen.
Blémont wuifde die opvatting terzijde. 'Hij komt er weer bovenop.'
'Hij bloedt dood.'

'Nee, nee. Niks aan de hand.' Blémont bracht zijn mond vlak bij Dunphy's rechteroor en fluisterde: 'Je maakt hem nog bang.'

Iets gekkers had Dunphy die hele dag niet gehoord, maar hij lachte niet. 'Hoor eens,' zei hij, 'ik kan je je geld terugbezorgen.'

Blémont knikte onverschillig. 'Dat weet ik.'

De Spierbal mompelde wat voor zich uit en smeet toen het sigaartje dat hij had zitten roken op de grond. Hij trapte het uit met de punt van zijn laars en wendde zich tot Blémont. *'Pourquoi juste ne le détruisons?'*

Dunphy kon het niet helemaal volgen. Zijn Frans was op zijn best middelmatig. 'Waarom... gewoon... niet...' en nog wat en nog wat.

'Soyez patient,' zei Blémont. Toen wendde hij zich tot Dunphy en legde uit: 'Hij wil je doden.'

Dunphy keek even naar de Spierbal. 'Waarom? Ik ken hem niet eens.'

Weer kwam Blémont heel dichtbij en fluisterde: 'Omdat hij denkt dat je zijn vriendje hebt gedood, en weet je wat? Gewoon, onder ons? Volgens mij heeft-ie gelijk.' Toen lachte hij.

Het duurde even voordat Dunphy het begreep. Blondie en de Spierbal waren niet zomaar een team. Ze waren één. 'Luister,' zei hij in een poging het gesprek zakelijk te houden, 'ik kan je het geld bezorgen. Niet alleen de banktegoeden. Ook de rest.'

'De rest? Wat heb je uitgegeven?' vroeg Blémont.

Dunphy aarzelde even en loog. 'Twintigduizend,' zei hij. 'Misschien tweeëntwintig.'

'Pond?'

'Dollar.'

Blémont rolde met zijn hoofd van de ene kant naar de andere terwijl hij erover nadacht. Toen zei hij: 'Vertel eens.'

'Wat?'

'Waarom heb je er zo lang over gedaan?'

Dunphy wist niet waar hij op doelde. 'Waarover?' vroeg hij.

'Over het geld halen. Je bent maanden weg geweest.'

Dunphy overwoog weifelend wat hij moest zeggen en hoeveel hij zou onthullen. 'Ik zat in de States. Ik kon niet weg.'

Blémont stak een vermanende wijsvinger naar hem uit. 'Je moet me niet belazeren.'

'Doe ik niet.'

'Jij bent ergens voor op de vlucht,' zei Blémont tegen hem. 'En niet alleen voor mij.'

Dunphy zei niets.

'We zijn naar je kantoor gegaan,' vervolgde Blémont. 'Níéts. En je flat... idem dito. Dus ik denk: mijn oude vriend Kerry heeft iederéén bestolen. Maar nee. Ik ga naar Kroll. Ken je Kroll?'

Dunphy knikte. 'De detectives.'

'Precies. Ik huur ze in – à raison van tweehonderd dollar per uur – en raad eens? Ze zeggen dat ik de enige ben. Verder niemand die zijn beklag doet. Verder niemand die is opgelicht. Hoe dat zo?'

'Ik heb alleen gepakt wat ik nodig had,' antwoordde Dunphy.

'Je had een half miljoen dóllar nodig?'

'Ja. Die had ik nodig.'

Blémont hield zijn blik even vast en schudde vervolgens met zijn hoofd, alsof hij het helder wilde krijgen. 'Oké, je had dus een smak geld nodig. Waarom ík?'

'Omdat...' Je een zwijn bent, dacht Dunphy. 'Het geld er was,' zei hij. 'Het stond op de rekening. Het was makkelijk, meer niet.'

'Je bedoelt dat het makkelijk léék,' zei Blémont en Dunphy knikte. 'En nu... voor wie ben je op de vlucht, als je niet voor mij op de vlucht bent?'

Dunphy schudde zijn hoofd.

'Niet voor de politie,' dacht Blémont hardop. 'Niet in Londen in elk geval. Voor wie dan wel?'

'Wat maakt het uit? Dit gaat niet over mij. Het gaat over het geld dat ik heb gepakt.'

'Nee. Het gaat niet alleen over het geld,' antwoordde Blémont.

Dunphy keek hem sceptisch aan.

'Het gaat over vriendschap,' drong de Corsicaan aan met een stem waar zoveel valse oprechtheid vanaf droop dat hij er een telemarketingcampagne voor de Hezbollah mee had kunnen lanceren.

Dunphy schoot bijna in de lach. 'Jij bent wel zo verknipt...' begon hij.

Blémont sloeg hem harder dan Dunphy ooit was geslagen; een lusvormige zwaaistoot die met een scherpe knal zijn neus brak en een straal bloed over de voorzijde van zijn hemd uitstortte. Dunphy snakte draaierig naar adem terwijl zijn ogen dichtvlogen en zijn hersenpan vol sterretjes zat. Even later tilde Blémonts handpalm zijn kin op. *'Pardon?'*

Er stroomde bloed uit zijn neusholte naar zijn keel en het duurde even voordat hij dat had uitgespuugd. Uiteindelijk zei hij: 'Voor m'n beurt gepraat.'

Blémont glimlachte.

Dunphy kantelde zijn hoofd achterover in een vergeefse poging om de bloeding te stelpen.

'Eh, bien,' merkte Blémont op en hij haalde een pakje sigaretten uit zijn hemdzak. Nadat hij er een had aangestoken met het vlammetje van een met zilver ingelegde Zippo, inhaleerde hij diep en blies vervolgens de rookwolk naar de Amerikaan. 'Kan gebeuren,' zei hij. 'Maar al die keren dan dat we samen hebben geluncht... mijn god, Kerry, wat hebben we gelachen, nietwaar?'

'Een paar lunches,' zei Dunphy. 'Zo intiem waren we niet.'

'Wat is er gebéúrd?' vroeg Blémont met een klaaglijke stem, alsof hij het tegen een minnares had die hem de bons had gegeven.

Dunphy schudde zijn hoofd. Langzaam en lichtjes. Haalde diep adem. 'Het is ingewikkeld,' antwoordde hij.

Met een rookwolkje wuifde de Corsicaan dat denkbeeld weg. 'Tijd genoeg. We hebben de hele dag. Vertel.'

Een zucht van Dunphy, die wist dat Blémont een spelletje met hem speelde. Maar goed, hoe langer ze praatten, des te beter voor hem. Tommy en Boylan gingen hem zoeken. Er was geschoten in de bar. Er lag bloed op de vloer.

'Mijn naam is Jack Dunphy,' zei hij met een door het bloed en de pijn aangetaste stem. 'Niet Thornley. Niet Iers. Amerikaans.' Ga ik hem alles vertellen? vroeg Dunphy zich af. En kreeg ten antwoord: ja. Waarom niet? Wat maakt het uit?

Blémont toonde milde nieuwsgierigheid door zijn hoofd iets te kantelen en luisterde afwezig terwijl hij zijn aansteker bijvulde met vloeistof uit een blikje Ronson-aanstekergas.

'De baan in Londen – het bedrijf dat ik daar had...' Door zijn gebroken neus kon hij niet goed ademhalen.

Blémont spoot een dun straaltje gas op het katoenen pluksel onder in de aansteker. 'Ja?'

'Dat was een dekmantel.'

Even was Blémont verbijsterd. 'Een dekmantel? Je bedoelt...'

'Een façade.'

'Waarvoor?'

'Voor de CIA.'

De Spierbal lachte luid: een enkele, abrupte explosie van ongeloof.

Blémont vulde nog steeds zijn aansteker bij. Ten slotte zette hij de Zippo weer in elkaar, knipte hem aan en uit, aan en uit... en keek Dunphy recht aan. 'Denk je dat ik dom ben?'

Dunphy schudde zijn hoofd.

'Denk je dat ik hier ben om jou te vermaken?'

'Nee!'

'Want als je dat denkt...'

'Dat denk ik niet.'

'Maken we er een éínd aan. Meteen! Ja? Wil je dat?' De stem van de Corsicaan werd steeds luider en met het volume nam zijn woede toe. 'Wíl je dat? Oké!'

'Luister,' zei Dunphy... maar verder kwam hij niet, want Blémont begon aanstekerbenzine op zijn borst te sprenkelen en wervelde ermee over zijn hemd alsof hij, Blémont, Jackson Pollock was en Dunphy zijn schilderij. 'O, jezus, Roger...'

Het gebeurde in een flits. Blémont kwam naar voren met zijn Zippo. Na een scherpe klik was er een lichtflits en ontplofte er met een *woooooooef* een gordijn van blauwe en gele vlammen in Dunphy's gezicht. Verblind door het licht en te geschrokken om te kunnen schreeuwen, kon hij alleen maar naar adem snakken. *De hitte...* En vervolgens gingen de vlammen net zo snel als ze waren gekomen flakkerend uit.

Blémont en de Spierbal lachten. 'Kijk eens wat een rook!' zei de Corsicaan, die met zijn vingertoppen Dunphy's hemd aanraakte. 'Hij rookt!' Hij snuffelde, keek even naar de Spierbal en grinnikte. *'Peux-tu sentir les cheveux?'*

Een giechel als reactie.

'Jezus christus!' zei Dunphy met opeengeklemde tanden. 'Wat wíl je?'

Blémont trok een ernstig gezicht, schraapte zijn keel en fronste zijn voorhoofd in een poging zijn lachbui te onderdrukken. Toen zei hij met een diepe stem die een parodie was van oprechtheid en vertrouwelijkheid: 'Nou, het is wel duidelijk... Jack... dat ik je ga

martelen.' Waarop Blémont en de Spierbal nogmaals in lachen uit-
barstten.

Dunphy's hart ging tekeer als een hoempaorkest. Hij wist niet of
Blémont hem zou schoppen, stompen, in brand steken of wat dan
ook. Een hartaanval zou mooi zijn, dacht Dunphy. Dan kon ik hier
en nu sterven. Maar hij wist dat dat niet zou gebeuren. Dus rukte
hij aan de boeien die zijn polsen omsloten en tot zijn verrassing leken ze mee te geven... een klein beetje maar.

'Dit was gewoon een...' Blémont knipte met zijn vingers, op zoek
naar de uitdrukking, en grinnikte toen droogjes. 'Gewoon een war-
ming-up.' Toen lachte hij uitgelaten.

Hij is waanzinnig, dacht Dunphy.

'En kijk hier eens!' Blémont pakte een elektrische boormachine
of iets wat daarop leek. Aan de onderkant hing een lange, oranje
kabel die naar een apparaat op de grond ging dat zelf met een wand-
contact was verbonden. De Corsicaan bukte en knipte een schake-
laar om aan de zijkant van het apparaat, waardoor de werkplaats onmiddellijk bol stond van de trilherrie van een luchtcompressor. *Mijn
grootvader was timmerman!'* riep Blémont. *'In Ajaccio!'*

Dunphy wrong met zijn handen en keek weg. Hij wilde niet weten wat Blémont ging doen, want wat het ook was, hij zou degene
zijn die het werd aangedaan.

'Ik heb werk van hem gezien! Het is niet...' De compressor hield er
even snel mee op als hij was aangesprongen. 'Het is niet slecht.'
Plotseling was het doodstil in het vertrek. 'Natuurlijk hadden ze
toen geen spijkerpistolen. Het was allemaal handwerk. Maar hiermee...' Blémont richtte het apparaat op Dunphy en kneep met een
sadistische grijns de trekker samen.

Szzzunkk!

Het klonk alsof er een kaart in een prikklok werd gestoken en tegelijkertijd sloeg er een spijker in de gestucte muur achter hem. Tot
Dunphy's afgrijzen ketste hij niet af.

'Híérmee kan ik de hele dag spijkers inslaan zonder moe te worden. Elke spijker... *powww!* als een moker. Tien kilo per centimeter.' Hij wachtte even en fronste zijn voorhoofd. 'Er zijn natuurlijk
zoveel soorten spijkers. Lange spijkers, korte spijkers, lijstnagels,
daknagels.' Hij hield iets omhoog wat eruitzag als een dertig centimeter lange gordel waar spijkers van vijf centimeter in zaten. 'Dit

zijn schietnagels,' legde hij uit terwijl hij ze in het apparaat schoof. 'Het zijn er honderd.'

Dunphy zat bewegingloos, ook al graaiden achter zijn rug zijn vingers naar de knopen. Hij voelde het bloed uit zijn gezicht wegtrekken toen Blémont het pistool nogmaals hief en dit keer lager richtte. Dunphy's rechterduim en -wijsvinger rukten aan de knoop op zijn rug.

En Blémont vertelde verrukt. 'Die met de grote kop zijn lijstnagels. Maar deze... deze hebben bijna helemaal geen kop. Kijk maar.' En met die woorden kneep hij de trekker samen.

Dunphy klapte onwillekeurig dubbel toen de spijker zijn onderbeen binnendrong, door het vlees heen prikte en langs het scheenbeen naar de erachter gelegen kuitspier ging. De pijn was verbazingwekkend en op de een of andere manier schel van aard, een martelende scheur alsof een hele injectienaald in zijn been en erdoorhéén was geduwd. Een kreet van pijn en schrik weergalmde door de ruimte. Die kwam van hem.

'O-owww,' merkte Blémont gemaakt schuchter op.

Dunphy rilde en voelde zich plotseling koud en zwak. Hij wierp zich voorover en zag een keurig gaatje in zijn broekspijp. Een bloedvlekje. Achter zijn rug morrelden zijn vingers als bezetenen aan het koord waarmee hij vastzat.

En er was hoop. Degene die zijn polsen bijeengebonden had, was geen zeeman geweest. In plaats van één knoop waar je wat aan had was er zo te voelen een reeks platte knopen in gelegd nadat het koord meermalen boven- en onderlangs Dunphy's handen en polsen was gewonden. Een van die knopen was losgeraakt door er herhaaldelijk aan te trekken en de kluwen voelde al wat losser aan. Wat het ook waard mocht wezen, hij kon zich in elk geval verbeelden dat hij vrijkwam.

Blémont hief het spijkerpistool met beide handen omhoog, hield het als een rechercheur in een nachtelijke tv-serie in positie en richtte het vervolgens terwijl hij langs de loop keek langzaam naar beneden. 'Les bijoux de famille... dat wordt mikken.'

Szzunnnk! Vlak onder zijn heup drong er een spijker in zijn dijbeen, wat hem een ademloze uitroep ontlokte terwijl Blémont verrukte kreten slaakte en de Spierbal breed grijnsde.

'Roger... laissez-moi essayer,' zei de Spierbal.

'Waarom niet?' antwoordde Blémont en hij gooide het pistool naar hem toe. Toen draaide hij zich om en ging tussen het gereedschap op de meubelmakerswerkbank op zoek naar andere speeltjes.

De Spierbal slenterde op Dunphy af met een lachje in zijn mondhoeken. 'Hoe had je het gewild?' vroeg hij.

Dunphy haalde diep adem en keek weg. Wat hij ook zei, martelen deden ze hem toch. Smeken had geen zin en hij schoot er evenmin iets mee op als hij tegen de fransoos zei dat hij de boom in kon. Wat hij ook zei, hij zou pijn lijden. Dus hield hij zich koest terwijl achter zijn rug zijn handen druk bezig waren met de knopen.

De Spierbal bekeek het pistool dat hij vasthad en wendde zich toen tot Blémont. 'Als ik zijn *couilles* eens aan de stoel spijker?' vroeg hij.

Blémont lachte hinnikend. 'Zolang je hem maar niet doodt,' antwoordde hij, 'kun je hem wat mij betreft aan het plafond spijkeren.'

'*Eh, bien,*' antwoordde de Spierbal en hij wendde zich weer tot Dunphy.

Op dat moment sloeg de luchtcompressor aan, even plotseling als een brandalarm en met ratelende pneumatische motor. De Spierbal draaide zich geschrokken om en tegelijkertijd schoot Dunphy's been naar voren en schopte naar de knie van de man.

Dunphy was net zo verbaasd als de Spierbal. Hij was niet van plan geweest hem te schoppen. Het was een reflex of iets in die geest... misschien wel een zelfmoordactie. De Spierbal wankelde, jankte en stommelde achteruit voordat hij schietend en wel terugkwam.

Szzunnnk! Szzunnnk! Szzunnnk!

De eerste drie spijkers dreunden in de muur achter hem, maar de vierde raakte Dunphy's rechterzij en bezorgde hem een plotselinge, hevige pijn die hem op zijn stoel ronddraaide en met een dreun tegen de grond smakte. De volgende spijker vloog langs zijn gezicht en de twee erna scheurden de bal van zijn voet en zijn elleboog in. Tegen die tijd schreeuwde Blémont tegen de Spierbal dat hij moest ophouden – wat hij deed op het moment dat de luchtcompressor afsloeg.

De Fransman wreef vloekend over zijn knie terwijl Blémont Dunphy op zijn stoel overeind zette. 'Je had hem wel kunnen vermoorden,' mopperde de Corsicaan.

Intussen streed Dunphy tegen zijn lichaam, dat naar vergetelheid snakte. Hij voelde hoe zijn zenuwstelsel het begaf, zijn handen en voeten kouder werden, zijn pijn steeds minder met hem te maken had. Op een vage manier kwam het in hem op dat hij in shock raakte... en dat hij, als dat gebeurde, zou sterven zonder het te weten.

Met een diepe grauw ging hij op de pijn af en haalde die spijker voor spijker terug: eerst in zijn voet, toen in zijn elleboog, zij en been. Ten slotte vroeg hij zich af of er nog een plekje was dat géén pijn deed en huiverde bij de gedachte dat dat plekje, als het er was, nu vast aan de beurt was.

Blémont hurkte voor hem neer. 'We gaan zakendoen,' zei hij.

Dunphy keek weg.

'Er is een bankier in Santa Cruz,' vervolgde de Corsicaan. 'Iemand die ik ken. Hij kan het geld laten overboeken. Dat gaan we doen... en dan kun jij gaan.'

Oké, dacht Dunphy. Doen we even. Hij schudde zijn hoofd.

Blémonts glimlach verdween. 'Het is míjn geld, Jack.'

'Weet ik,' zei Dunphy. 'Maar op die manier krijg je het niet te pakken. Aan jou gaan ze het niet geven.'

De Corsicaan staarde hem aan. 'Waarom niet?' vroeg hij.

'Omdat het in een kluis zit,' legde Dunphy uit.

'Dan geef jij ons de sleutel,' zei Blémont.

Weer schudde Dunphy zijn hoofd. 'Ik kan je de sleutel geven, maar dat verandert er niets aan. Als je niet op de lijst van gemachtigden voorkomt, doet het er niet toe of je de sleutel hebt. Dan zou je een dwangbevel moeten kunnen laten zien.'

'Hoe weten zij...'

'Ze kijken naar je paspoort.'

Blémont dacht erover na.

'We kunnen samen gaan,' stelde Dunphy voor.

Blémont schudde zijn hoofd. 'Volgens mij ben jij moeilijk in toom te houden in het openbaar.'

'Het is de enige manier,' zei Dunphy tegen hem.

'O ja? En het méisje dan?' vroeg Blémont.

Dunphy deed alsof hij dat niet had gehoord. 'Ik zal niet moeilijk doen,' zei hij.

'En het meisje dan?' herhaalde de Corsicaan.

'Welk meisje?'

Dit keer zag hij hem aankomen en week zo ver achteruit dat de dreun afschampte en hem van opzij op zijn hoofd raakte.

'Zit me niet te jennen!' waarschuwde Blémont met uitpuilende ogen. 'Ik heb het over die hoer van je, Veroushka.'

'O,' zei Dunphy, die zijn hoofd schudde om het weer helder te krijgen. 'Zíj.'

Blémont strekte de vingers van zijn rechterhand en kalmeerde. 'In Zürich is ze voor jou naar de bank geweest,' zei hij bedaard, 'toen jij bij het hotel mijn vrienden had afgeschud.'

'Aan de Bahnhofstrasse,' zei de Spierbal. 'La Credit Suisse.'

'Dus haar naam staat erbij,' stelde Blémont vast.

Dunphy knikte. 'Ja,' zei hij. 'Je hebt gelijk. Was ik vergeten.'

'Dus kan zij het geld gaan halen.'

'Misschien kan ik haar bellen,' stelde Dunphy voor. 'Ze zal wel in The Tiller zijn... op nieuws zitten te wachten.'

Blémont lachte dunnetjes. 'Dacht het niet.'

'Als je bang bent dat de politie...' begon Dunphy.

Blémont schudde zijn hoofd. 'Het is altijd beter om je zaken persoonlijk af te handelen.'

In het uur erna gebeurden er drie dingen: de Spierbal ging een cassettedeck kopen. Dunphy kreeg de laatste knoop die zijn polsen samenbond los. En Luc gaf de geest.

Dit laatste vond zonder enige ophef plaats. In zijn leunstoel gaf Blémonts beul een krampachtige stuiptrekking ten beste en zonk toen met een zacht reutelend keelgeluid weer terug. Bij het horen van het fluisterende gerochel keerde Dunphy zich naar het geluid en zag nog net dat het gezicht van de stervende verslapte en zijn ogen wegdraaiden.

Blémont bleef met zijn rug naar het vertrek bij de werkbank staan. Dunphy schraapte zijn keel.

'Ik heb het gehoord,' zei de Corsicaan zonder zich om te draaien. 'C'est triste.'

Ongeveer tien minuten later kwam de Spierbal terug met een goedkope Sony met ingebouwde microfoon. Toen hij de Elzasser in zijn stoel zag liggen, liep hij naar de dode man toe en sloot zorgzaam zijn ogen. Toen draaide hij zich met een grauw om en vloog op Dunphy af – maar Blémont greep hem bij zijn arm en trok hem weg terwijl hij iets in het Frans fluisterde. Uiteindelijk knikte de Spierbal, ademde diep in en stootte een machtige ademtocht uit. *'Eh, bien,'* zei hij en hij leunde tegen de werkbank aan.

Blémont kwam met de recorder naar Dunphy toe. 'Oké,' zei hij, 'zo gaan we het doen. Jij zegt tegen je vriendin dat ze met Marcel naar Zürich moet. Als ze het geld hebben, laat ik je gaan. Tot die tijd blijf je hier bij mij.'

Dunphy bekeek het voorstel vanbinnen en vanbuiten. 'En als Marcel gewoon weggaat?'

Blémont verwierp dat denkbeeld met een krachtig hoofdschudden. 'Dat doet hij niet,' zei de Corsicaan. 'Ik weet hem te vinden. En hij weet dat ik dat weet, nietwaar, Marcel?'

Gegrom bij de werkbank.

'En nadat ik het bandje heb ingesproken,' zei Dunphy, 'dood je me niet, omdat... eh? Dat stukje ben ik vergeten.'

Blémont gebaarde ongeduldig, alsof het antwoord voor de hand lag. Toen Dunphy niet reageerde, zei de Corsicaan: 'Het geld!'

'Welk geld?' vroeg Dunphy verward.

'De rést van het geld... het geld dat je me schuldig bent. Je hebt het zelf gezegd: je hebt twintigduizend uitgegeven. Ik gok op tweeentwintigduizend. En ik heb het je gezegd: dat is nog maar het begin. De rente komt er nog bij... en de onkosten. Als we weten hoeveel er in Zürich is, weten we hoeveel jij nog moet bijbetalen.'

Hij heeft gelijk, dacht Dunphy. Als Blémont ooit al zijn geld wilde terugkrijgen, moest het van Dunphy komen – al zou dat nooit gebeuren. Hij had het niet. Maar dat wist Blémont niet.

'Akkoord,' zei hij. 'Ik doe het. Wat moet ik zeggen?'

'Dat je het goed maakt. Dat ze niet naar je op zoek moet. Vertel haar dat ze met Marcel naar Zürich gaat. Zodra ze hem het geld geeft... is het achter de rug.' Blémont keek Dunphy vol verwachting aan. 'Oké?'

Dunphy dacht erover na. Uiteindelijk knikte hij en Blémont hield het recordertje bij zijn mond. Toen drukte hij op de opnameknop en zei: 'Zeg het tegen haar.'

Nu was het Dunphy's beurt om zijn keel te schrapen. Ten slotte zei hij: 'Veroushka... Jack hier. Ik maak het goed, maar je moet iets voor me doen...'

Toen de opname klaar was, spoelde Blémont het bandje terug en legde het opzij. Toen wendde hij zich tot de Spierbal en knipte met zijn vingers. 'Nu kunnen we ter zake komen,' zei hij. Blémonts stemmingswisseling overrompelde Dunphy, maar de bedoeling ervan werd al snel duidelijk.

'Jij hebt geen geld, Jack... als je het wel had, was Kroll er wel achter gekomen. En ik durf te wedden dat er heel wat meer dan twintigduizend ontbreekt. Klopt dat?'

Dunphy's vingers rukten aan het koord achter zijn rug.

'Dus moeten we het uit jou zien te halen,' vervolgde Blémont, 'en aangezien het meer is dan je waard bent, vind ik dat we álles uit jou moeten zien te halen. Wat zeg jij, Marcel?'

De Spierbal grijnsde.

Blémont liep op zijn gemak naar de werkbank, waar een elektriciteitskabel klaarlag. 'Ophangen zou interessant zijn,' zei hij en hij liet vervolgens na een pauze de kabel vallen. 'Maar daarentegen...' De Corsicaan pakte een stuk pijp van tweeënhalve centimeter dik en zo te zien een centimeter of negentig lang. Dunphy dacht dat ze hem ermee dood zouden slaan – totdat hij zag dat er op een onderlinge afstand van circa dertig centimeter een paar verplaatsbare spanklemmen op waren gemonteerd. Het duurde even voordat hij begreep waar het instrument voor diende. Toen wist hij het. Het was een draagbare pijpklem, die timmerlui gebruiken om stukken hout samen te klemmen tot de lijm uitgehard is.

Blémont keek hem eigenaardig aan, alsof hij hem de maat nam; wat, besefte Dunphy algauw, inderdaad het geval was.

'Met dit ding kan ik je schedel openbreken,' zei Blémont tegen hem, terwijl hij de klemmen zo instelde dat Dunphy's hoofd erin paste. 'Welke maat heb je? Een zesenhalf?'

Het koord dat zijn polsen samenbond was praktisch los, maar het zat zo door elkaar dat Dunphy zijn handen niet helemaal kon bevrijden. Koortsachtig, maar zijn bewegingen tot een minimum beperkend, trok en plukte hij aan de lussen en stukken koord. Het zweet gutste hem over de wangen en langs de zijkanten van zijn gezicht.

Met een grimas wierp Blémont de pijp weer op de werkbank en pakte het spijkerpistool. 'Te veel werk,' zei hij. 'Maar hola, hiermee kunnen we een echte *pelote d'épingles* van je maken. Wat vind je?' De Corsicaan zwaaide het pistool in zijn richting en Dunphy kromp onwillekeurig ineen.

Hij had nog nooit van de term gehoord, maar in deze omstandigheden was het niet moeilijk om te raden wat een *pelote d'épingles* was.

'Honderd patronen,' ging Blémont verder, 'min of meer. Ach, minder, dat is zeker.' Hij klopte met het pistool op zijn linkerhandpalm. 'Hoe lang denk je dat het duurt totdat je doodbloedt... net als Luc daarginds?'

Dunphy's vingers wonden zich om het koord achter zijn rug. Het was nu los genoeg om de vingers van zijn rechterhand in de opeengestapelde lussen van het koord te schuiven – wat hij deed. Het duurde even, maar met een ruk was hij vrij; hij hield het koord op zijn rug vast en trok een zo onbewogen mogelijk gezicht.

En nu? vroeg hij zich af terwijl het opgetogen gevoel wegsijpelde. Ook als hij op zijn best was, zou hij aan Blémont zijn handen vol hebben. En op zijn best was Dunphy geenszins. Zijn neus was gebroken en hij had bloed verloren. Waar hij was geschopt, waren zijn ribben gebroken en zijn rug was zo pijnlijk dat hij bedacht dat hij wel eens een nierbloeding kon hebben. En dan had je die spijkers nog. Net als glasscherven maakten ze zelfs de geringste beweging pijnlijk. Blémont zou dus een probleem zijn als en wanneer dat aan de orde kwam (en dat zou gebeuren).

Wat de Spierbal betreft... jezus, dat was een expansievat vol spieren en testosteron. Om hem te overmeesteren moest je een olifantengeweer hebben.

Blémont wendde zich tot zijn handlanger. '*Dites-moi,*' zei hij. '*Que pensez-vous? Le pistolet ou la corde?*'

Met een glimlach gaf de Spierbal zachtjes in dezelfde taal antwoord. Dunphy kon niet verstaan wat hij zei, maar Blémont haastte zich het uit te leggen. 'Hij zegt dat we je niet moeten doden.' Schouderophalend legde Blémont het spijkerpistool op de kussens van een pompoenkleurige bank, deed vervolgens zijn armen over elkaar en keek toe.

Blémonts verwarring baarde Dunphy nog meer zorgen dan het spijkerpistool en zijn bezorgdheid sloeg om in angst toen de Spierbal een zaagpaard pakte dat hij het hele vertrek door droeg tot waar Dunphy zat. Nog altijd lachend zei hij iets in het Frans tegen Blémont, waarna hij het zaagpaard een meter of wat verder neerzette.

'Jouw Engels doet niet onder voor dat van mij,' zei Blémont tegen de Spierbal. 'Zeg maar tegen hem wat je tegen mij zegt.'

De Spierbal lachte en schudde zijn hoofd.

Blémont rolde met zijn ogen. 'Wat hij zei was dat hij op het zaag-paard je rug kan breken.'

Dunphy voelde zijn mond openvallen.

'Wat vind jij?' vroeg Blémont.

Dunphy's maag draaide zich om. 'Ik vind jou een zieke klootzak,' antwoordde hij en hij probeerde moed te verzamelen om in beweging te komen. Als hij snel genoeg was, haalde hij de deur misschien... en als hij geluk had, de andere kant van de drempel.

'Heb ik eerder gedaan,' legde de Spierbal uit. 'Op Cyprus, bij een weddenschap. Die hufter lag naderhand te spartelen, joh... net een vis.' Hij maakte een flapgebaartje met zijn hand.

Blémont kromp ineen.

'Als het gebeurt, is het net een schot! Pang!' De Spierbal sloeg bij wijze van illustratie zijn handen tegen elkaar. De luchtcompressor sloeg weer aan en Blémont verhief zijn stem om hoorbaar te blijven.

'Duizend franc,' riep de Corsicaan, 'als het je in één keer lukt.' Hij keek naar Dunphy. 'Wed je wel eens?' Dunphy staarde wezenloos terug. 'Nee? Nou, dat neem ik je niet kwalijk,' mompelde Blémont.

'Je merkt het wel,' brulde de Spierbal, die een stap in Dunphy's richting zette. 'Het werpen, daar komt het vooral op aan.' Hij bekeek zijn gevangene van top tot teen. 'Hoeveel weeg je?' De compressor sloeg af.

'Krijg de tyfus,' antwoordde Dunphy, rustiger dan hij had bedoeld.

'Een kilo of tachtig, denk ik.' De Spierbal wendde zich tot Blémont. 'Geen probleem. Ik kan honderd kilo aan, met gemak. Het zit 'm allemaal in hoe je 'm vastpakt.' Hij keek Dunphy recht aan en liet zijn stem dalen tot een gefluister: 'Je zult dit niet leuk vinden,' vertrouwde hij hem toe, 'maar je zult er nog een hele tijd over na kunnen denken.' Toen greep hij met zijn rechterhand Dunphy's riem vast. Met zijn linker pakte hij hem bij zijn kraag, ademde snel achter elkaar drie keer kort in, boog zijn knieën en leunde naar voren.

Als Dunphy nog een seconde had gewacht, was hij te laat geweest; dan zou de Spierbal hem boven zijn hoofd in de lucht hebben getild. Dan was het een kwestie geweest van langzaam draaien waarna het lichaam op het zaagpaard zou dreunen. Zijn wervelkolom zou als een potlood doormidden gebroken zijn.

Maar hij wachtte niet. Met een felle stoot dreunde zijn voorhoofd tegen de neusbrug van de Spierbal, wat diens tussenschot verbrijzelde, waarna hij met een hakbeweging en een achterwaartse slag de benen van de kolos naar opzij schopte. Blémont keek met open mond toe toen de Spierbal onderuitging en met armen en benen wijd op de grond belandde, terwijl op datzelfde moment Dunphy met een grauw van pijn uit zijn stoel opsprong en heftig uithaalde.

Zo heftig dat geen enkele slag doel trof, ofschoon de Corsicaan er wel door achteruit werd gedreven, deels van verbazing, deels door de woestheid van Dunphy's aanval. De twee mannen dreunden tegen de werkbank aan. Eén moment had Dunphy de overhand, maar dat moment bleef niet duren. Vanbinnen reten de spijkers hem open en de Corsicaan was fit en sterk. Dunphy voelde zijn kracht wegebben en intussen krabbelde de Spierbal grommend overeind.

Ik kan het niet, dacht Dunphy. Ik zit erdoor.

Hij greep Blémont bij de keel, maar de Corsicaan deelde klappen uit en een aantal daarvan was raak – op Dunphy's mond, oren, en een keer op de zachte massa van zijn neus. Toen bracht de Corsicaan zijn knie omhoog en begroef die hard en snel in Dunphy's kruis. Met een kreet van pijn rolde hij weg en Blémont raakte hem nogmaals, waardoor hij naar het uiteinde van de werkbank schoot. Terwijl hij met zijn linkerarm zijn val brak, zag Dunphy Blémont op hem afkomen en in een reflex greep hij het eerste stuk gereedschap dat zijn hand vond. Hij kwam omhoog met een hamer die hij in een boogworp liet gaan zodat de klauw, tot zijn verbazing, in de slaap van de Corsicaan terechtkwam.

Met een enigszins verrast gezicht hield Blémont halt en ging rechtop staan; de hamer hing aan de zijkant van zijn gezicht. Als een stier die nog niet weet dat hij dood is en in de arena staat met een zwaard door zijn hart, wankelde de Corsicaan. Toen gleden zijn benen onder hem weg en hij viel op de grond. Een stuiptrekking die hem van top tot teen deed rillen trok door zijn lichaam. Daarna lag hij stil.

De Spierbal kwam als een *nose tackle* op hem af, keihard en laag, met de bedoeling de Amerikaan op kniehoogte te grazen te nemen. Dunphy rolde naar rechts, om de werkbank heen, tastend naar een wapen – onverschillig welk – maar er lag niets. De Spierbal beukte met zijn schouder tegen de werkbank en schoof die tegen Dunphy aan of het een oefenzak was. Met een grauw krabbelde de Spierbal overeind en kwam veel sneller de hoek om dan Dunphy zelf kon opbrengen. Even keken ze elkaar aan terwijl de Spierbal de afstand tussen hen inschatte en het aantal passen dat nodig was om die te overbruggen – drie – en Dunphy zijn sterfelijkheid onder ogen zag.

Toen keerde hij zich naar de deur, maar voordat hij zijn voet van de grond had, was de Spierbal er al. En de woede van de Fransman was zo enorm dat hij begon te stompen in plaats van Dunphy bij de keel te grijpen en zijn nek te breken, wat hij gezien Dunphy's verzwakte conditie makkelijk had kunnen doen. Het gestomp kwam hard aan bij Dunphy, die tegen de muur en de werkbank aan stuiterde. Vervolgens werd hij opgevangen en als een winkelwagentje door het vertrek geduwd naar de pompoenkleurige bank, waar hij op en overheen donderde. De lucht klapte uit zijn longen toen zijn schouders de houten vloer raakten. In een duikvlucht kwam de Spierbal over de rugleuning van de bank heen om de ademloze Dunphy te pletten.

Ik ben er geweest, dacht hij en zijn handen fladderden. Rakelings gingen ze ergens langs, iets zwaars en hards; ze duwden het weg. *Spijkerpistool.* Maar waar?

De duimen van de Spierbal drukten op Dunphy's luchtpijp en het was net of de langzaam rondwentelende kamer donkerder werd. Dunphy's ogen puilden uit tot ze naar zijn gevoel zowat ontploften. Toen vond zijn hand het spijkerpistool terug en hij bracht het in een boog omhoog, duwde de loop tegen de gebroken neusbrug van de Spierbundel en...

Szzzunkk! Szzzunkk! Szzzunkk!

26

Hij wilde daar blijven liggen, op de vloer, tot hij genezen of gestorven was. Voor zijn gevoel was Dunphy gebroken, vanbinnen en vanbuiten, en was hier liggen het enige wat hij veilig kon doen. Maar na een poosje viel zijn oog op het *Contre la boue*-spandoek boven de werkbank en wist hij weer dat hij zich op vijandelijk terrein bevond.

Achter de frontlinie.

Hij duwde het levenloze lichaam van de Spierbal van zich af, ging moeizaam op handen en knieën zitten en kwam in het schemerdonker wankelend overeind.

Hij moest uren buiten westen zijn geweest. Het was nu bijna donker, waardoor zijn schaduw over de vloer tot halverwege de muur kwam. Hij gebruikte de meubels om zich staande te houden op zijn tocht langs het lijk van Blémont naar een telefoon die op een cilinderbureau in een hoek van de ruimte stond. Hij pakte de hoorn beet en toetste het nummer in van The Broken Tiller.

'Boylan.' De stem klonk zacht en zakelijk, bijna een fluistering, alsof de eigenaar ervan slecht nieuws verwachtte.

'Ik ben het,' zei Dunphy.

Er volgden een paar seconden stilte, en toen: 'Waar zit je?'

Dunphy dacht na. Keek om zich heen.

'Waar zit je?' herhaalde Boylan.

'Weet ik niet,' antwoordde Dunphy. En keek door de kamer. 'Bij een meubelstoffeerder.'

'Wáár?'

'Wacht even.' Een voor een trok Dunphy de lades van het bureau open totdat hij een stapeltje rekeningen had gevonden waar telkens dezelfde naam en adres op stond. 'Volgens mij heet het hier... Casa Tapizada. Saragossastraat. In Candelaria.'

'Volgens jou?'

'Ja. Zeker weten doe ik het niet.'

'Nou, vraag het dan aan iemand!'

'Dat kan niet.'

'Waarom niet?'

'Omdat ze dóód zijn. En zelf voel ik me ook niet zo lekker.'

Boylan, Davis en Clem deden er een halfuur over om er te komen en toen ze er waren, deinsde Clem terug voor het tafereel. De Elzasser met zijn helderrode gordel. Blémont met de hamer diep in zijn hoofd. De Spierbal.

En Dunphy zelf, de laatste die overeind stond en eruitzag alsof hij een zweefduik had genomen in een leegstaand zwembad.

'Jee-zus christus!' riep Tommy, die wit wegtrok toen hij zijn vriend tegemoet snelde. 'Wat is er gebeurd?'

'Gevallen,' zei Dunphy tegen hem.

Ze gingen met hem naar een bergdorpje waar Boylan een gepensioneerde gynaecoloog kende, een Schot die zijn inkomen aanvulde door af en toe een abortus te verrichten. De man diende Dunphy een flinke dosis niet-verslavende codeïne toe en verwijderde een voor een de spijkers uit zijn lichaam.

Aan de gebroken neus of ribben kon eigenlijk niets worden gedaan. 'Die neus geneest wel,' zei de arts tegen hen, 'en de ribben, ach... die lijken niets echt belangrijks te hebben doorboord, want dan zouden we er niet over praten. Dus alles bijeen is het maar niks om jou te zijn, maar je gaat er niet aan dood. Dat is in elk geval mijn prognose en daar blijf ik bij.'

De ware bron van zorg was infectie. Om hem daartegen te wapenen zette de arts Dunphy op een regime van zware antibiotica en installeerde hem onder Clementines hoede in een suite op de eerste verdieping van de villa.

Goedkoop was het allemaal niet. In ruil voor zijn beroepsmatige bemoeienis, gastvrijheid en zwijgen vroeg en kreeg de goede medicus vijfduizend pond. Clem zou veel liever met Dunphy naar het ziekenhuis in Santa Cruz zijn gegaan, maar daarvan kon geen sprake zijn. Het 'bloedbad in Candelaria' was voorpaginanieuws en alle kranten op de Canarische Eilanden waren geobsedeerd door het feit dat één Franse gangster was 'dood geniet', terwijl een andere was omgebracht met een hamer. Een Dunphy die dan bij de acute hulp kwam aanzetten terwijl hij eruitzag als een speldenkussen was geen goed idee. Dus logeerden ze in het huis van de arts in Masca, waar ze op het terras de tijd verdreven met lezen en schaken. Dunphy's verwondingen genazen goed, zonder te infecteren, alhoewel zijn neus een sterkere kromming vertoonde dan ervoor. En er werd ook vooruitgang geboekt bij hun gezamenlijke queeste om de moord op Leo Schidlof te doorgronden.

Terwijl ze op een avond omringd door bougainvillea op het terras sangria zaten te drinken, mopperde Dunphy tegen Clem dat 'we na alle ellende die we gehad hebben nog altijd op de vlucht zijn. We zijn niets dichter bij de waarheid dan een maand terug'.

'Dat is niet waar,' zei Clem. 'Je zei dat je in Zug veel over Dulles en Jung te weten bent gekomen...'

'En Pound,' vulde Dunphy aan. 'En dat er zoiets is als het Magdalena Genootschap. Maar daar komen we nergens mee. Het enige wat ik in feite heb gedaan is het aantal vragen waarmee ik ben begonnen, te verdubbelen: zoals wie is of was Gomelez? Hij moet inmiddels negentig of honderd zijn. En de *Apocryphon*, wat heeft die ermee te maken, om het over Schidlof maar niet te hebben. Het is net alsof ik de verkeerde vragen stel, want eigenlijk is het enige wat ik écht wil, teruggaan naar waar ik een halfjaar geleden was.'

'Nee, dat wil je niet,' zei Clem tegen hem.

'O nee?'

'Nee. Want je kunt niet terug... dat kun je nooit.'

'Waarom niet?'

'Nou, om te beginnen heb je je vriend... Roscoe.'

Ze had natuurlijk gelijk. Er stroomt voortdurend nieuw water door de rivier, en dat gold al helemaal als er stroomopwaarts iemand die je mocht was gewurgd. Dunphy zuchtte. 'En wat wil je daarmee zeggen?'

Clem schudde haar hoofd. 'Niets. Gewoon dat je... geen keus hebt. Dat hebben we geen van beiden.'

De dag voordat ze uit Masca vertrokken om naar Londen te gaan, waar Dunphy Van Worden hoopte te vinden, kwam Clem hem een brief brengen die ze bij het inpakken had gevonden. 'Dit zat in je broek,' zei ze toen ze hem overhandigde. 'Je hebt hem vast uit Zug meegenomen.'

Dunphy wierp een blik op het handschrift en knikte. Hij was hem bijna vergeten. De datum op de brief was 19 april 1946. 'Mijn beste Carl,' was de aanhef,

> ik moet me verontschuldigen voor de vertraging waarmee ik je laatste bericht beantwoord. Mijn broer en ik zijn vrijwel non-stop aan het werk geweest in onze poging de naoorlogse infrastructuur zodanig in te richten dat deze plaats biedt aan de geopolitieke doelstellingen die onze lotsbestemming zijn geworden. Jeruzalem teruggeven aan de joden is naar mijn mening een legitiem en eenvoudig te verdedigen oogmerk van de Amerikaanse buitenlandpolitiek... ongeacht hoe destabiliserend het op de korte termijn voor de regio zal zijn. Op het ethische vlak lijken we eveneens stand te houden en dat is natuurlijk altijd mooi meegenomen.
>
> De Europese eenwording is een heel ander verhaal. De sovjets zullen zich tot het uiterste inspannen om dat tegen te gaan en alles is dus in gereedheid gebracht voor wat beslist de volgende grote confrontatie zal worden. Dat wij daar als overwinnaar uit zullen komen betwijfel ik niet. Het is slechts een kwestie van diplomatie en oorlog.
>
> Een moeilijker taak is het collectieve onbewuste rechtstreeks te beïnvloeden door het propageren van de archetypische patronen die de *Apocryhon* beschrijft. Zion scheppen is één ding: dat is een natie, of zal er een worden, zoals er vele zijn. Maar hoe scheppen we een wereld als deze:
>
> > in de weilanden ligt het vee geslacht terneer,
> > het graan versleutelt zich in waanpatroon
> > en schimmen schitteren aan het uitspansel.
>
> Een buitenissige eis, maar naar mijn idee geen onmogelijke. We hebben in de oss een werkwijze ontwikkeld die psy-ops heet. (Mijn voorstel is dat je dit aan mij overlaat.)
>
> Allen

Dunphy las de woorden een tweede en een derde keer: *In de wei-landen ligt het vee geslacht terneer* – dat klopte. En hij herinnerde zich iets wat Gene Brading had gezegd: 'Tegen het einde van mijn diensttijd begonnen we met van die patronen... De Dienst noemde ze agrogliefen...' *Het graan versleutelt zich in waanpatroon...* En nog iets, iets wat hij had gezegd over Optical Magick: 'Medjugorje heb-ben ze ook gedaan. Roswell. Tremonton. Gulf Breeze.'

Dat hield in dat Dunphy gelijk had gehad. De twintigste eeuw was een lichtshow – een conglomeraat van special effects dat zich aanvankelijk voordeed als werkelijkheid en naderhand als geschie-denis.

En dat allemaal teweeggebracht door een handvol machtige man-nen met zeer merkwaardige ideeën. Maar waarom? vroeg hij zich af, terwijl hij over de bergen heen in de richting van Afrika keek. Waarvoor?

Ze vlogen op 1 juni naar Londen en gebruikten de valse documen-ten die ze bij Max Setyaev in Praag hadden aangeschaft. Dunphy was gewend om met een valse identiteit te reizen, maar Clem – die niet eens overstak als er geen zebrapad was – was zenuwachtig. En de rij bij de douane was er een die lang was en kronkelde, waar je een kwartier in stond, zodat Clem haar nieuwe identiteit als waai-er gebruikte toen ze uiteindelijk vooraan stonden.

'Nummer acht, juffrouw.'

Een wat oudere douanebeambte, een Sikh, gebaarde dat ze naar een van de twaalf verhogingen moest lopen, waar een veel jongere man met zijn stempels zat te hannesen. Dunphy stond versteld van de transformatie die zich bij hem voltrok toen Clem voor hem op-dook en hem lachend haar paspoort overhandigde. Dunphy kon niet horen wat er werd gezegd, maar dat gaf niets. Eén seconde later wa-ren ze al oude maatjes, hij straalde, zij giechelde – *knipoog, knipoog* – *Vooruit, daar ga je!* Binnen de kortste keren ging ze met de lift naar beneden, naar de bagagebanden in de douanezone. Toen was Dunphy aan de beurt.

De douanebeambte was een magere jongeman met kille, blauwe ogen en een donkere baard die als een schild om zijn mond heen zat en langs zijn kaak omhoogklom tot waar zijn bakkebaarden op-hielden. Na een verveelde blik op Dunphy's gebroken neus bladerde hij door de smetteloze bladzijden van de pas, op zoek naar stempels.

'Meneer Pitt,' zei hij, waarbij hij de naam uitsprak alsof hij een zaadje uitspuugde.

'Ja.'

'U komt uit...?'

'Tenerife.'

'Voor vakantie of voor zaken?'

'Een beetje van allebei.'

'En om wat voor zaken gaat het dan?'

Niets al te interessants, dacht Dunphy. 'Accountancy.'

De douanebeambte wierp een blik over Dunphy's schouder. 'U reist alleen?' vroeg hij met twijfel in zijn stem.

Dunphy knikte. 'Op dit moment wel, ja. Ik heb met vrienden afgesproken in Londen.'

'Akkoord.' De douanebeambte fronste zijn voorhoofd en gebaarde naar Dunphy's neus. 'Gevochten?'

Dunphy schuifelde met zijn voeten, niet erg op zijn gemak. 'Nee. Een overval.'

De douanebeambte trok een gezicht. 'Las Americas?'

Dunphy knikte. Dat was zo te zien wat de man wilde.

De douanebeambte schudde zijn hoofd. 'Spaanse klerelijers,' mompelde hij en hij liet zijn stempel met een dreun op het paspoort neerkomen. Toen gaf hij het terug en glimlachte. 'Welkom op de Britse eilanden, meneer Pitt!'

Het was niet moeilijk om Van Worden te vinden. De kiestonen op de bandopname wezen uit dat Schidlof lokaal had gebeld. Daarom was het voor Dunphy en Clem een fluitje van een cent om naar een internetcafé op de Strand te gaan en hem daar op internet op te zoeken.

En tot Dunphy's verrassing woonde de professor in Cheyne Walk, in Chelsea. Hij moest er wel honderd keer langsgekomen zijn bij het joggen.

'Ga je mee?' vroeg Dunphy.

'Natuurlijk,' zei Clem. 'Maar moeten we niet eerst even bellen?'

'Nee.'

'Waarom niet?'

Tja, waarom niet? Dunphy kon niet vaststellen of Schidlof Van Worden inderdaad had ontmoet, maar één ding was zeker: als hij hem belde, zou het niet lang duren of Van Worden wist van het overlijden van de professor. En die kennis zou hem wel eens huiverig voor afspraken met vreemden kunnen maken. 'We gaan hem gewoon verrassen,' zei Dunphy tegen haar.

Van Worden bleek de enige bewoner te zijn van de *Faery Queene*, een roestige woonboot die in de luwte van de Battersea Bridge lag afgemeerd. Dunphy, niet vertrouwd met de gang van zaken als je midden in de stad aan boord van een boot wilde stappen en niet van zins 'ahoy' te gaan staan roepen, ging Clem voor over de loopplank en aan dek. Bij een deur gekomen klopte hij er aarzelend op en wachtte. Toen er niemand opendeed, klopte hij nog eens, harder dit keer.

'Momentje!'

Een ogenblik later werd de deur opengerukt door een voornaam uitziende man van achter in de veertig met een glas rode wijn in zijn hand en een kretek tussen zijn vingers. 'U wenst?' vroeg hij terwijl zijn hoofd van Dunphy naar Clem en weer terug zwaaide.

'Ik ben op zoek naar Al Van Worden.'

'Ja-a?'

'Mijn naam is Jack Dunphy,' zei hij. 'Bent u...'

'Ja-a?'

'Tja, ik vroeg me af of we een... praatje konden maken. Het zal niet lang duren.'

Van Worden bekeek hen van top tot teen. 'Jullie zijn toch geen Jehova's getuigen, hè?'

Clem giechelde.

'Nee,' zei Dunphy. 'Absoluut niet. We zijn vrienden van professor Schidlof.'

Van Worden knipperde met zijn ogen. Nam een slok wijn. 'Degene die gestorven is.'

'Klopt.'

'En je zegt dat jullie vrienden van hem zijn?'

'Alleen in zekere zin. We gaan door met een onderzoek waar hij mee bezig was.'

Van Worden knikte, meer tegen zichzelf dan tegen Dunphy of Clem.

'Kan jullie helaas niet helpen.' En hij begon de deur dicht te doen.

'Eigenlijk,' zei Dunphy, die met zijn schoenpunt tegen de onderkant van de deur duwde, 'kunt u dat volgens mij wel. Schidlof vond dat ook.'

Van Worden keek naar Dunphy's voet en trok een gezicht. 'Raak er liever niet bij betrokken.'

'Daar kan ik inkomen, maar...'

'Sowieso tijdverspilling.'

'Hoezo?' vroeg Dunphy.

'Heb hem één keer gesproken. Nooit echt ontmoet.'

'Dat weet ik.'

Van Worden leek uit het veld geslagen. 'Is dat zo?' vroeg hij. 'En hoe weet je dat?'

Dunphy bedacht zich en vertelde hem de waarheid. 'Ik luisterde hem af.'

Van Worden zoog langdurig aan zijn sigaret en liet de rook door zijn neusgaten komen. Nam een slok wijn. 'Maar je bent niet van de politie,' zei hij.

'Nee,' antwoordde Dunphy. 'Dat niet.'

Van Worden knikte; hij wist Dunphy's openhartigheid te waarderen. Toen fronste hij zijn voorhoofd. 'Geef me eens één goede reden waarom ik met je zou moeten praten,' zei hij.

Dunphy dacht erover na en kon niets bedenken. Uiteindelijk kwam Clem naar de deur en keek hem met een vriendelijk smeltende blik aan. 'Het zou zo aardig zijn van u,' zei ze.

Van Worden schraapte zijn keel. 'Gelukt,' zei hij en hij hield de deur voor hen open.

Ze volgden Van Worden door een smalle gang waar zwart-witfoto's van middeleeuwse kerken en kathedralen hingen. Eerst kwamen ze langs een keukentje waar het naar gebakken brood rook en ze vervolgden hun route door een soort zitkamer vol boeken naar het dek buiten, waar stoelen stonden gegroepeerd rond een smeedijzeren tafel met glazen blad.

'Port?'

'Graag,' zei Dunphy. 'Daar heb ik wel zin in.'

'Clocktower. Niet slecht. Beste wat ik in huis heb, in elk geval.'

Van Worden schonk hun elk een glas in en gebaarde naar een kaasplankje. 'Maar da's verduiveld goeie Stilton. Pak gerust.'

Clem stond bij de reling en keek stroomopwaarts naar de Battersea Bridge. 'Wat een prachtige plek,' zei ze geestdriftig terwijl de golven van een voorbijvarende boot tegen de romp kabbelden.

'Kopen?'

Dunphy lachte. 'We zijn niet echt op zoek...'

'Ik geef je er een mooie prijs voor.'

'Spijt me.'

Van Worden haalde zijn schouders op. 'Kan 't je niet kwalijk nemen. Blok aan m'n been, joh.'

'Dus het bevalt u hier niet?' vroeg Clem.

'Nee.'

'Waarom niet?'

'Nou,' zei Van Worden, 'om te beginnen ben ik Arsenalsupporter. Ik heb er alles voor over om in het weekend een pilsje te gaan drinken.'

'Waarom hebt u hem dan gekocht?'

'Albert Hofmann,' antwoordde Van Worden.

Dunphy lachte, maar Clem schudde met gefronste wenkbrauwen snel even met haar hoofd.

'Heeft de LSD ontdekt,' legde Van Worden uit. Toen wendde hij zich tot Dunphy. 'Heb je verstand van machines?' vroeg hij.

'Nee,' antwoordde Dunphy.

'Ik ook niet – dan blijven we denk ik maar gewoon hier zitten.' De oudere man liet zich in een lindegroene Adirondackstoel vallen en gebaarde dat Dunphy en Clem hetzelfde moesten doen in de stoelen tegenover hem. 'Welnu,' zei hij, 'waar gaat dit allemaal over?'

Dunphy wist niet zeker hoeveel hij hem moest vertellen, dus viel hij met de deur in huis. 'Zoals Schidlof zei. We zijn geïnteresseerd in het Magdalena Genootschap.'

'Omdat...?'

'Nou, ten eerste omdat we er niet van overtuigd zijn dat het niet meer bestaat.'

Van Worden bromde. 'Nou, daar hebben jullie gelijk in,' zei hij. 'Het bestaat nog.'

Het was een onverwacht antwoord dat een verwarde frons op Dunphy's gezicht bracht. Hij probeerde zich de opname te herinneren die hij had beluisterd. 'Toen u Schidlof aan de telefoon had,' zei hij, 'leek u verbaasd toen hij suggereerde dat het genootschap er mogelijk nog was.'

'Ik wás verbaasd.'

'Maar dat bent u nu niet.'

Van Worden schudde zijn hoofd. 'Totdat dr. Schidlof werd vermoord, waren er alleen wat geruchten.'

'En zijn dood bracht daar verandering in?'

'Jazeker!'

'Waarom?' vroeg Clem.

'Door de manier waaróp hij doodging.'

'Hoe bedoelt u?' vroeg Dunphy.

Van Worden ging verzitten en leek van onderwerp te veranderen. 'Hoeveel weet je van het Magdalena Genootschap af?' vroeg hij.

'Niet veel,' zei Dunphy.

'Maar wel iets, toch.'

'Jawel.'

'Vertel mij dan eens iets wat ik niet weet,' drong Van Worden aan, 'om vast te stellen of je te goeder trouw bent.'

Dunphy dacht na. Ten slotte zei hij: 'Degene die aan het hoofd staat wordt de Stuurman genoemd.'

'Dat is geen geheim.'

'De Stuurman in de jaren dertig en veertig was Ezra Pound.'

Van Wordens mond viel open. 'De dichter?'

Dunphy knikte.

'Grote goden,' riep Van Worden uit. En toen wist hij het weer. 'Maar was Pound niet degene die...'

Dunphy knikte. 'In een gesticht terechtkwam? Dat was hij, ja. Maar dat was geen belemmering. Hij hield hof in de inrichting – ontmoette er wie hij wilde, deed wat hij wilde.'

'Echt waar?! Nou, het verbaast me niets,' merkte Van Worden op. 'Er zijn enkele Nautonniers geweest die dichter waren. Trouwens, krankzinnigen waren er ook bij.'

Het onderwerp kreeg Van Worden in zijn greep en hij vertelde dat hij voor het eerst in de Loge van Munsalvaesche (zoals het Magdalena Genootschap aanvankelijk heette) geïnteresseerd was geraakt toen hij een inleiding aan het schrijven was voor een bloemlezing uit de gnostische literatuur.

'Ogenblikje,' zei hij, 'die heb ik hier liggen.' Hij kwam overeind, ging naar binnen en keerde een paar seconden later terug met een boek dat *Gnostica* heette. Het was even dik als Dunphy's onderarm. 'Bij de interessantste documenten,' legde Van Worden uit, 'hoorden de pseudepigrafen. En het interessantst daarvan was de *Apocryphon van Magdalena.*'

Dunphy keek moeilijk. 'Wat was dat ene woord?'

'Welk?' vroeg Van Worden.

'Pseudo-nog-wat.'

'Pseudepigrafen?' vroeg Van Worden.

Dunphy knikte.

'Dat zijn evangelies die door bijbelse figuren zouden zijn geschreven,' zei de professor. 'Die waar het hier om gaat – de *Apocryphon van Magdalena* – is ongeveer duizend jaar geleden in de ruïne van een Iers klooster gevonden.' Hij sloeg het boek open op de betreffende pagina en gaf het aan Dunphy.

Dunphy las een paar regels en keek op. 'En het origineel was geschreven door Maria Magdalena?'

'Zegt men.' Van Worden legde vervolgens uit dat de *Apocryphon* een combinatie was van een dagboek en een almanak van profetieën en voortekenen, die als vertelling vele lacunes bevatte. Als dagboek zou het verslag doen van het geheime huwelijk tussen Christus en Maria Magdalena.

Dunphy maakte een sceptisch geluid.

'Het is niet zo vreemd als het klinkt,' hield Van Worden vol. 'In veel evangelies wordt Jezus een rabbijn of leraar genoemd – en dat zegt toevallig heel veel over zijn echtelijke staat.'

'Ik dacht dat werd verondersteld dat hij timmerman was,' zei Dunphy.

Van Worden schudde zijn hoofd. 'Een populaire misvatting. Het woord dat wordt gebruikt om hem te beschrijven betekent in feite "geleerde". Iemand die een officiële opleiding heeft gevolgd, zoals een rabbijn. En dat snijdt hout. Iedereen weet dat Christus een jood was en dat hij godsdienstonderricht gaf. Wat minder bekend is, is dat de misjna voorschrijft dat een rabbijn een echtgenote neemt, want "een ongehuwde man kan geen leraar zijn". Dus het denkbeeld dat Christus misschien getrouwd was – en als echtgenoot kinderen heeft verwekt – is minder controversieel dan het klinkt.'

'En zijn vrouw dan?' vroeg Clem. 'Zou de bijbel haar niet noemen als hij er een had gehad?'

Van Worden liet zijn hoofd van links naar rechts rollen. 'Als hij predikte zonder getrouwd te zijn, zou dat een schandaal zijn geweest – dan zouden we ervan gehoord hebben. In het andere geval is het onderwerp waarschijnlijk niet ter sprake gekomen. We hebben het tenslotte over het Midden-Oosten van tweeduizend jaar terug. Echtgenotes hadden in feite geen openbare rol. En over de vrouwen van de apostelen horen we toch ook niet veel? Terwijl het onwaarschijnlijk is dat zij geen van allen getrouwd waren... denk je ook niet?'

Daar had Dunphy niet bij stilgestaan, maar nu...

Na de kruisiging, vervolgde Van Worden, en toen ze zwanger was van Christus' kind, was Magdalena de zee op gestuurd in een boot zonder zeilen of riemen. 'Volgens diverse bronnen – en er zíjn diverse bronnen – werd ze vergezeld door Martha, Lazarus en Jozef van Arimathea. Er schijnt een storm te hebben gewoed die enige tijd aanhield, waaruit zou voortvloeien dat deze werd veroorzaakt door engelen die de demonen bevochten die haar achtervolgden. In elk geval bereikte ze veilig Marseille. En daar baarde ze Mérovée. Een zoon.' Van Worden glimlachte en vulde hun glazen bij. 'Interessant verhaal, nietwaar?'

Clems ogen waren reusachtig. 'En verder?' vroeg ze.

'Nou, vérder zijn er een heleboel profetieën – als je Openbaringen hebt gelezen weet je wel waar ik op doel.'

'Maar hoe gaat het verder met Mérovée?' drong Clem aan. 'Wat gebeurde er met hém?'

'O, met hem ging het voor de wind, hoor. Heeft de dynastie van de Merovingers gesticht.' Van Wordens wijsvingers kromden zich tot aanhalingstekens. 'Dynastie der Langharigen.'

'Waarom noemden ze hen zo?' vroeg Clem.

'Blijkbaar knipten ze hun haren nooit.'

'Waarom niet?' vroeg Dunphy zich af.

'Er zat toverkracht in – in hun haar, in hun adem, in hun bloed.' Van Worden zweeg even. 'Luister,' zei hij, 'we hebben het over legendes. Dit was het Arthurtijdperk... het tijdperk van de Graal, die afhankelijk van met wie je praat, een schotel was – of een stamboom.'

'Hoe bedoel je, een stamboom?' vroeg Dunphy.

'Precies zoals ik het zeg: een stamboom. Dé stamboom. De stamboom van Christus. Het *sang reél*. De verhalen die we hebben over de Merovingers laten doorschemeren dat ze evengoed tovenaars waren als koningen. Magische wezens.'

'Hoe dat dan?' vroeg Clem.

Van Worden glimlachte en stak een sigaret op. 'Nou, naar verluidt konden ze zieken genezen door handoplegging. En de doden weer tot leven wekken met een kus. Ze praatten met de vogels, vlogen met de bijen, jaagden met beren en wolven. Zij bepaalden het weer en... tja, wie zal het zeggen? Het was een heel mysterieuze periode.' Van Worden wachtte even en voegde er toen aan toe: 'Sommigen zouden zeggen: een bewúst mysterieuze periode.'

'Wat bedoel je?' vroeg Dunphy.

Van Worden leek niet op zijn gemak. 'Nou... er zijn mensen – historici zou ik ze niet noemen – maar er zijn mensen die vinden dat de duistere middeleeuwen niet gewoon plaatsvonden. Ze zeggen dat het een gouden eeuw was, die ons vandaag de dag duister lijkt omdat onze kennis over het tijdperk op de achtergrond is geraakt. Het tijdperk werd in duisternis gehuld omdat... tja, omdat bepaalde instituties dat wilden.'

Dunphy herinnerde zich dat hij daar iets over in *Archaeus* had gelezen. 'Over wie heb je het?' vroeg hij.

'Over *Rome*. Rome was de conservator van de westerse geschiedenis. De kerkvaders schreven haar, conserveerden haar... en als het hun agenda te pas kwam, wisten ze haar volledig uit.'

Clementine staarde hem aan. 'Je bedoelt... net als de Sovjet-Unie? Zoals ze daar mensen van foto's lieten verdwijnen?'

Van Worden haalde zijn schouders op.

'Dus jij zit me te vertellen dat de Kerk driehonderd jaar Europese geschiedenis heeft verduisterd?' vroeg Dunphy.

Van Worden schudde zijn hoofd. 'Dat is een samenzweringstheorie, meer niet. Ik vertel je gewoon wat anderen hebben gezegd. Maar zo verbazingwekkend is het in feite niet. Kijk maar eens naar wat de jezuïeten met de geschiedenis van de Maya's hebben gedaan.'

'Wélke geschiedenis van de Maya's?'

'Dat bedoel ik, ja.'

'Maar waarom zou de Kerk zoiets dóén?' vroeg Clem.

'Volgens de theorie?'

'Ja.'

'Om de herinnering uit te wissen aan een gouden eeuw waar ze geen band mee had en om de "vuile oorlog" te verdoezelen die aan het tijdperk een einde had gemaakt.' Toen hij Dunphy's verwarring zag, ging Van Worden er dieper op in. 'Door alleen maar zichzelf te zijn, waren de Merovingers de vleesgeworden ketterij. Hun claim dat ze kinderen waren van God – letterlijk Zijn zoons en dochters – maakten ze alle andere tronen en seculiere autoriteiten irrelevant of onwettig. Wie heeft er behoefte aan een paus of een Rome als Gods eigen zoon (of kleinzoon) op een troon zit in Parijs? Het was de gevaarlijkste ketterij uit de geschiedenis. En om die reden werden de Merovingers gekidnapt, omgebracht en verraden totdat uiteindelijk bijna elk spoor van hun heerschappij was uitgewist. In feite verdwenen ze uit de geschiedenis...'

'Totdat de *Apocryphon* boven water kwam,' zei Dunphy.

'Precies. En toen de *Apocryphon* dezelfde ketterij aan het licht bracht, moest dat licht uiteraard ook gedoofd worden... en dat gebeurde ook. De cultus werd meedogenloos onderdrukt totdat er uiteindelijk niets meer van over was dan een geheim genootschap, een voortvluchtige samenzwering.'

'Maar wat beoogde die samenzwering dan?' vroeg Dunphy.

'Het duizendjarige vrederijk teweegbrengen,' antwoordde Van Worden. 'Wat anders?'

'En hoe wilden ze dat doen?' vroeg Dunphy.

'Zodra de profetieën waren uitgekomen, zou dat een voldongen feit zijn.'

'En dat zijn de profetieën...'

'... in de *Apocryphon*,' antwoordde Van Worden.

'Je bedoelt die over het graan dat zich versleutelt,' zei Dunphy. 'En het uitspansel...'

'Je kent ze dus!' riep Van Worden uit.

Dunphy haalde zijn schouders op. 'Ik heb er verwijzingen naar gezien.'

'Natuurlijk waren niet alle profetieën zo... poëtisch. Sommige waren heel exact.'

'Zoals?'

Van Worden haalde zijn schouders op. 'Deze landen zullen dan één zijn,' zei hij.

'Is dat exact?'

'Zo exact als bij deze zaken kan. Het is een verwijzing naar een tijd waarin de Europese naties een unie zullen vormen – één enkel land, als het ware. En dan heb je Israël nog, waarover wordt gezegd: 'Zion herboren in de nasleep der ovens'. Nogal frappant, vind je ook niet?'

Dunphy knikte.

'Voor zover de profetieën ook voorschriften zijn,' voegde Van Worden eraan toe, 'lijkt het Magdalena Genootschap een van de eerste zionistische organisaties van Europa te zijn geweest. Misschien wel de eerste.'

Dunphy knabbelde aan een stukje Stilton, dat hij met de Clocktower wegspoelde. 'Dus wat is ermee gebeurd?'

'Totdat ik hoorde hoe Schidlof is gestorven, meende ik dat de enige overblijfselen ervan de zwarte Maagden waren die je in kerken vindt als die van Montserrat.'

Dunphy en Clem keken elkaar aan. 'Wat bedoel je?' vroeg Clem.

Van Worden haalde zijn schouders op. 'Het zijn beelden van een zwarte Madonna, soms met kind – dat ook zwart is. De Kerk wil er niets van weten, maar je vindt ze overal in Europa.'

'En waarom is ze zwart?' vroeg Dunphy.

Van Worden lachte. 'Dat zwarte is net een code. Want het is niet de maagd Maria die Jezus vasthoudt, het is Magdalena met Mérovée in haar armen. Het is een van de laatste restanten van een geheime kerk... de Merovingische kerk die het Vaticaan probeerde te vernietigen.'

Dunphy kwam uit zijn stoel en liep naar de reling. De zon was naar rechts gegaan, waar hij onderging achter de rookpluimen van een fabrieksschoorsteen aan de noordelijke Theemsoever.

'Je zei iets over de manier waarop Schidlof stierf,' zei Dunphy. 'Wat bedoelde je daarmee?'

'Alleen dat ik, toen Schidlof belde met vragen over het Magdalena Genootschap, hem heb verteld dat ze al lang niet meer actief waren. Hij suggereerde dat dat niet zo was en ik had afgesproken dat we elkaar zouden treffen... maar alleen uit collegiale beleefdheid. Ik was er zeker van dat hij zich vergiste. Maar toen ik las hoe hij was gestorven en waar hij gevonden was – in de Inner Temple – besefte ik dat ik me had vergist.'

'Hoe? Wat was er met zijn dood waardoor je dacht...'

'Het was een rituele moord. Zo heeft de Loge altijd al met zijn vijanden afgerekend. Ik zou je wel twaalf namen kunnen geven van mensen die zo zijn gestorven, tot aan de veertiende eeuw, en stuk voor stuk vormden ze een bedreiging voor wat jij het Magdalena Genootschap noemt.'

'Maar waarom?' vroeg Clem. 'Waar zijn ze op uit? Wat kunnen ze vandaag de dag in vredesnaam willen?'

'Een Europese troon voor de afstammelingen van Mérovée.'

'Afstammelingen?!' riep Dunphy uit. 'Hoe kun je nou weten...'

'Er zijn genealogieën,' vertelde Van Worden hun. 'Napoleon heeft er een laten maken. Voor zover ik weet kunnen er ook andere zijn.'

'Napoleon?!'

Van Worden maakte een gebaar. 'Hij was de Bourbons aan het onderwerpen en vond het denk ik zinvol hen af te schilderen als de usurpators van een oudere dynastie. En het kwam zeker van pas: Bonapartes tweede vrouw was zelf een Merovingische.'

'Maar dat was tweehonderd jaar geleden,' zei Dunphy. 'Zijn er nog Merovingers over?'

Van Worden fronste zijn voorhoofd. 'Zou 't niet weten,' zei hij. 'Daar moet je denk ik voor bij Watkin zijn.'

'Watkin? Wie is Watkin nu weer?'

'Genealoog. Woont in Parijs. Weet wie wie is.'

'Echt!' zei Dunphy.

'Mmmm... wacht even. Misschien heb ik wel iets voor jullie.' Van Worden kwam overeind en ging naar binnen. Dunphy en Clem hoorden hem rommelen in iets wat klonk als een archiefkast. Ten slotte kwam hij weer naar buiten met een opengeslagen tijdschrift. 'Dit is 'm,' zei hij en hij overhandigde hem het blad.

Dunphy keek naar het bijschrift – *Georges Watkin* – en toen naar de kop boven het artikel: 'De Magdalena-cultivar: oude wijn uit Palestina'. 'Krijg nou wat,' zei Dunphy. 'Het is *Archaeus*.'

Van Worden keek verrast. 'Heb je het dan al wel eens gezien?'

'Ik heb een tijdje een exemplaar gehad,' zei Dunphy tegen hem. 'Maar dat ben ik kwijtgeraakt.'

'Nou, met die oude Watkin wordt jullie gebed misschien wel ver-

hoord,' zei Van Worden tegen hen. 'Maar toch, Watkin kennende...
hij zou wel eens in een heel andere kerk kunnen bidden. Als jullie
hem gaan opzoeken, zullen jullie op je tellen moeten passen...

27

De avond brachten ze door in de trein, ze reisden per Eurostar van Waterloo Station naar het Gare du Nord. Toen ze daar kort na negen uur 's avonds aankwamen gingen ze per taxi naar het Quartier Latin en legden vervolgens het stukje naar het Île St. Louis te voet af. Daar vonden ze op de Quai de Béthune een chic hotelletje. De receptionist wierp een sceptische blik op Dunphy, wiens gebroken neus op moeilijkheden leek te duiden, maar hij was zeker zo overrompeld door Clem als achterdochtig jegens haar geliefde. Onder het gemompelde gemopper van de conciërge, een uitgemergeld vrouwtje met rouge op haar wangen, wat Dunphy deed denken aan het circus, werd er op de tweede etage een suite voor hen gevonden.

Waarom ook niet? Hij kostte vijfhonderd dollar per nacht.

'We nemen hem,' zei Dunphy en hij betaalde vooruit – contant.

Het was een verrassend grote suite voor Parijs, met okerkleurige wanden, berbers op de vloer en zwart-witfoto's van jazzmusici aan de muren. Clem liet het bad vollopen terwijl Dunphy bij de open ramen stond en een flesje 33 dronk terwijl hij uitkeek over de linkeroever van de Seine. Hij had de indruk dat hij met de helft van de Parijse daken op ooghoogte stond.

Het duurde niet lang of er golfden wolken stoom uit de badkamer en de lucht raakte doortrokken van de geur van Badedas. Op de achtergrond hoorde Dunphy het water in het bad stromen en net iets luider Clems stem, die een oude Stealers Wheel-song neuriede. Hij kende de woorden nog uit de film:

Clowns to the left of me
Jokers to the right.

Dunphy liep de kamer door naar het bad en leunde tegen de deurpost. Inmiddels lag Clem er languit in en liet haar tenen de warm- en koudwaterkranen manipuleren. Puur genot.

'Clem, liefje,' zei Dunphy.

'Hmmm?'

'Ik moet even weg.'

Haar ogen sprongen open. 'Wat?' Haar voeten vielen in het water en ze ging omringd door schuim rechtop zitten.

'Ik moet Max bellen. En van hieruit wil ik dat niet doen.'

'Maar...'

'Het kan even duren... dus blijf maar niet op me wachten.'

Voordat ze kon tegensputteren had hij zich **al** omgedraaid en was vertrokken.

Het kostte hem bijna een uur om een kiosk te vinden waar internationale telefoonkaarten werden verkocht. Dunphy kocht er een voor honderd franc en liep verder tot hij een telefooncel vond naast een *boulangerie* waarvan de rolluiken waren neergelaten. Om kwart over elf kwam de verbinding tot stand.

Max nam bij de derde kiestoon op met een uitgeput gemompel. 'Unh?!'

'Max!'

'Ja, oké...' De Rus klonk slaperig. 'Met wie spreek ik?'

'Met Harrison Pitt, Max!' zei Dunphy. 'Je oude kameraad.'

Er viel een korte stilte waarin Dunphy de radertjes in het hoofd van de Rus kon horen draaien. Vervolgens: 'Ja, hé, Harry! Hoe is het ermee?'

'Uitstekend...'

'Uitstekend?'

'Ja, maar... ik wil niet te lang aan de lijn blijven, oké?'

'Ja, dat spreekt... ik weet hoe druk je het hebt.'

'Goed. Is er nog iemand bij je langs geweest vanwege mij?'

'Alleen die ene keer. Ik heb je verteld...'

'Dat bedoel ik niet,' zei Dunphy. 'Ik bedoel na onze laatste transactie.'

De Rus reageerde onmiddellijk. 'Nee. Er is niets.'

Als Max ook maar een ogenblik had geaarzeld, zou Dunphy meteen hebben opgehangen. In plaats daarvan zei hij: 'Goed.'

'Wat moet je hebben?'

Het was tegen zijn principes om het door de telefoon te zeggen, maar: 'Ik wil een pistool kopen.'

'Maar ik heb geen pistolen. Wapenvergúnning kan ik maken – elk land – ook het Vaticaan – geen probleem...'

'Dat weet ik, Max. Maar wat ik wil zeggen is dat ik een naam moet hebben. Weet jij iemand in Parijs...'

'Wacht even.' Er klonk een zacht gekletter toen Max de telefoon op een hard tafeloppervlak legde. Toen het geluid van houten lades die open- en dichtgeschoven werden. Een gedempte vloek. Hetzelfde gekletter. En vervolgens: 'Oké, is goede vent. Oekraïner, net als ik. Maar rare, weet je.'

'Wat?'

'Hij is rare!'

'Je bedoelt dat hij getikt is?'

'Nee. Flikker. Is erg?'

Dunphy schudde zijn hoofd, vergetend dat hij aan het bellen was. 'Nee, dat is niet erg. Hoe heet hij?'

'Azamov. Sergei Azamov. Is handdoekenjongen...'

'Wat?'

'Handdoekenjongen,' hield Max vol. 'Je vindt hem in Chaud le Thermos. Ken je dat?'

'Nee,' zei Dunphy, 'dat ken ik niet.'

Max liet een kakelend lachje horen. 'Je weet maar nooit,' zei hij. 'In de Rue Poissonnière, bij de metrohalte om de hoek. Bonne Nouvelle heet het daar, geloof ik.'

'Dus die kerel... hè? Werkt hij 's nachts?'

Max lachte. 'Wat denk je? Die tent is alléén 's nachts.'

Het duurde even voordat Dunphy een taxi had gevonden en toen dat was gelukt, kreeg hij het niet voor elkaar om zijn precieze bestemming te onthullen. Dus zei hij tegen de chauffeur dat hij hem naar Métro Bonne Nouvelle moest rijden.

Het was bijna middernacht toen de taxi hem afzette, maar hij vond het badhuis meteen door het spoor te volgen van weggegooide latex handschoenen. Het was een vervallen pand van roodbruine zandsteen met verduisterde ramen en een afbrokkelend cementen bordes tussen het trottoir en een onopgesmukte ijzeren deur. Naast de deur hing een bord zoals je dat wel bij plattelandskerkjes ziet, met plastic lettertjes die op een zwarte achtergrond de preek van die dag uitspellen. Dit stond erop:

CHAUD LE THERMOS

SAUNAS ET BAINS

CLUB PRIVÉ

Een te behaarde man van middelbare leeftijd, gekleed in laarzen, spijkerbroek en een mouwloos canvas shirtje, zat buiten een sigaret te roken en te praten met een Algerijnse jongen die er te jong uitzag voor een rijbewijs. Ze keken vluchtig naar Dunphy toen hij langsliep, maar zeiden niets.

Toen Dunphy naar binnen stapte, liep hij tegen een golf van vochtigheid aan en de niet onaangename geur van stoom. Vlak achter de deur zat een oude man aan een gehavende oude tafel een vertaalde roman van W.H. Hudson te lezen.

'*C'est privé*,' zei hij.

'Ik zoek iemand,' zei Dunphy tegen hem.

Even was het kunstgebit van de oude man te zien. 'Dat doet toch iedereen?' vroeg hij.

Dunphy incasseerde het grapje met een glimlach. 'Sergei Azamov.'

De oude man knikte. 'Je bent niet van de politie,' zei hij.

'Nee,' antwoordde Dunphy.

'Want je ziet er niet als politie uit.'

'Dank je.'

'Hij is beneden, maar je moet eerst lid worden.' Hij duwde een register naar Dunphy toe. 'Honderd franc.'

Dunphy telde de bankbiljetten neer en schreef zich in.

Eddie Piper Great Falls, USA

De oude man schoof het geld in zijn bureaula, haalde een stapeltje lidmaatschapskaarten tevoorschijn en vulde er met balpen een in. Toen hij klaar was, gaf hij het kaartje aan Dunphy en deed er een paar opgevouwen witte handdoeken bij. 'Kluisjes zijn niet inbegrepen,' zei hij tegen hem. 'Je moet er wel een nemen.'

'Waarvoor?' vroeg Dunphy.

'Je kleren.'

'Komt wel goed,' antwoordde Dunphy. 'Ik probeer gewoon mijn broek aan te houden.' Toen keerde hij zich om en ging langzaam de trap af. Terwijl hij dat deed, werd de lucht nog wat zwaarder, zodat hij na een paar treden een claustrofobisch gevoel kreeg. Warmer was het hier ook, en slecht verlicht, en na nog geen minuut stond het zweet al op zijn voorhoofd. Bij de begane grond aangekomen, bleef hij onder aan de trap even staan en tuurde de schemer in.

Het duurde een momentje totdat zijn ogen eraan gewend waren en hij zag dat hij zich in een kleine kleedkamer bevond. Pakweg vijfentwintig kluisjes langs een muur, een paar banken en een wand met eenpersoonsdouches met ranzige plastic gordijnen. Achter de douches lag een sauna en daarachter een groot stoombad.

Een mannetje met een perfect gebeeldhouwd lichaam kwam uit het stoombad met een handdoek om zijn schouders en trippelde stilletjes de sauna in. Een naakte vijftiger met een flinke pens liep langs met zijn hand in de nek van een Clark Kent-lookalike die zich overdadig had toegerust met een bril met schildpadmontuur.

Wat nu? vroeg Dunphy, die zich ernstig te warm gekleed voelde, zich af. Achter zijn rug steeg een zucht op en toen Dunphy zich omdraaide zag hij een man op zijn buik op de houten bank liggen met enkel een handdoekje onder zijn hoofd. Naast hem op de vloer stond een potje Crisco naast een exemplaar van *Blue Boy*.

'Yo, Sergei!' brulde Dunphy zo hard hij kon. 'Sergei Azamov! Ik zoek Sergei "de Oekraïener" Azamov! Wie heeft...'

Na ongeveer drie seconden dook Azamov op. Hij kwam uit een kamertje ergens achterin en trok een gezicht alsof Dunphy net tegen zijn banden had staan pissen. *'Qu'est-ce que tu fous?'* vroeg hij terwijl hij op Dunphy af stapte als een chagrijnige uitsmijter, wat hij in feite ook was.

Dunphy stak zijn handen omhoog. 'Vriend van Max,' zei hij.

Azamov hield op zo'n vijftien centimeter van Dunphy's neus halt. Hij had lang piekhaar, schitterende blauwe ogen en een diamanten oorbelletje. 'Wie is Max?' vroeg hij.

'Setyaev. Ik heb gehoord dat hij een vriend van je is.'

Azamov nam hem op van top tot teen. 'Wat is er met je neus?'

Dunphy haalde zijn schouders op. 'Een klap gehad.'

Azamov glimlachte. 'Je moet op karate gaan. Jezelf leren verdedigen.'

'Goed idee,' zei Dunphy. 'Doe ik.'

'Ik krijg nog een hoop geld van Max, weet je,' zei Azamov tegen hem.

Dunphy keerde zijn handpalmen naar het plafond. 'Misschien kan ik daarbij helpen.'

Azamov deed een stap achteruit. Toen keerde hij zich om, boog zich voorover en gaf de Crisco-man een tik op zijn billen. *Dégagez,*' beval hij. Met een geërgerde blik kwam de man overeind, pakte het potje glijmiddel en schuifelde de kamer ernaast in. 'Waar ben je naar op zoek?' vroeg Azamov met zachte stem.

'Ik moet een wapen hebben,' zei Dunphy tegen hem.

De Oekraïner kromp ineen. 'Een wapen kan me in moeilijkheden brengen. Waarom word je niet gewoon stoned?'

'Ik kan je betalen wat het kost,' verzekerde Dunphy hem.

Azamov liet zijn hoofd van de ene kant naar de andere gaan. 'Wat voor wapen?' vroeg hij.

'Iets draagbaars,' zei Dunphy tegen hem. 'Maar groot genoeg om iemand meteen neer te leggen.'

Azamov knikte bedachtzaam.

'Heb je zoiets?' vroeg Dunphy.

'Misschien. Wanneer moet je het hebben?'

'Meteen.'

Azamov haalde zijn schouders op. 'Je weet dat ik Max ga bellen, hè.'

'Daar zit ik niet mee,' antwoordde Dunphy. 'Wil je zijn nummer?'

Azamov schudde zijn hoofd. 'Waar logeer je?' vroeg hij.

Dat vertelde Dunphy.

'Oké. Als ik iets kan krijgen, kom ik morgen langs. Vroeg in de middag.'

De Oekraïner was een man van zijn woord. Om een uur stond hij bij het hotel met een nieuwe leren aktetas. Clem was naar een tentoonstelling van Matisse in het Centre Pompidou. Azamov ritste de tas open en haalde er drie in kaasdoek gewikkelde pakketjes uit waarvan er een groter was dan de andere, en legde ze voor Dunphy op de salontafel. 'Dit moet me twee mille opleveren,' zei hij. 'Inclusief aktetas.'

'In francs?' vroeg Dunphy.

Azamov glimlachte. 'Wat dacht je dan?'

'Dat weet ik niet,' antwoordde Dunphy. 'Ligt eraan wat erin zit. Misschien is het wel een startpistool.'

'Dat is het niet,' zei Azamov.

Dunphy pakte het grootste pakketje, dat opvallend licht aanvoelde, en wikkelde het langzaam open. Het bevatte de tegenpool van een startpistool: een Glock 17 met een 10,5 cm lange loop. Hij schoof het magazijn heen en weer, richtte op een foto van Dizzy Gillespie en haalde de trekker kort na elkaar drie keer over. *Klik! Klik! Klik!*

'Wat is er met de trekker aan de hand?' vroeg hij.

'Die heeft een verzet van maar anderhalve kilo,' legde Azamov uit. 'Is van een vrouw geweest. Ze was niet erg sterk. Zal ik hem bijstellen?'

'Nee, het is goed zo,' antwoordde Dunphy, die het kaasdoek van de andere pakketjes verwijderde. Ze bevatten allebei een vijftienschots-cilinder van 9 mm-patronen.

'Het is duur, dat weet ik, maar... je ziet dat het geen rotzooi is. Het is een goed apparaat.'

Dunphy knikte en kwam overeind. Hij liep naar de commode, haalde een stapeltje bankbiljetten uit de bovenste la en telde tweeduizend pond neer in briefjes van honderd. Die hij vervolgens aan Azamov gaf.

De Oekraïner nam het geld aan zonder het na te tellen en propte het in de zak van zijn leren jack, alsof de biljetten papieren zakdoekjes waren. Toen stond hij op om weg te gaan.

'Heb je Max gesproken?' vroeg Dunphy.

Azamov knikte. 'Ja,' zei hij. 'Ik maakte hem wakker. Hij was nijdig.'

'En wat zei hij?' vroeg Dunphy.

'"Kalmpjes aan." Dat moest ik van hem tegen je zeggen.'

Die avond lag Clem in bed het kruiswoordraadsel in de *Herald Tribune* op te lossen terwijl Dunphy bij het raam stond en naar de lichtjes op de rivier keek.

'Waar denk je aan?' vroeg Clementine terwijl ze rechtsboven in de puzzel een woord opschreef.

Dunphy schudde zijn hoofd.

'Kom op,' zei ze. 'Je kunt niet níét denken.'

Na een snelle blik op haar keek Dunphy weer naar het water. 'Ik dacht net aan... hoeveel geluk we hebben gehad.'

Zonder haar hoofd op te tillen keek Clem naar hem op. 'Moet dat een grapje wezen?'

'Nee.'

'Want me dunkt dat je hard bent aangepakt. Spijkerhard, zou ik haast zeggen.'

'Ooo...'

'Sorry, de verleiding was te groot.'

'Wat telt is dat we er nog steeds zijn. De Dienst heeft ons niet gevonden.'

'Ze hebben míj gevonden.'

'Ja, maar dat was toen. We zijn ontsnapt. Ze hebben ons niet nóg eens gevonden.'

'Omdat we voorzichtig zijn geweest.'

'Of geluk hebben gehad,' zei Dunphy. 'De middelen die zij hebben... daar kun jij je geen voorstelling van maken.'

'Zoals?'

'Weet ik 't... zoals Echelon.'

'Wat is Echelon?' vroeg ze.

Dunphy aarzelde. Echelon was een van de zorgvuldigst bewaarde geheimen van de inlichtingenbranche. Niet iets waar je buiten het hoofdkwartier openlijk over praatte. Toen moest hij om zichzelf lachen. Ze proberen me te vermoorden en ik maak me druk om OpSec? 'Het is een verzamelsysteem,' vertelde hij haar. 'De Dienst geeft een woordenlijst aan de NSA...'

'Die ken ik ook niet, hoor.'

'De National Security Agency – de nationale veiligheidsdienst, dus. De grootste dienst van de inlichtingenbranche. De NSA onderschept alle elektronische communicatie op de hele wereld... álle. Ongelogen.'

'Dat kan niet.'

'Dat kan wel,' zei Dunphy. 'Elk telefoongesprek, elke fax en elke e-mail wordt door het systeem gefilterd. Elke telegrafische overboeking en ticketreservering, alles wat een satelliet krijgt ingevoerd en wat een radio uitzendt. Het wordt allemaal onderschept en door een gigantische filter gehaald: Echelon.'

'En wat doet die?'

'Er is een controlelijst met woorden en uitdrukkingen en Booleaanse operatoren zoals *and, or* en *not*. Als er lijstwoorden worden aangetroffen...'

'Welke woorden? Waar komen die vandaan?'

'Van een heleboel bronnen. De operationele divisie van de CIA, de embargodiensten van het ministerie van Handel, de DEA-unit die op het bankwezen toeziet, het contraterrorismecentrum van de FBI. En dat zijn wij dan nog maar. Dan krijg je nog de bondgenoten. De Britten, de Fransen, de Turken... die hebben allemaal hun eigen lijstje. Zo hebben ze Öçalan gepakt... en Carlos.'

'En jij denkt...'

'Ik denk dat wij erop staan. En het Magdalena Genootschap ook. Als die woorden opduiken, spuugt Echelon het bericht uit waar ze in voorkomen en dan gaat er een kopie van het bericht naar degene die die woorden heeft aangemeld. Maar dat is nog niet alles. Echelon is maar één systeem. Er zijn ook andere. Dus alles bijeen ben ik verbaasd dat we nog steeds los rondlopen.'

Clem trok het laken op tot aan haar neus. 'Eng,' mompelde ze.

'Ik meen het!'

'Ik ook! Soms denk ik wel eens dat ik je leuker vond als Ierse accountant of wat je toen ook moest voorstellen.'

Dunphy draaide zich van het raam af. Hij liep de kamer door naar de minibar, trok een flesje Trois Monts open en ging naast Clem op het bed zitten. 'Ik bedacht dat dit misschien allemaal geen zin meer heeft. Als wij ons dingen blijven afvragen, zullen ze ons vinden. En als dat gebeurt, is het einde verhaal. Dus misschien moeten we gewoon min of meer... verdwijnen.'

'Waarnaartoe?'

'Ik weet het niet. De zonsondergang tegemoet.'

'De zonsondergang?'

'Goed, je houdt niet van zonsondergangen. Wat dacht je van Brazilië?'

'Brazilië?'

Door haar toon schoot hij in de verdediging. 'We kunnen trouwen.'

Het denkbeeld leek haar angst aan te jagen. 'Is dit een aanzoek?'

Daar was Dunphy niet zeker van. 'Ik weet het niet. Ik denk het. Ik bedoel... het is in elk geval een voorstel.'

'Zoiets als: "Wil je naar *Cats*?"'

'Nee...'

'Als we getrouwd zijn, zijn we natuurlijk de heer en mevrouw Pitt!' Daar dacht ze even over na en probeerde vervolgens hardop hoe het klonk. *'Hola! Soy señora Piiiiet!'*

'In Brazilië spreken ze geen Spaans,' zei Dunphy.

'Dat weet ik, maar ik spreek geen Portugees, dus dan moet het maar in het Spaans.' Plotseling speelde er een dwaze glimlach om haar lippen en haar stem daalde tot een zijdezacht slaapkamertimbre. 'Hallo, ik ben Veroushka Pitt en ik betaal alles contant.' Met haar ogen recht in die van Dunphy liet ze haar stem nog meer dalen. 'U spreekt met Veroushka Bell-Pitt, ondergedoken in Florianópolis!' Ze trok haar neus op.

'Dus wat jou betreft is het nee,' zei Dunphy.

Ze schudde haar hoofd. 'Wat mij betreft zitten we met het probleem dat iedereen jou telkens wil vermoorden en volgens mij moeten we dát verhelpen voordat ik een uitzet bij elkaar ga shoppen.'

'En als het niet te verhelpen is?' vroeg Dunphy. 'Soms moet je gewoon wegwezen. En het ziet ernaar uit dat dit zo'n geval is. Ik bedoel maar, kijk eens met wie we te maken hebben. Deze lui zijn hier al duizend jaar mee bezig. De CIA is van hén. En zoals het eruitziet is het zo dat we, wat we ook allemaal ontdekken, helemaal níéts kunnen doen. We kunnen niet naar de politie...'

'Waarom niet?'

'Omdat die dit soort dingen niet goed aanpakt. Ze delen bekeuringen uit. Ze gaan achter autodieven aan. Soms lossen ze een moord op. Maar ze zetten van z'n leven geen speciale unit op het collectieve onbewuste.'

Clem rolde met haar ogen. 'We kunnen naar de pers.'

Dunphy schudde zijn hoofd. 'Nee.'

'Waarom niet?

'Dat heb ik je al gezegd toen we naar Tenerife vlogen. Wat dit ook mag zijn, het is niet "publicabel". Er is geen slechterik... geen solitaire moordenaar. Godsamme, we nemen het tegen een geheime kerk op! En hoe meer we over die kerk te weten komen, hoe moeilijker het voor mij wordt om me ook maar een uitweg vóór te stellen. Dus je zegt het maar. Waar blijven wij dan?'

'In Parijs,' antwoordde Clem met een klopje op het bed. 'Kom maar bij moeder.'

Dunphy fronste zijn voorhoofd. 'Het is "mammie",' zei hij.

'Wat?'

'Het is "kom maar bij mammie",' antwoordde hij. 'Niet "kom maar bij moeder". Alleen een Brit denkt dat het "kom maar bij moeder" is.'

'Wat je zegt,' zei ze tegen hem terwijl ze voor de tweede keer een klopje op het bed gaf.

Georges Watkin hield kantoor in een appartement op de eerste verdieping van een art nouveau twee-onder-een-kap in het negende arrondissement. Van Wordens waarschuwing dat Watkin 'wel eens in een heel andere kerk kon bidden' maakte Dunphy extra behoedzaam. Hij belde de Fransman onder het voorwendsel dat hij voor de Kerk van de Heiligen der Laatste Dagen in Parijs was, die Watkin graag wilde inschakelen als consulent op genealogisch gebied. Had Watkin belangstelling? Konden ze elkaar misschien ergens ontmoeten?

Eh, bien! Maar natuurlijk! Watkin was diezelfde middag beschikbaar. Dat verbaasde Dunphy niet. De mormoonse kerk is voor genealogie wat Hollywood is voor de film. Zelfs als Watkin er warmpjes bij zat, was het onwaarschijnlijk dat hij het vooruitzicht van zo'n ontmoeting zou laten schieten.

En Watkin zat er niet warmpjes bij. Volgens Van Worden was hij een ondermaatse zwoeger met aristocratische pretenties. Hij schreef artikelen over de koninklijke familie – alle koninklijke families – voor de Franse en Engelse boulevardpers. Als Windsor-, Hapsburg- en Grimaldi-kenner vulde hij zijn inkomen aan met stamboomonderzoek voor een particuliere klantenkring.

Met de Glock onder in zijn nieuwe aktetas arriveerde Dunphy in gezelschap van Clem bij Watkins kantoor. Nadat de voordeur was open gezoemd gingen ze met de trap naar de eerste verdieping, waar de genealoog voor de deur van zijn appartement stond te stralen.

Hij was kort van stuk, woog te veel en had een kinderlijk gezicht. Hij droeg een versleten maar net zwart pak dat op de schouders glom van het vele dragen. Onder het colbertje droeg hij een wit overhemd en een strenge das met strepen die verrieden dat de genealoog een enthousiast soepeter was. Kale schoenen en een zweetluchtje maakten Dunphy's eerste indruk van de man compleet.

'Raymond Shaw,' zei Dunphy en hij gaf hem een hand, maar beschermde intussen wel zijn valse naam. 'En mijn assistente, Veronica... Flexx.'

Op de een of andere manier trok haar plotselinge blik geen aandacht.

Het kantoor zelf was groot en gerieflijk, al werd er te hard gestookt, en de muren waren bedekt met overvolle boekenplanken. Stapels documenten en rollen perkament lagen op zware houten leestafels aan weerszijden van de kamer. Aan de noordzijde gloeide in een reeks ongelapte ramen het grijze licht van een middag die op elk ogenblik regenachtig kon worden.

'Armagnac?' vroeg Watkin, die voor zichzelf een glas inschonk.

'Nee, dank u,' zei Dunphy terwijl hij zich in een haveloze leren clubfauteuil liet vallen. 'Wij drinken niet, ziet u.'

Watkin zuchtte tandenknarsend. 'Natuurlijk! Wat dom van me. Ik...' De stem van de genealoog zakte weg, alsof hij helemaal kwijt was wat hij had willen zeggen, terwijl zijn glimlach naadloos plaatsmaakte voor een blik van verbazing... of misschien wel paniek. Wat het ook mocht wezen, het duurde maar een seconde tot zijn stem en zijn glimlach er weer waren. 'Mijn welgemeende excuses,' zei hij.

'U hoeft zich niet te verontschuldigen,' antwoordde Dunphy, die zich afvroeg of hij een hallucinatie had gehad. 'Waarom drinkt u niet gewoon uw borrel terwijl ik uitleg wat wij willen?'

De Fransman ging op de stoel achter zijn bureau zitten en knikte na een snelle blik op een paar paperassen naar zijn bezoekers dat ze konden beginnen.

Dunphy had de ochtend doorgebracht in een internetcafé vlak bij de Sorbonne. Hij had op mormonisme gezocht, wat aantekeningen gemaakt en een vleierig praatje in elkaar gedraaid waarmee hij in de gunst hoopte te komen. 'We zijn hier vanwege Petrus,' zei hij. 'Ik weet niet of u een man van het geloof bent, maar Petrus zegt ons dat het evangelie 'ook aan de doden is verkondigd, opdat ook zij, al zijn ze naar hun leven op aarde door de mensen veroordeeld, bij God in de geest kunnen leven'. Wij van de Kerk van de Heiligen der Laatste Dagen geloven dat Christus' lijden en sterven niet alleen voor de zonden van de levenden was, maar ook voor die van de doden. U kunt zich wel indenken dat daardoor een heel bijzondere verplichting op ons rust: om de zielen van de gestorvenen, onze voorouders aan gene zijde, te verlossen. En zoals u denk ik wel weet, doen wij dat door middel van een sacrament dat in de volksmond de plaatsvervangende doop wordt genoemd. Voordat we dat kunnen doen, moeten we natuurlijk weten wie die betreffende voorouders zijn, en dat is iets wat we doen met behulp van traditionele genealogische methoden.'

Een zelfvoldane grijns van Dunphy. Een gelukzalige glimlach van Clem. Een eerbiedig, zij het verstrooid, knikje van Watkin.

'We zijn hier al een hele tijd mee bezig,' vervolgde Dunphy, 'elk gezin gaat terug in de tijd, generatie na generatie. Allicht denken we graag dat miljoenen zielen zijn gered. Maar u kunt zich wel indenken...'

'Dat hoe verder je teruggaat,' suggereerde Watkin, 'hoe moeilijker het wordt.'

'Precies. Wat des te meer geldt voor Amerikanen, met hun generatieve wortels – en archieven – die zich bijna altijd aan de overkant van de Atlantische Oceaan bevinden.'

Watkin knikte meelevend.

'En daarom zijn juffrouw Flexx en ik hier. Ons is gevraagd in Parijs een onderzoeksinstituut op te zetten dat hulp moet bieden aan kerkleden in de Verenigde Staten die een genealogische zoekvraag hebben.'

'Dat begrijp ik,' zei Watkin. 'En u meende...'

'Wij meenden dat u daarbij zou kunnen helpen. Ja.'

Watkin knikte langzaam en, dacht Dunphy, een beetje spijtig... wat hij niet had verwacht. Ten slotte vroeg de Fransman: 'Hoe bent u aan mijn naam gekomen?'

Op deze vraag had Dunphy gerekend. Uit de binnenzak van zijn jas haalde hij een kopie van het artikel dat in *Archaeus* was verschenen: 'De Magdalena-cultivar'. 'We waren erg onder de indruk van een artikel dat u hebt geschreven,' zei Dunphy terwijl hij het aan Watkin overhandigde.

De Fransman haalde een leesbril uit zijn jaszak en zette die op zijn neus. Toen schraapte hij zijn keel en keek naar de pagina's die hij vasthad. Een duidelijke reactie bleef uit. Hij leek om de een of andere reden met zijn mond vol tanden te zitten – als dat het was. Zijn gezicht ontspande terwijl hij naar het verhaal keek dat hij had geschreven; zijn lippen vormden de woorden van de eerste alinea. Ten slotte keek hij op. 'Hoe bent u hieraan gekomen?' vroeg hij.

Op die vraag had Dunphy ook zitten wachten. 'Een van onze genealogen in Salt Lake City had het gekregen... hij heeft het doorgegeven. Ik weet niet zeker uit welk tijdschrift het komt...'

'Iedereen zei dat het eersteklas werk was,' merkte Clem op, die Watkins gêne aanvoelde.

'O, ontegenzeglijk,' viel Dunphy haar bij.

Watkin keek van de een naar de ander. 'Het was lang niet overal verkrijgbaar,' mompelde hij.

'O?'

'Nee,' antwoordde Watkin. 'Er waren heel weinig exemplaren van gedrukt. Het was een... extra editie. Geschreven voor een zeer select publiek. Geen algemeen publiek. Dus... het was heel zeldzaam.'

'Nou, dan denk ik dat we in onze handjes mogen klappen dat we het gezien hebben!' zei Dunphy tegen hem. 'En van geluk mogen spreken dat we degene die het heeft geschreven hebben gevonden!'

Watkin knikte kort, nog altijd zichtbaar niet met zijn gedachten erbij.

'Het zat zo goed in elkaar,' merkte Dunphy op.

'Wat?' vroeg Watkin.

'Het artikel,' antwoordde Dunphy.

'Zo geestig,' voegde Clem eraan toe en ze deed met gesuis van nylon haar benen over elkaar. 'Zoals u de Merovingische linie beschreef...'

'Alsof het om een lesje wijnbouw ging!' maakte Dunphy de zin af. 'Hoe kómt u erop!'

Watkins gebrek aan aandacht was verdwenen. Zijn ogen schoten van Dunphy naar Clem en terug. Vervolgens leek hij te ontspannen... en begon het spelletje mee te spelen.

'Ik weet het niet,' zei hij. 'Het was maar een idee. Ik schreef het bij wijze van tijdverdrijf.' Hij wachtte even en zette toen door. 'Dus! Jullie zijn geïnteresseerd in de Merovingers?'

'Absoluut,' antwoordde Dunphy.

'Wie niet?' riep Clem uit.

'Ik vraag me af of er nog iemand van rondloopt,' mijmerde Dunphy.

'Je bent niet de enige,' zei Watkin met een lach. 'Wil je de stambomen eens zien waar Napoleon opdracht voor gegeven heeft? Niet de originelen, natuurlijk, maar...'

'Kolere, ja!' riep Dunphy uit en had daar meteen spijt van. 'Sorry. Soms raak ik... oververhit.'

Watkin haalde zijn schouders op. 'Ze liggen hiernaast,' zei hij. 'Ik zal ze even pakken...'

Toen hij weg was, trok Dunphy een gezicht en Clem boog zich naar hem toe. 'Volgens mij heb je het verkloot, Uwe Heiligheid.'

Dunphy was het met haar eens, maar er was niets aan te doen. Hij kwam overeind, liep naar het raam en keek naar buiten. Het was een beetje gaan regenen; de straat lag er glad en glinsterend bij. 'Het regent,' zei hij terwijl hij een rondje door de kamer liep en de boekenplanken afspeurde naar hints omtrent Watkins vreemde gedrag.

Nieuwsbrief van de International Society for British Genealogy and Family History.

Manuscriptcatalogus van het Archief voor Franco-Judaïca.

Documenten m.b.t. geschiedenis en vestiging van plaatsen aan de rivieren Dadou en Agout (uitgezonderd Réalmont), 1330-82.

Ufo's boven Biarritz!

'O-o,' mompelde Dunphy, maar hij ging door met zijn tochtje door de kamer en belandde ten slotte bij Watkins bureau. Daar vielen hem twee dingen op. Het eerste was een rode diode die op Watkins telefoon brandde, wat aangaf dat iemand (vrijwel zeker Watkin) lijn één in een ander vertrek gebruikte. Het tweede ding dat zijn aandacht trok was een foto van hemzelf.

Het was een foto op paspoortformaat die vastgehecht was aan een memorandum van de directeur van het Korps Veiligheidsonderzoek, Harold Matta. Verbijsterd las Dunphy het memo, dat de man op de foto aanduidde als John Dunphy, ook bekend als Kerry Thornley, ook bekend als Jack. Het memo omschreef Dunphy/Thornley als

gewapend en extreem gevaarlijk. Dhr. Dunphy reist waarschijnlijk in gezelschap van een vrouw en gebruikt een valse identiteit. Persoon in kwestie heeft zich in Kansas uitgegeven voor federaal leidinggevende, heeft in Londen een federaal agent verwond en heeft zich in Zwitserland toegang verschaft tot een BTP-basis, alwaar onder Andromeda vallende MK-IMAGE-documenten zijn ontvreemd nadat twee archiefmedewerkers zwaar mishandeld werden. KVO-safariteams zijn tijdelijk uitgezonden naar onze ambassades in Londen, Parijs en Zürich. Waarschuw bij waarneming het dichtstbijzijnde team.

Tyfus, zeg, dacht Dunphy. Wat is in godsnaam een safariteam? En het antwoord luidde: precies wat jij denkt dat het is. Dunphy maakte de foto los van het memo waar hij aan vastgehecht zat en ging ermee naar zijn stoel. Terwijl hij ging zitten liet hij Clem de foto heel even zien en fluisterde: 'We zijn erbij.'

'Wát?!'

'We hebben misschien nog een minuut of tien,' zei hij en hij liet de foto in zijn binnenzak glijden. 'Dan moeten we wegwezen... hij is al aan het bellen.'

Een ogenblik later kwam een zenuwachtig ogende Watkin tevoorschijn met een bundel kaarten onder zijn arm. Op een van de leestafels legde hij ze plat neer met boeken op de hoeken bij wijze van gewichten. Dunphy en Clem kwamen naast hem staan.

'Hier zien jullie de voorouderlijke lijnen van de Merovingers in kaart gebracht,' vertelde Watkin hun, 'door genealogen die de eerste drie jaar van de negentiende eeuw voor Napoleon werkten.'

'De Langharige Koningen,' mompelde Dunphy.

Watkin trok een pruilmondje. 'Ze zijn ook wel de Graalkoningen genoemd.'

'Het lijken wel geïllumineerde manuscripten,' merkte Clem op, wijzend naar het delicate maaswerk waar de kantlijn van de kaarten vol mee stond. Er waren leeuwen en engelen, bloemen en magiërs. En in het midden was er een netwerk van verwantschappen dat een rechtstreekse lijn in kaart bracht van het napoleontische tijdperk naar de kruistochten en van de kruistochten naar de middeleeuwen en uiteindelijk naar Mérovée zelf.

'Het is mooi,' merkte Dunphy op.

'Je hebt geen idee,' was Watkins commentaar.

Dunphy bestudeerde de namen en merkte een beetje teleurgesteld dat er geen bijzonder herkenbare bij stond. Dagobert II. Sigebert IV. Die hadden in elk geval een verwijzing in het Andromeda-archief gehad – al had hij geen idee wie ze waren of misschien waren geweest.

'Wie is Dagbert?' vroeg hij.

Watkin kromp ineen. 'Daa-go-bèr. Zijn vader was koning van Austrasië...'

'En dat was?'

'Noord-Frankrijk en delen van Duitsland. Het is een interessante geschiedenis,' vertrouwde Watkin hem toe. 'Net een sprookje. Nadat Dagoberts vader was vermoord, werd Dagobert zelf ontvoerd door de majordomus en in een klooster in Ierland verborgen. Kennelijk konden ze het niet over hun hart verkrijgen om hem te vermoorden. Een paar jaar daarna werd de zoon van de majordomus koning en Dagobert werd volwassen.'

'Wanneer was dat?' vroeg Clementine.

'In 651. Op zijn drieëntwintigste heroverde hij de troon.'

'En toen?' vroeg Dunphy, die bedacht dat hij misschien nog vijf minuten had.

Watkin haalde zijn schouders op. 'Toen ging hij dood.'

'Hoe?' vroeg Clem zich af.

'Ze maakten hem af toen hij lag te slapen... een lans door het oog.'

'Wie deden dat?' vroeg Dunphy.

'Volgens de historische geschriften? De beulen van Pippijn de Dikke.'

'En in werkelijkheid?'

Een geringschattend pufje van Watkin. 'Het Vaticaan, natuurlijk.'

'En deze?' vroeg Clem. 'Wie is hij?'

'Sigebert,' antwoordde Watkin. 'De lijn werd door hem voortgezet.'

'Hoe lang?' vroeg Dunphy, die het gesprek terugbracht naar de reden voor zijn bezoek.

Watkin zag er niet op zijn gemak uit. 'Hoe bedoel je?'

'Waar zijn ze nu? Lopen er tegenwoordig nog rond?'

Watkin haalde zijn schouders op.

'O, kom op, zeg,' wees Dunphy hem terecht. 'Je gaat me niet vertellen dat er na Napoleon niemand meer heeft gekeken!'

Watkin glimlachte bleekjes. 'Ach,' zei hij, 'het doet er niet toe. De laatste zat namelijk hier. In Parijs.'

'Zonder dollen,' zei Dunphy. 'Wie was dat?'

'Een bankier,' antwoordde Watkin. 'Bernardin zus-en-zo.'

Dunphy bedacht dat hij niets te verliezen had. 'Gomelez?' vroeg hij.

De genealoog staarde hem aan.

'Ik heb gelijk, hè?' riep Dunphy uit. Hij wendde zich tot Clem. 'Ik wist wel dat ik gelijk had.'

'Hoe kent u die naam?' vroeg Watkin.

Dunphy schokschouderde. 'Internet. Ik surf veel.'

'Wat is er met hem gebeurd?' vroeg Clem.

'Met wie?'

'Meneer Gomelez,' zei ze en terwijl ze praatte, knalde er buiten op straat een automotor. Watkin sprong op alsof hij een schok had gekregen. Met zijn ogen afgewend van zijn gasten begon hij de kaarten op te rollen. 'Ik meen dat hij in de oorlog gewond geraakt is,' zei hij.

'Welke oorlog?' vroeg Dunphy.

'In Spanje. Hij was een vrijwilliger.'

Clem liep naar het raam, schoof het gordijn opzij en keek naar de straat. 'Hij moet nu heel oud zijn,' zei ze.

Watkin schudde zijn hoofd en loog. 'Volgens mij moet hij dood zijn,' zei hij. 'Hij was ernstig ziek. En niet alleen vanwege de oorlog. Hij had... hoe heet het? *Pernicieuse anémie?*'

'Pernicieuze anemie,' viel Clem bij.

'Juist! En toen tijdens de oorlog de Duitsers kwamen, hebben ze van zijn huis – een villa in de Rue de Mogador – een ziekenhuis gemaakt. Niemand heeft hem daarna nog gezien.'

'Ook na de oorlog niet?' vroeg Dunphy.

'Zoals ik al zei, hij is verdwenen.'

'En het huis...'

Watkin maakte zich snel van de vraag af. 'Veranderde van eigenaar. Ik geloof dat het tegenwoordig een museum is. Voor archeologen.'

Dunphy hield Watkin scherp in de gaten. Hij leek ongewoon alert. Sterker nog, als de genealoog een hond was geweest, had hij gespitste oren gehad. Op dat moment sprong Clem weg bij het raam.

'O-o,' zei ze.

Dunphy voegde zich bij haar en zag buiten vijf in zwart pak geklede mannen met veterdas uit de laadruimte van een grijze bestelbus stappen die met de voorwielen op het trottoir stond. Een van de mannen drukte de toetsen van een mobiele telefoon in terwijl hij energiek op Watkins gebouw af liep.

Op het bureau begon de telefoon te rinkelen. Watkin bewoog om hem op te nemen.

'Blijf!' beval Dunphy, alsof de genealoog een grote, heel lichtgeraakte hond was. Vervolgens pakte hij zijn aktetas, maakte die open en haalde de Glock eruit. 'Nu moet je goed naar me luisteren,' zei hij. 'Zeg tegen hen dat we net weg zijn, zeg maar dat we naar de Bibliothèque Nationale toe gaan en dat we in een oude deux-chevaux rijden. Je kunt tegen hen zeggen wat je wilt, Georges, als je maar overtuigend klinkt – anders is dit het eind van de Watkinlijn. Snap je?'

De genealoog, die er doodsbenauwd uitzag, knikte en nam langzaam de telefoon op. Hij praatte zo snel dat Dunphy hem niet precies kon volgen, maar wel de woorden deux-chevaux en Bibliothèque opving – en er dus van uitging dat Watkin zijn instructie letterlijk had opgevat.

Dunphy liep naar het raam en wierp een snelle blik naar buiten. Hij zag drie mannen in het busje springen en de portieren achter zich dichttrekken. De auto reed gierend achteruit de straat op, draaide halverwege, stopte en schoot vooruit in de richting van, meende Dunphy, de bibliotheek. Intussen renden er twee mannen over het trottoir naar het gebouw. Een van hen liep erg mank en heel even dacht Dunphy dat het Jesse Curry was – maar nee, Curry was groter en voor lopen was het voor hem trouwens nog te vroeg.

'Zijn ze weg?' vroeg Clem met een stem die oversloeg als die van een puberjongen.

'Een paar,' zei Dunphy.

De bel ging. En nog eens.

Dunphy wendde zich tot Watkin. 'Laat ze binnen.'

Watkin liep naar de intercom en drukte op een knopje. Toen wendde hij zich tot Dunphy. 'Wat ga je doen?' vroeg hij.

Dunphy bedacht dat dit een vraag was die Watkin best had kunnen stellen vóór hij op de zoemer had gedrukt. Maar hij zei niets. Hij schudde alleen zijn hoofd. Eerlijk gezegd wist hij niet wat hij ging doen.

'Jack?'

Dunphy wendde zich tot haar.

'Wat gaat er gebeuren?' vroeg ze.

Hij schudde zijn hoofd. 'Ik weet het niet. Ik zal proberen met hen te praten,' zei hij. Er kwamen twee mannen de trap op – hij hoorde ze nu – die, als ze de kans kregen, hem met plezier zouden doden. Maar die kans kregen ze natuurlijk niet. Dunphy zou hen in het vizier hebben voordat ze ook maar beseften dat hij zich in de kamer bevond... en niet op weg was naar de bibliotheek.

Maar hij kon hen niet zomaar doden. Niet zo. Hij kon ze niet zomaar door de deur heen neerschieten. Het waren mensen. Maar dan nog...

Het was ook een *safariteam*. Een term van de Dienst waar Dunphy nog nooit van had gehoord, maar die leek te duiden op een of ander zielig, dom, gevaarlijk dier waarop jacht werd gemaakt – en dat was hij. Bambi met een Glock.

Maar dan nog...

Er werd geklopt. *Tok tok tok tok tok!* Alsof ze van een incassobureau waren en de tv kwamen halen.

Dunphy gebaarde dat Clem naar de kamer ernaast moest gaan voordat hij achter de deur stapte en Watkin een knikje gaf. De genealoog haalde diep adem, alsof hij het toneel op ging, draaide aan de klink en...

Dunphy hield de Glock met beide handen op de vloer gericht toen de mannen de kamer in kwamen alsof het gebouw in brand stond. Hij deed zijn mond open – misschien om 'geen beweging' te schreeuwen – toen hij eerst de horrelvoet zag en daarna de wapens.

Je verwachtte niet dat ze zo indiscreet zouden zijn om zo binnen te komen terwijl Dunphy er naar verluidt niet eens was. Misschien was het gewoon hun goede training – wees altijd voorbereid of zoiets. Maar het kwam hun niet van pas. Helemaal niet.

'Geen beweging' kwam eruit, niet als woord, maar als een woedend, verrast gebulder – want hier stond Roscoe's moordenaar die zich naar hem toe keerde met een automatisch pistool in zijn hand.

En de man naast hem keerde zich ook naar hem toe, maar reageerde trager – het Pak, met nog donkerdere wallen onder zijn ogen dan destijds in McLean.

Dunphy's eerste schot ging achter hun rug langs door het raam, maar de volgende twee raakten de man met de horrelvoet in zijn schouder, waardoor hij om zijn as draaide en neerging. Het Pak vuurde het volgende schot af, maar miste en raakte daarop zijn benen kwijt toen een kogel zich via de navel in hem boorde. Dunphy vuurde als een woesteling met zijn rug tegen de muur en haalde de trekker zo snel als hij kon over; zonder echt aandacht te besteden aan het richten besproeide hij de kamer met al het lood dat de Glock kon uitwerpen – totdat die plotseling *klik klik klik* zei. En Dunphy dacht: nu ben ik dood. Oooo, Clem...

Even was het net alsof zelfs de mogelijkheid van geluid uit de kamer was weggezogen. Er dreven sliertjes blauwe rook in de lucht en overal hing een akelige, bijna elektrische geur. Toen hoorde Dunphy het gejengel van het Pak, die op de vloer lag met zijn handen op zijn buik en jammerend van de ene zij op de andere wiegde. Amper een meter verder, naast de deur, hurkte Watkin snikkend van doodsangst op het Chinese vloerkleed met zijn handen achter zijn hoofd ineengestrengeld alsof hij een kernaanval verwachtte. Dichter bij Dunphy lag de man met de horrelvoet op zijn rug, met een boze uitdrukking op zijn gezicht en een gaatje in zijn wenkbrauw waar langzaam bloed uit pompte.

Dunphy zoog zijn longen vol – zijn eerste ademtocht in een halve minuut – en liet de lege patroonhouder uit de Glock op de vloer vallen. Hij deed er een nieuwe in, schoof hem op zijn plaats en stak het pistool tussen zijn broekriem onder zijn jasje.

Ten slotte schraapte hij zijn keel. 'Clem? Clem?'

Ze kwam uit de andere kamer en zag eruit als een wasbeertje vanwege de zwarte kringen onder haar ogen waar de mascara was uitgelopen. Ze keek naar de rook en naar de dode, de snikkende Watkin en de andere man die rilde van pijn. Ze zag het bloed en wankelde. Ten slotte ging ze op haar tenen staan en liep zo naar de deur, waarbij ze probeerde haar schoenen droog te houden.

'Clem.' Hij ging op haar af en sloeg zijn arm om haar heen.

'Er werd zoveel geschoten,' mompelde ze tussen haar tranen door. 'Zoveel!'

'Zorg dat hij ons niet vermoordt!' smeekte Watkin.

'Hou je erbuiten,' zei Dunphy tegen hem en hij wendde zich weer tot Clem. 'Ze kwamen binnen alsof ze de DEA waren,' legde hij uit. 'Alles ging tegelijk af.'

'Doe ze verder gewoon geen pijn meer, oké?' vroeg ze.

'Doe ik niet. Heb ik niet gedaan. Ik bedoel, ze deden het zichzelf aan. Ik heb hen alleen maar neergeschoten!'

Hij wist niet of ze hem geloofde of niet en toen hij erover nadacht, sloeg wat hij zei sowieso helemaal nergens op. Dus deed hij wat hem te doen stond.

Hij greep Watkin bij de kraag en duwde hem naar de bank. 'Ga zitten!' Toen liep hij naar het bureau en rukte de telefoon uit de muur. De mobiele telefoon schoot hem te binnen en na een blik om zich heen zag hij hem op de vloer liggen. Hij raapte hem op, legde hem op het bureau en sloeg hem met het uiteinde van de Glock kapot. Tot slot verzamelde hij de wapens van de andere mannen en liet ze in zijn aktetas vallen. Klikte de sloten dicht en draaide zich om om weg te gaan.

'Er moet een ziekenauto komen,' merkte het Pak op.

Dunphy knikte. 'Ja, dat zie ik.' Toen liep hij naar de deur.

'Godallemachtig, man, zie mij hier nou! Ik... ik ben een Amerikaan!' Het Pak haalde zijn hand van de puinhoop bij zijn buik af en terwijl hij dat deed zag Dunphy het bloed kloppen, alsof een deel van de man was losgekoppeld. Toen plantte het Pak zijn hand op het gebubbel en zei: 'Volgens mij ga ik dood.' Er klonk geen verwijt in zijn stem. Die klonk hooguit verwonderd.

Dunphy knikte. Dacht terug aan McLean. Het Pak die daar met dat merkwaardige glimlachje had gestaan. De zwaailichten van de politie buiten. Roscoe dood in een paar netkousen dat het Pak hem had helpen aantrekken. 'Och ja,' zei Dunphy, 'dat overkomt de besten.'

28

Na een paar zijstraten vonden ze een taxi die hen naar Sainte-Clothilde bracht, de eerste plek die in Dunphy opkwam en die helemaal niet in de buurt van hun hotel was. De kerktorens keurden ze amper een blik waardig voordat ze een paar straten verderop de metro opzochten en afdaalden in zijn ingewanden. Een halfuur later kwamen ze bij Mutualité weer in de regen tevoorschijn en staken de rivier over naar hun hotel.

Clem was opmerkelijk kalm. Ze maakte een Campari soda open en liet zich op de bank bij de telefoon neervallen.

'Clem,' begon Dunphy.

Ze schudde haar hoofd. 'Je hoeft het niet uit te leggen.'

'Ze kwamen binnen...'

'Ik weet het. Je zei het. Alsof ze DNA waren.'

'Nee. Niet DNA...'

'Doet er niet toe,' zei ze tegen hem. 'Ik hou nog steeds van jou. Ik moet gewoon even wennen aan het feit dat ik het bed deel met magere Hein.'

Hij drong niet aan, misschien omdat hij wist dat ze het hem niet echt verweet... niet na Tenerife. Hij maakte een flesje 33 open en plofte in een stoel neer.

Na een poosje zei Clem: 'En nu?'

Dunphy schudde zijn hoofd. 'Ik weet het niet.' Hij nam een slok bier en dacht erover na. 'Ik denk dat we op dit moment alles weten wat we ooit zullen weten en... dat is niet genoeg. Daarmee kunnen we niet wegkomen. We raken er juist dieper door in verstrikt. Dus...'

Ze keek hem een lang ogenblik aan en toen hij de zin niet afmaakte, vroeg ze: 'Wat?'

'Ik denk dat we het uit ons hoofd moeten zetten. Gewoon rechtsomkeert maken en ervandoor gaan. We hebben wat geld, goede ID's. We komen er wel.'

'Maar als we dat doen...' begon Clem.

'Ik weet het. Dan winnen zij. En wat dan nog?'

Een tijdlang zei ze niets, terwijl ze met haar ogen dicht kleine slokjes Campari soda dronk. Uiteindelijk keek ze hem aan en zei: 'Nou, dat klopt niet. Dat gaan we niet doen.'

Ze vond het adres in het telefoonboek, onder het kopje 'Museums in het centrum van Parijs'. Volgens Watkin had Gomelez in een villa in de Rue de Mogador gewoond en was zijn huis na de oorlog een archeologisch museum geworden.

Er was maar één museum in de Rue de Mogador en dat stond erin als het Musée de l'Archéologie du Roi Childéric Ier.

Ze gingen per taxi naar het adres, dat om de hoek lag van de Place de l'Opéra. Het museum was ondergebracht in een drie verdiepingen hoge villa uit de belle époque met deuren van massief ijzer die werden opengehouden door grote koperen ringen die aan weerszijden uit de granieten muren staken. In beide richtingen was het gebouw voorzien van ramen van geribbeld glas die, vol regenstrepen, van het plafond naar de vloer reikten. Waterspuwers grijnsden. Regenpijpen gorgelden.

In de hal wees een klein bordje op de openingsuren van het museum. Dunphy keek op zijn horloge. Ze hadden nog ongeveer een uur.

Een gepensioneerde grijsaard met een hangsnor zat aan een met houtsnijwerk versierde tafel vlak achter de deur. Hij droeg een verschoten blauw uniform en las een pocket van Simenon waar de rug van losliet. Dunphy gaf hem twintig franc en wachtte totdat de man twee controlestrookjes van de kaartjes afscheurde en die plechtig, en met een glimlach, aan Clem overhandigde.

Ze waren niet de enige bezoekers. Een groepje schoolmeisjes zwermde als een soort giechelende drom door de vertrekken, in het geheel niet luisterend naar de les van hun juf.

Het was werkelijk een heel opvallend museum met een heel eigen collectie, die ouder werd naarmate je van de laagste naar de hoogste verdieping vorderde. De begane grond bevatte schilderijen uit de vijftiende, zestiende en zeventiende eeuw en daarnaast heraldische emblemen, wapenschilden en familiewapens uit een zestal landen. De meeste doeken vielen onder het pastorale genre: dromerige herders lagen geknield voor Jezus' graftombe; in gebed verzonken ridders in een veld vol bloemen.

Op de begane grond ging bijna alle aandacht naar gewijde oorden, in het bijzonder de gebouwen die beelden van de zwarte Madonna onderdak boden. Naast een bouwkundige tekening van de grote kerk van Glastonbury was een doorzichtig plastic doosje aan de muur bevestigd. Het bevatte een stapeltje slecht gedrukte foldertjes die in zes talen uitlegden dat beelden van de zwarte Madonna overal in Europa en Zuid-Amerika te vinden zijn en dat alleen Frankrijk er al meer dan driehonderd heeft.

'Bij de zigeuners is ze bekend als Sara-la-Kali,' las Clem, 'en bij anderen als Cybele, Diana, Isis en Magdalena.'

Dunphy tuurde naar de tekening en de foto's. Naast Glastonbury waren er afbeeldingen van het klooster van Jasna Gora in Polen, de kathedraal van Chartres, de kloosterkerk van Einsiedeln en andere tempels en heiligdommen in Clermont-Ferrand, Limoux en Marseille. Gewijde voorwerpen waren er ook: stenen relikwieënkastjes en marmeren reliëfs, tapijten en gewaden.

'Kom, we gaan naar boven,' zei Clem. 'We hebben maar twintig minuten.'

De eerste verdieping was helemaal gewijd aan de kruistochten en de tempeliers. Er waren veertiende-eeuwse houtsneden van Jeruzalem, een doos met tempeliersinsignes, lansen en zwaarden, een gnostische grafzuil, een drieluik en een diorama. Op het eerste paneel van het drieluik zag je Godfried van Bouillon toen hij in 1098 aan de eerste kruistocht begon. Het tweede paneel was een afbeelding van triomferende kruisridders in Jeruzalem, een jaar later. Op het laatste paneel waren dezelfde ridders te zien die onder de tempel van Salomo aan het graven waren.

Het diorama was minder ingewikkeld. Het beeldde Jacques de Molay af, grootmeester der tempeliers, terwijl hij een langzame vuurdood stierf op het Île de la Cité in 1314.

'Daar staat ons hotel!' zei Clem.

Clem wilde meer lezen over Molay en de tempeliers, maar er was geen tijd. Het museum zou zo sluiten.

Dus gingen ze meteen naar de derde verdieping, waar ze op de trap werden opgeschrikt bij het zien van iets wat eruitzag als een uit goud gesmede berenkop die in de lucht boven hen dreef. De metaalbewerking of wat het ook mocht wezen was delicaat: je kon zijn nekhaartjes tellen, bedacht Dunphy.

'Hoe doen ze dat?' zei Clem ademloos.

'Het is een hologram,' gokte Dunphy, 'of ze doen het met spiegels. Ik weet het niet.' Boven aan de trap gekomen wuifde hij met zijn hand door de afbeelding, die leek te rimpelen, en op dat moment schoof er aan hun linkerkant een deur open.

Dunphy wendde zich tot zijn vriendin. De meeste tentoongestelde objecten leken zich aan de rechterkant te bevinden, in een soort galerij die zich over de lengte van het gebouw uitstrekte. Maar de deur links wachtte, en daarachter was duidelijk iets bijzonders. 'Ga je gang,' zei hij en hij gaf haar een duwtje in de richting van de deur. 'Jij gaat voorop.'

'Nee, daar komt niets van in,' antwoordde ze. 'Trouwens, jij bent gewapend. Eropaf.'

Dunphy voelde zich net een kleine jongen in een spookhuis toen hij de kamer in stapte terwijl Clem in de doorgang stond, klaar om ervandoor te gaan als hij zou worden onthoofd of bestormd door gevleugelde voorwerpen. Een moment later riep hij haar. 'Kom maar,' zei hij. 'Het is hier leuk.'

Het was in feite adembenemend. In het midden van de kamer stond een theatraal uitgelichte stenen sarcofaag. Fusten wijn en bergen graan waren tegen de kalkstenen grafkist opgehoopt terwijl er verschillende formaten voetstukken omheen waren geplaatst, wat Dunphy deed denken aan de rechtopstaande stenen die hij in het Engelse landschap had gezien. Op elk voetstuk stond een verlichte glazen vitrine waarin oude munten en gouden en zilveren juwelen waren uitgestald.

Een aan een vitrinekast bevestigde plastic houder bevatte simpele foldertjes waarin het verhaal van de uitstalling beknopt werd weergegeven. Er werd in verteld dat dit de sarcofaag was van Childerik de Eerste, een Merovingische koning wiens graf in 1789 – het jaar van de Franse Revolutie – in de Pyreneeën was ontdekt. Volgens het foldertje was de sarcofaag gevonden in een grot, naast een afgehouwen paardenhoofd en een in goud gesmede berenkop. Een krans van adelaarsvleugels was vervlochten met de beenderen, die daar meer dan duizend jaar onaangeroerd hadden gelegen.

Naast deze voorwerpen was er nog iets in het vertrek. Dat was een kristallen bol met een Spaans groene tint en een diameter van ongeveer drieëntwintig centimeter, die in een glazen kistje lag dat op een gouden standaard stond. De standaard was vervaardigd in de vorm van een hand, waarbij de bol op de vingertoppen balanceerde. Aangetrokken door het ronde voorwerp deden Dunphy en Clem wat iedereen doet die een kristallen bol voor zich heeft: ze keken erin. En toen ze dat deden, kwam in het glas het beverige beeld op van een oude man, maar dan ondersteboven, waardoor hij aanvankelijk onherkenbaar was. Dunphy hield zijn hoofd schuin. De oude man schraapte zijn keel. Clem gaf een gilletje.

'Wilt u alstublieft voortmaken, het is tijd!' zei de man met zachte, overredende stem.

Clems nagels begroeven zich in Dunphy's arm... totdat ze beseften wie het was: de oude huisbewaarder die hen naar buiten kwam sturen. Hij stond te glimlachen, buiten adem van de lange klim naar de derde verdieping.

Clems vingers ontspanden. Ze haalde diep adem en dompelde de bewaker onder in haar liefste lach. 'Is het echt al vijf uur?' vroeg ze.

Hij haalde zijn schouders op. 'Bijna, mademoiselle.'

'Maar er is zoveel te zien,' pleitte ze.

De bewaker knikte meelevend. 'En ik denk dat u de bijen nog hebt gezien, *eh?*'

'Welke bijen?' vroeg Clem.

De bewaker knikte nog eens op die hoffelijke manier en wenkte hen naderbij. *'Ici.'* Hij stond naast een oude, grote kast. *'Regardez.'* Hij haalde een sleutelbos tevoorschijn, koos een van de grootste uit en draaide daarmee het slot op de kast open. Langzaam trok hij de deuren open en terwijl hij dat deed, ging binnen de verlichting aan. En vervolgens stapte de bewaker achteruit.

Voor hen hing een tot op de grond reikend kroningsgewaad dat glinsterde in het door de vleugeltjes van duizend met de hand gemaakte gouden bijen versplinterde licht. 'De mantel van Napoleon,' verduidelijkte de bewaker. 'Voor wanneer hij keizer wordt.'

'De bijen...'

'Ja! Natuurlijk, de bijen! De beer! Zij zijn heilig, *eh*? Voor de Merovingers!'

Dunphy en Clem knikten.

'Dus doet Napoleon ze op zijn mantel... en de mensen denken: Ah, hij is Merovinger!' De bewaker wachtte even en glimlachte. 'Maar nee, dat is hij niet. En ik weet wat jullie denken... één piepklein bijtje? Wie merkt dat nou? Niemand! En ze is meer waard dan mijn pensioen, dat piepkleine bijtje. Dan hoor ik de stem...'

'Welke stem?' vroeg Clem.

De vinger van de oude man tikte tegen zijn slaap. 'En die zegt: "Luc, je bent arm, waarom neem je niet één klein insectje voor je gezin?" Maar stel dat ik dat doe?' Hoofdschuddend lachte hij in zichzelf. 'Luc is niet gek.'

'Hoe lang werkt u hier al?' vroeg Dunphy.

De bewaker gaf met zijn vlakke hand een hoogte van zo'n zestig centimeter boven de grond aan. 'Van toen ik kind was. Nog voordat het huis een museum werd.'

'U bedoelt...'

'Het was een huis,' zei de bewaker tegen hem. 'En al deze dingen waren... *privé.*'

'Van wie was het huis?' vroeg Clem, die het antwoord wist.

'Monsieur Gomelez. Zijn stichting betaalt hiervoor. L'Institut Mérovée.'

'En hebt u Gomelez gekend?' vroeg Dunphy.

'Uiteraard,' antwoordde de bewaker. 'Mijn vader was zijn kamerdienaar.'

'Wat is er van hem geworden?' vroeg Dunphy.

De oude man haalde zijn schouders op. 'Het is oorlog. Hij voelt zich niet goed. Dus wordt hij naar een veilige plek gebracht. Maar... hij komt niet terug.' Met een lachje voor Clem doet hij de deuren van de kast dicht en op slot. Samen gaan ze de kamer uit en beginnen aan de afdaling.

'U zei dat hij naar een veilige plek werd gebrácht?' vroeg Dunphy.

'Hij had vrienden. Machtige vrienden.'

'Maar waar ging hij naartoe?' vroeg Clem.

De bewaker stond even stil op de trap en dacht een ogenblik na.

'Ah, naar Zwitserland natuurlijk. Ergens in Zwitserland.'
Vliegen kon niet. Treinen evenmin. Na wat er in Watkins appartement was voorgevallen zou de Franse politie naar hem op zoek zijn
en waren de grensposten op hun qui-vive. Waardoor ze met een di-
lemma zaten. Ze konden niet blijven en ze konden niet weg.

Ze dronken espresso onder de luifel van een toeristenfuik op de
Champs-Elysées terwijl Dunphy hun mogelijkheden naging. Het
knelpunt was de grens. Clem kon een auto huren en hen erheen rijden, maar ze zouden het land niet uit komen. Bij alle grensposten
van Frankrijk zouden ze Dunphy's foto hebben hangen. Daarom
overwoog hij heel even een vermomming, maar dat denkbeeld verwierp hij. Aan je vermommen zat ongeacht de omstandigheden altijd een element van schuldig zijn vast, wat het ook was waarvoor
je je verschuilde. En dan was er nog de schone-ondergoedfactor. Als
ze hem gingen vermoorden, dan wilde hij niet doodgaan met een
slecht passende pruik op of, nog erger, verkleed als moslimvrouw.
Waardoor er maar één manier overbleef om de grens te passeren.

Het was een lange rit van iets meer dan vijfhonderdvijftig kilometer over de A6 richting Mâcon en vervolgens naar Annecy in het
oosten. Ze reden kort na middernacht weg in een huur-Audi en na
een hele nacht rijden kwamen ze kort na zonsopgang in de Haute-
Savoie aan. De lucht had de kleur van vlammen en ze hoefden niet
naar de bergen te kijken om te weten dat ze in de Alpen waren: elke ademtocht liet hun dat al weten. De lucht was tintelend, koud en
helder; samen met de sterke koffie en de knapperige croissantjes die
ze in een arbeiderscafé net buiten Annecy naar binnen werkten, was
die lucht ongeveer even verfrissend als een nacht lekker slapen.

Na het ontbijt reden ze door de bergen naar Évian-les-Bains, een
legendarisch kuuroord op de zuidelijke oever van het meer van Genève. Daar nam Dunphy een kleine suite met een groot terras met
uitzicht over een brede grasvlakte naar het meer in de diepte en in
de verte, aan de overkant van het meer, naar Lausanne.

Ze waren in het Hotel Royal (duurder dan dat wordt het niet)
en Dunphy stelde voor dat Clem misschien wel wilde gaan 'wate-
ren of wat je hier geacht wordt te doen' terwijl hij de stad in ging.
Daar stemde ze enthousiast mee in en kort daarop lag ze op haar
buik, naakt en van top tot teen bedekt met kluitjes modder uit de
Dode Zee.

Dunphy was intussen naar de haven gegaan om er een zeilboot te huren. Hij wilde er een met een kajuit voor het geval het weer omsloeg, want daar zag het wel naar uit. Stapelwolken torenden al achter de Alpen alsof het balen katoen waren.

Het probleem zat hem in het vinden van een boot die meer was dan een dagzeiler en minder dan een jacht. Hij moest iets stabiels hebben waar hij in zijn eentje mee uit de voeten kon. Zoals hij uitlegde aan de verkoper in de jachthaven: hij was geen Vasco da Gama en zou het in een J24 niet lang volhouden. Van de andere kant wilde hij ook geen Limousin van vier meter die je in de jachthaven kon huren. Hij moest iets groters hebben, iets wat overeind bleef in de wind.

Uiteindelijk pleegde de verkoper een paar telefoontjes en kreeg toestemming om Dunphy een zeven meter lange Sonar te verhuren die de eigenaar te koop wilde aanbieden. Het tarief was exorbitant – duizend franc per dag plus een borgsom van vijfduizend – maar de boot was ideaal. Ze had precies de goede afmetingen, er was een kajuit met twee slaapplaatsen, alle benodigde zeilen en een zelflozende kuip. De verkoper vroeg wanneer hij haar nodig had en Dunphy zei per direct.

De man keek sceptisch. Het was vier uur 's middags, de horizon was bewolkt en over een paar uur ging de zon onder.

'We willen ermee naar Thonon,' zei Dunphy tegen hem en hij noemde een stad die vijftien kilometer verderop lag. 'Onze vrienden hebben daar een huis aan het meer. Mijn vrouw vindt het leuk om er op die manier aan te komen. En ik vind dat ze gelijk heeft. Ze hebben ons in geen jaren gezien.'

Hij haastte zich terug naar het hotel, waar hij Clementine bij de minerale bronnen vond, waar ze in verwarmd plastic was gewikkeld en sprekend op een maïskolf met chocoladedip leek. Hij wist een medewerkster over te halen om haar af te spoelen met wat ijskoud water bleek te zijn en voerde haar vervolgens mee naar de kamer.

'Waar gaan we heen? Waarom zoveel haast?' vroeg ze. 'Ik zou net een pedicure krijgen. En die heb ik al op de rekening laten zetten!'

'We gaan zeilen,' zei Dunphy tegen haar.

'Wat?'

'Ik heb een zeilboot gehuurd.'

Ze keek hem aan alsof hij waanzinnig was. 'Maar ik wil niet gaan zeilen.'

'We moeten wel.'

'Het is bijna avond,' klaagde ze. En toen duidelijk was dat hij niet te vermurwen was, vroeg ze: 'Weet je eigenlijk wel hoe dat moet, zeilen?'

'Tuurlijk,' zei hij tegen haar. 'Ik kan uitstekend zeilen.' Nóú...

Regen was het niet echt. Gewoon druppels water die een voor een op het wateroppervlak van het meer vielen – een grijze massa doorstikt met concentrische cirkels die elkaar steeds meer overlapten. Dunphy trok de fok strak en zette hem met een borgklemmetje vast. Toen duwde hij het roer van zich af en liet het grootzeil vieren.

En Clem keek sceptisch toe. 'Het gaat hozen,' zei ze.

'Daarom hebben we een kajuit,' zei Dunphy tegen haar. 'En dan heb ik het nog niet eens over brood, een stuk kaas en een flesje wijn. We komen niets tekort. Het wordt leuk.'

'Het gaat hózen.'

'Dat zei je al,' zei hij.

'Ja, maar ik vind dat je er goed van doordrongen moet zijn dat het ook gaat waaien.' Ze wachtte even voordat ze eraan toevoegde: 'Als een wilde.'

Dunphy, die met zijn rug naar de kuiprand in de stuurkuip zat, hoopte dat ze zich vergiste. Hij zat daar eigenlijk wel lekker. 'Hoe kom je daarbij?' vroeg hij.

'Morgenrood...?'

'Ja-a?' Waar sloeg dát nu weer op?

Clem schudde ongelovig haar hoofd. 'Brengt water in de sloot.'

Brommend erkende Dunphy het gezegde en haar gelijk. Ze doelde op de spectaculaire zonsopgang die ze bij Annecy hadden gezien.

'Daar komt nog wat bij,' ging Clem door.

'Jezus,' mompelde Dunphy.

'"Als de wind in 't noorden staat, is er geen visser die zijn huis verlaat." Hmmmnn,' zei ze, likte aan een vinger en stak die omhoog – al was dat niet eens nodig. De wind was aangewakkerd en over waar hij vandaan kwam was geen twijfel mogelijk. Hij kwam van de overkant, recht uit Lausanne. 'Waar is het noorden?' vroeg ze koket.

'Heel grappig,' zei Dunphy terwijl de boot ervandoor schoot en slagzij maakte... een beetje maar. 'Hooo-oo,' zei hij verrast.

Clem giechelde. 'Ik pak de reddingsvesten even,' zei ze en ze schuifelde zijwaarts naar de kajuit. 'Die moeten we echt aan, hoor. Het is een groot meer.'

Een minuut later kwam ze weer tevoorschijn met een oranje vest aan en een ander in haar hand. Ze gooide het naar Dunphy.

Die zijn voorhoofd fronste. Hij wilde geen watje lijken, maar – hoo-oo, de boot scheurde nu pas echt over het water; het schuim krulde tegen de kuiprand op. Onder hun voeten klonk een huiverend geluid toen de boot begon te trillen. Die vesten zijn zo gek nog niet, dacht Dunphy. En kwaad kan het natuurlijk nooit. Hij liet Clem het roer overnemen en trok er met moeite een aan, dat te klein leek.

'Waar gaan we heen?' vroeg Clem boven de windstoten uit, die nu tien tot twintig knopen haalden.

'Naar de overkant,' antwoordde Dunphy.

'Waarvan?'

'Van het meer! Ik wil niet door de douane. Die hebben vast een foto van me.'

'Dus ga je met de boot... 's náchts?'

Dunphy knikte. 'Ja. Dat is het plan.'

'Het is een heel eind,' zei ze. 'Waar wou je aan land gaan?'

'Bij Lausanne,' antwoordde Dunphy. 'En dat ligt daar...'

'Waar de wind vandaan komt.'

'Klopt.'

'Tja, dat maakt het nog wat moeilijker.'

Het was donker nu. De temperatuur zakte en de regen kwam met lange vlagen op het water neer. Aan de overkant zagen ze de lichtjes van Lausanne, maar daar aankomen was een heel andere zaak. De wind leek uit het hart van de stad te komen, waardoor Dunphy met de neus in de wind moest koersen en de boot keer op keer met klapperend zeil vastliep.

Dat was aanvankelijk irritant, daarna leek het gevaarlijk. Het eerst zo zwarte meer was nu een en al schuimkop en de golven werden groter. Het werd steeds moeilijker de gewenste koers aan te houden, en als dat wel lukte, was het net alsof ze in een achtbaan zaten die hen zachtjes omhoogtilde en hen vervolgens keihard terugsmeet. Andere keren, als hij te scherp op de wind koerste, gingen de zeilen slap hangen en lag de boot binnen de kortste keren dwars op de golven. Als dat gebeurde, was het net Disney World, maar dan wel een Teacup-Ride waar geen einde aan kwam op een koud, donker meer – hier verdrinken was niet echt moeilijk.

'Zwaar weer,' zei Clem, die Dunphy verraste met haar onverstoorbare toon. Ze zat gehurkt tegenover hem en glimlachte zelfs toen het water over de kuiprand droop. Zelf zat Dunphy hoger, op de rand aan de andere kant, en probeerde met zijn gewicht de kiel zo vlak mogelijk te houden.

Waar ze waren wist hij niet. Dat kon hij niet goed zien. De regen sloeg in zijn gezicht en met één hand aan het roer en de fokkenval in de andere kon hij de druppels niet goed wegvegen. Intussen was de boot aan het stampen en slingeren, met uitzondering van de ogenblikken waarop ze ging tollen.

Clem rilde. 'Het water is ijskoud!' zei ze.

Dunphy knikte spijtig. 'Het komt uit de bergen,' zei hij. 'Smeltwater.'

'Nou, volgens mij zouden we het er niet lang in uithouden,' zei Clem tegen hem en ze begon te hozen met een plastic Clorox-fles waar de onderkant vanaf geknipt was.

'Er zit een zelflozer op,' zei Dunphy. 'Die heb ik gezien.'

'Nou, die kan wel wat hulp gebruiken,' antwoordde Clem. Na een paar minuten wendde ze zich na een blik op de zeilen, die bijna uit elkaar knalden, tot Dunphy. 'Mag ik iets voorstellen?' riep ze terwijl ze een paar liter water overboord gooide en evenveel van het dek opschepte. 'Voordat het touwwerk weg is?'

'Wat?!' Er stond nu nog meer wind, die in samenzang meeloeide met de vibrerende stagen.

'Reef het grootzeil, laat de fok gaan en zak af naar stuurboord,' commandeerde ze.

Hij keek haar met open mond aan. 'Wat?' De wind rukte het woord uit zijn mond.

'Ik zei: reef het grootzeil...'

'Goed! Oké! Ik had je wel gehoord.' Met de fokkenval tussen zijn tanden maakte hij de achtknoop los waarmee de grootval aan de mastklem vastzat en liet het grootzeil neer. Vervolgens reefde hij het zeil tot er nog maar een klein stukje van te zien was en zekerde het. Tot slot liet hij de fok gaan en wendde zich vol schaamte tot haar. De boot lag intussen al vlak. 'Welke kant is stuurboord?' vroeg hij en hij wist dat ze hem dat nooit zou laten vergeten.

Een stralende lach van Clementine. 'Die kant,' zei ze, terwijl ze doorging met hozen en door de striemende wind haar haar in de wind heen en weer ging.

Toen hij het roer van zich af duwde, vulde de fok zich met lucht. De boot keerde zich gracieus van Lausanne af en zeilde rustiger met de wind mee. Zelfs de regen leek minder te worden.

Nadat zijn hartslag weer wat was genormaliseerd, vroeg Dunphy haar: 'Waar heb je al die zeilkennis vandaan?'

Clem lachte en zette de Clorox-fles weg. 'Mijn ouders hadden een huisje in Kinsale,' vertelde ze. 'Daar zaten we elke zomer. Ik was vaak bemanning.'

'Wát was je?'

'Bemanning,' zei ze. 'Net als jij.'

'Ik vroeg het maar even, voor de zekerheid.'

'Ik kon het best goed,' voegde ze eraan toe.

'Dat geloof ik graag.'

'Als je de fok een beetje meer laat gaan,' zei ze, 'kunnen we volgens mij bijna met de wind mee... Heb je een kaart?'

'Nee.'

'Slimmerik. Wat moet je ook met een kaart?' Ze fronste haar voorhoofd. 'Ik denk dat dat daar Rolle is,' zei ze. 'Zwitserland, in elk geval. Daar kunnen we wel naartoe gaan...'

Dunphy droeg het roer aan haar over.

Ze brachten de boot kort na tienen aan land op het gazon van een groot, donker huis op zo'n twintig kilometer ten zuidwesten van Rolle, vlak bij Coppet. Van een vrachtwagenchauffeur kregen ze een lift naar Genève, waar ze in het eerste hotel dat ze tegenkwamen een kamer namen en de receptionist vertelden dat ze autopech hadden.

's Morgens ging Dunphy naar het Handelsregister in de oude stad en zocht met assistentie van een vriendelijke employée het Institut Mérovée op. Veel was er niet.

Volgens de paperassen was het instituut in 1936 gesticht met een schenking van Bernardin Gomelez, woonachtig te Parijs. De doelstellingen ervan waren 'liefdadig, educatief en godsdienstig'. In 1999 had het instituut een vermogenswaarde van '>1 miljard CHF' aangegeven. Een snelle omrekening leerde dat dat meer dan zevenhonderd miljoen dollar was. Maar hoeveel meer? Wat wilde dat > eigenlijk zeggen? 'Meer dan.' Nou, dacht Dunphy, twee miljard Zwitserse franc is méér dan een miljard Zwitserse franc. En tien miljard is weer meer dan twee. Enzovoort. Enzovoort.

Er was, met andere woorden, niet achter te komen hoe rijk het instituut was; ofschoon het beslist zeer, zeer rijk was. De directeur ervan bleek Gomelez' zoon of kleinzoon te zijn. Ze hadden in elk geval dezelfde naam: Bernardin Gomelez. Als adres van instituut én president was de Villa Munsalvaesche in het stadje Zernez opgegeven.

Dunphy vroeg de employée, een blondine van een jaar of zestig met diepe lachrimpels rond haar ogen en teddybeeroorbellen in, waar Zernez lag. Ze lachte.

'Dat ligt in Graubünden,' riep ze uit, alsof het kanton ergens bij de Fiji-eilanden in zee lag. 'Dat is een heel afgelegen plaatsje. Ik denk dat ze er vooral Romanche spreken, geen Duits. Geen Italiaans.'

'Maar waar ligt het?' vroeg Dunphy.

Ze rolde met haar ogen. 'In het oosten. Onder Oostenrijk. Achter Saint-Moritz.' Ze dacht er even over na. 'Maar natuurlijk,' zei ze, vastbesloten de kwestie te verduidelijken, 'daar woont Heidi!'

Omdat je per vliegtuig niet in of in de buurt van Zernez kon komen, huurden ze op het vliegveld van Zürich een auto en vertrokken de volgende ochtend op eigen houtje. Het was pakweg driehonderd kilometer rijden, waarbij ze Zwitserland van west naar oost zouden doorkruisen, en ze hoopten dat in zeven of acht uur te doen. De tijd hielden ze echter niet bij, omdat het zo'n mooie rit was. De weg kronkelde van het ene spectaculaire uitzicht naar het andere, klampte zich vast aan berghellingen en dook valleien in waar hij naast ivoorkleurige riviertjes met schuimend gletsjerwater voortsnelde. Nu zijn we vast in het paradijs, dacht Dunphy. De bergen waren zo groen als Donegal en bruisten van de wilde bloemen. Er waren geen steden om hen af te leiden – alleen maar gletsjers, meren en koebellen.

In Chur – met zijn drieëndertigduizend inwoners een alpien Gotham – gingen ze in zuidelijke richting naar Zuoz en volgden daarna een smal weggetje door de vallei van de Inn naar Zernez, waar ze aankwamen op het moment dat de zon achter de bergen verdween.

Zernez was heel klein, maar wel een levendig plaatsje dat als verzamelpunt fungeerde voor trektochten door het nabijgelegen nationale park. Dat was de enige federale wildernis die Zwitserland rijk was, honderdvijfenzestig vierkante kilometer naaldbos, alleen bewoond door kuddes steenbokken, gemzen en edelherten. In tegenstelling tot de Amerikaanse parken was het Parc Naziunal Svizzer in geen enkel opzicht ontsloten, een enkel restaurant en de wandelpaden die je in Zwitserland overal tegenkomt, daargelaten.

In Zernez zelf werden de supermarkten druk bezocht door Japanse toeristen en wandelaars die gekleed waren in wat Clem 'Graubünder chic' noemde: bergschoenen en wollen sokken, een korte broek en een flanellen hemd. Dure zonnebrillen, rugzakken en draagtasjes completeerden het plaatje. Er hing een feestelijk sfeertje dat ook wel iets gejaagds had doordat mensen in vliegende haast hun inkopen probeerden te doen voordat de winkels om zes uur sloten. Bier en flesjes water, Landjäger, brood en kaas. De perfecte wandelstok en een sterkere zonnebrandcrème.

Een kamer vinden was lastiger dan Dunphy had gedacht. De paar hotels in het plaatsje waren vol, maar toen ze de hoofdstraat links lieten liggen zagen ze gelukkig een traditioneel chalet met voor het raam een bordje waar *Zimmer* op stond. Voor vijftig dollar kregen ze de sleutel van een tweekamerappartement met twee eenpersoonsbedden en een zitkamer waar een vitrine vol prulletjes in stond, een ruim tweeënhalve meter lange alpenhoorn en de grootste koekoeksklok die ze ooit hadden gezien. De rest van het meubilair kwam recht uit een Ikea-catalogus.

Ze aten in een vakwerkrestaurant dat gespecialiseerd was in raclette en kaasfondue. Er stonden kaarsen en bloemen op tafel en het eten was heerlijk. Naderhand gingen ze naar de Stübli ernaast, waar ze aan een tafeltje bij de open haard een glas wijn dronken.

Het was een intieme bar en Dunphy maakte een praatje met de serveerster, die hij plaagde met haar klederdracht. Toen zei hij tegen haar: 'We zijn op zoek naar een huis hier in Zernez.'

'Een huis?' vroeg ze. 'Om te huren, bedoelt u?'

'Nee,' zei Dunphy, 'we zijn naar een bepaald huis op zoek.'

'O? Welk adres is het?' vroeg ze.

Dunphy haalde zijn schouders op. 'Het heeft geen huisnummer of zo. Het enige wat ik heb is Villa Munsalvaesche. Ken je dat?'

'Nee.'

'Er woont ene meneer Gomelez.'

'Een Spanjaard?'

Dunphy schudde zijn hoofd. 'Een Fransman.'

'Ik denk niet dat hij hier woont,' zei de serveerster. 'Niet in Zernez... dat zou ik toch moeten weten. Ik ben hier geboren.' Op Dunphy's voorstel vroeg ze de barman of hij iemand kende die Gomelez heette, of een huis dat Munsalvaesche heette. Hij schudde zijn hoofd en ging het bij de buren aan de hoofdkelner vragen, die ook burgemeester was. Twee minuten later kwam hij terug met een voorstel.

'Vraag het eens bij het postkantoor, morgen. Daar weten ze het vast wel.'

En dat deden ze.

Ze gingen naar het postkantoor zodra het openging en vroegen naar meneer Gomelez en Villa Munsalvaesche. De baliemedewerker wist meteen wie ze bedoelden.

'Ja, zeker; Gomelez, die krijgt zijn post hier... al vanaf mijn jeugdjaren. Vooral tijdschriften.'

'Dus je kent hem?' vroeg Dunphy.

De man schudde zijn hoofd. 'Nee.'

'Maar...'

'Hij heeft mensen die voor hem werken. Die komen twee keer in de week. Altijd dezelfde auto. Houdt u van auto's?'

Dunphy haalde zijn schouders op. 'Jawel, hoor.'

'Dan zult u deze leuk vinden. Het is een oldtimer. Een Cabriolet C, net als die van Hitler.'

'Weet je waar zijn huis staat? Villa...'

'Mun-sal-vaesche!' vertelde de baliemedewerker met een lach. Toen werd hij ernstig. 'Ik heb het nog nooit gezien, maar een van de boswachters heeft me verteld dat het park eromheen ligt... het ligt dus ín het park, maar het is niet ván het park, begrijpt u? Een rijkeluistruc...'

Dunphy knikte. 'Wanneer komen ze de post ophalen?' vroeg hij. 'Misschien kan ik ze even spreken.'

De baliemedewerker haalde zijn schouders op. 'Op dinsdag en op vrijdag.'

'Vandáág?'

De baliemedewerker knikte. 'Als je vanmiddag op de uitkijk gaat staan, zie je ze misschien wel.'

Er was een cafétje aan de overkant, met een terras met tafeltjes en stoelen. Ze dronken koffie en lazen de *Herald Tribune* terwijl ze een oogje op het postkantoor hielden. Het was fris en helder met een krachtige zon, zodat de temperatuur een graad of zes, zeven omlaagging als er boven hen een wolk langsdreef. Om twaalf uur bestelden ze broodjes en bier, dat werd geserveerd in enorme, berijpte pilsenerglazen. Om een uur ging Clem een wandelingetje maken terwijl Dunphy met het kruiswoordraadsel in de *Herald Tribune* aan de slag ging. Als de Mercedes zich liet zien, zei hij, zou hij naar hun huurauto rennen en claxonneren – een heel on-Zwitserse actie, maar ze zou hem wel horen. De Mercedes liet zich alleen niet zien.

Clem was na ongeveer een halfuur weer terug bij hun tafeltje met een stafkaart van het park. Ze spreidden hem tussen hen in uit op tafel en zochten naar een open plek waar de villa van Gomelez kon staan, maar er was niets te zien.

Toen het postkantoor bijna dichtging, merkte Dunphy dat er op straat werd omgekeken en toen hij opsprong zag hij een antieke Mercedes-Benz met aan het stuur een donkerharige man in een zwart pak met een veterdas. Hij greep Clems pols, wierp een briefje van honderd franc op tafel en rende naar hun huurauto. Die stond een straat verder, en tegen de tijd dat ze terug waren, was de Mercedes al weer de plaats uit aan het rijden, in oostelijke richting.

Ze volgden op discrete afstand; de kaart lag op Clementines schoot. 'Er zijn helemaal geen wegen die het park in gaan,' zei ze, 'alleen ruiter- en wandelpaden. Dus ik weet niet waar híj naartoe denkt te gaan.' Een grijze, snelstromende rivier stroomde langs de weg en liet zijn kiezels ruisen.

Ze waren nu in een diep gletsjerdal en hadden de zon in de rug terwijl de schaduwen langer aan het worden waren. De rivier begon te kronkelen en de weg, die de waterstroom weerspiegelde, deed hetzelfde. Een kleine honderd meter voor hen begon de Mercedes aan een haarspeldbocht en Dunphy remde. Daarna reed hij achter de andere wagen de bocht in en trok op toen de weg weer recht was. Een bordje in de berm meldde IL FUORN 8 KM.

Hij ging harder rijden.

'Waar is de Mercedes?' vroeg Clem.

Dunphy knipperde met zijn ogen. Er was niets of niemand voor hen. Hij trapte op de rem, reed naar de kant van de weg en zette de motor uit. 'Waar is hij heen?' vroeg hij. Het was net of ze een luchtspiegeling hadden gevolgd.

Clem draaide zich om op haar stoel en strekte haar nek. Na een ogenblik zei ze: 'Kijk,' en ze wees in de richting waar ze vandaan kwamen. Een lichtgewelfd stenen bruggetje, niet breder dan een auto en niet al te stevig ogend, ging vlak na de plek waar de weg uit de laatste bocht kwam de rivier over. Het bruggetje lag achter een lage heuvel aan de passagierskant van de auto en als je, net als zij, uit het noorden kwam aanrijden, zag je het pas als je er al voorbij was – in de achteruitkijkspiegel. Om bij het bruggetje te komen moest de bestuurder van de Mercedes van de weg af rijden en achteruit insteken. Wat hij ongetwijfeld ook had gedaan.

Dunphy tuurde. Naast het bruggetje stond een bordje met PRIVÉ.

'Het staat niet op de kaart,' zei Clem en ze wees naar waar het bruggetje zou moeten staan. 'Verder klopt het allemaal. Brandtorens, wandelpaden, picknicktafels, rustplaatsen, blokhutten... En bruggen. Een heleboel bruggen. Maar deze niet.'

'En die weg niet,' zei Dunphy, die naar een onverharde weg wees die aan de overkant van het bruggetje begon en in het bos verdween. 'Blijf hier,' zei hij en hij opende het portier. 'Ik ben zo terug...'

Ze was er al uit aan de andere kant en stond haar jas aan te doen. 'Ik blijf helemaal niet,' zei ze tegen hem. 'Zeker niet aan de kant van de weg. Niet deze weg.'

Samen gingen ze het bruggetje over, hand in hand. De wetenschap dat hij de Glock had gaf Dunphy mogelijk meer zelfvertrouwen dan de omstandigheden billijkten, maar er was op het oog niets om bang voor te zijn. En de weg werd trouwens beter naarmate hij dieper het bos in ging. Na pakweg een kilometer maakte het onverharde oppervlak plaats voor grind dat een eindje verderop asfalt werd. Ze verhoogden het tempo en zagen in de verte een lichtje flikkeren, waar ze opaf gingen.

Het bleek een gaslamp te zijn die voor een enorm smeedijzeren hek aan een paal hing. De poort, die wijd openstond, was minstens zes meter hoog en nam de hele breedte van de weg in beslag. Dunphy keek door zijn spleetjes naar het smeedwerk, waar allerlei korstmossen overheen zaten.

VILLA MUNSALVAESCHE
1483

Dunphy keek naar Clem, wier amandelvormige ogen zo rond waren als biljartballen. 'Zullen we?' fluisterde hij. Ze knikte en samen gingen ze door de poort. Het was nu donker en er was nauwelijks zicht, maar voor hen uit glinsterden er lichtjes tussen de bomen. Ze volgden de weg totdat ze na een paar honderd meter heel onverwacht bij een groot grasveld kwamen.

In de verte was Villa Munsalvaesche te zien, die als een kasteel op een heuveltje stond. Een sterrenregen erboven en...

'Kijk,' zei Clem en ze trok Dunphy aan zijn mouw.

Een oude man in een rolstoel vormde een silhouet tegen een donkere, in het maanlicht glanzende vijver. Er lag een deken over zijn knieën en hij voerde broodkorstjes aan de zwanen. Ofschoon ze zijn gezicht niet konden zien, kwam zijn witte haar tot op zijn schouders.

'Het is Gomelez,' raadde Dunphy en hij zette een stap zijn kant uit – maar verstijfde toen hij een diep, zeer autoritair gegrom hoorde. Terwijl ze zich langzaam omdraaiden, merkten Dunphy en Clem dat ze pal tegenover een span gemuilkorfde Rhodesian Ridgebacks stonden. De kleinste van de twee geelbruine, gespierde honden kwam tot Dunphy's middel – en zonder te weten hoe hij het wist, besefte Dunphy dat de honden hen hadden gevolgd sinds ze door de poort naar binnen waren gegaan.

De oude man gooide een handvol broodkruimels naar de zwanen en zei zonder zich om te draaien: 'Welkom in Villa Munsalvaesche, meneer Dunphy. "U kunt gaan wanneer u wilt, maar echt wegkomen kunt u niet."'

29

'Bent u fan van de Eagles?' vroeg Dunphy.

'Alleen dat ene nummer,' antwoordde Gomelez, die met een kristallen verstuiver een orchidee bespoot. 'Voor mij verwoordt het heel veel.'

Zij en Clem bevonden zich in de kas van de villa, waar ze de Dendrobium-orchideeën van de oude man verpotten en van mest voorzagen. De bloemen gaven een subtiele, verleidelijke geur af van frambozen en citrus. Gomelez vertelde dat hij ze al bijna vijftig jaar kweekte.

'Na de oorlog kreeg ik de smaak te pakken,' legde hij uit. 'Een van mijn hobby's. Ik heb heel veel hobby's.'

Waaronder kennelijk het leren van vreemde talen, die hij, naar hij beweerde (half schertsend, volgens Dunphy), allemaal sprak. Dat was natuurlijk overdreven, maar in welke mate kon Dunphy noch Clem inschatten.

Een van de grootste vertrekken van de villa was de gelambriseerde bibliotheek, een gewelfde zaal die van de vloer tot aan het plafond met boeken was gevuld waar je merendeels alleen met behulp van een schuifladder bij kon komen. De meeste boeken leken in de een of andere Europese taal te zijn geschreven, maar de bibliotheek had ook afdelingen die geheel gewijd waren aan mysterieuzere geschriften met een herkomst waar Dunphy alleen maar naar kon raden: Hebreeuws, Chinees, Japans, Sanskriet, Urdu, Hindi, Arabisch en... Euzkadi?

Mogelijk, dacht Dunphy, was Gomelez veeleer een boekverzamelaar dan een taalkundige... maar dat leek hem toch niet. Hij had de post van de oude man gezien en dat waren bijna allemaal abonnementen op wetenschappelijke en medische tijdschriften in de landstalen van ver uiteengelegen naties als Denemarken en Indonesië.

Ongeacht de maatstaf was de bibliotheek echter groots. Op dertig meter lengte herbergde de ruimte voorwerpen én boeken. Er waren antieke telescopen en zeer oude astrolabia, chronometers en violen. Etruskische munten en terracotta aardewerk wedijverden om een plaatsje met een honkbalkaartje van Honus Wagner en een verzameling Byzantijnse en Romeinse olielampen.

Maar de bibliotheek was niet wat Gomelez het meest verrukte. Dat was een kleine werkruimte die via een alkoof tussen twee hoge boekenkasten met boeken over Japan en judaïca kon worden bereikt. De ruimte bevatte een middelgroot bureau waarop elektronische apparatuur stond uitgestald. Op de muur achter het bureau hing een affiche met de tekst: *La vérité est dehors là!*

Met een geamuseerd-verstrooide blik keek Gomelez toe terwijl Dunphy en Clem de apparatuur op het bureau aan een nader onderzoek onderwierpen. Twee machines waren samen aan een printer gekoppeld die, terwijl ze stonden te kijken, doorlopend papier produceerde waarop een op een pen lijkend instrument een golflijn met pieken en schommelingen aanbracht. 'Wat is dit?' vroeg Dunphy, die door zijn spleetjes naar de verlichte panelen en knopjes keek.

'Dit is een spectraalanalysator,' vertelde Gomelez, 'aangesloten op een digitaal/analoogomzetter. En een printer, natuurlijk.'

'Maar waar dient hij voor?' vroeg Clem zich af.

'Nou,' antwoordde de oude man, 'wat hij precies dóét – wat hij nú doet – is radiosignalen onderzoeken in het heelal, waarbij hij extra aandacht schenkt aan frequenties bij de "drinkplaats", het gebied tussen neutrale waterstof en het hydroxyl-radicaal.'

'O,' zei Clem. Een ogenblik later voegde ze eraan toe: 'Waarom doet hij dat?'

'Nou,' zei Gomelez grinnikend, 'dat doet hij omdat ik een van de amateurs ben die professionele astronomen helpen zoeken naar aanwijzingen dat er ver weg in het heelal intelligent leven is.'

'U bedoelt...'

'Er staat een radiotelescoop op het dak. Een kleintje, maar hij doet het.'

'Interesseert het u?' vroeg Dunphy.

Gomelez haalde zijn schouders op. 'Niet echt.'

Dunphy begon aan een volgende vraag. 'Maar waarom...'

Gomelez hield een vinger tegen zijn lippen. 'Dat begrijp je later.'

Dunphy overnachtte niet graag in andermans huis (ook niet als dat een paleis was). Hij was voor de volle honderd procent een hotelman. Maar Gomelez had de antwoorden die hij nodig had en Dunphy kon dan wel met vragen aankomen (Kende u Dulles en Jung? Waar was het genootschap op uit?), de oude man hield er zijn eigen onthullingenschema op na en liet zich niet opjagen. Dus Dunphy was geduldig. Zo geduldig als hij kon.

Na een week in Villa Munsalvaesche kenden ze Gomelez al aardig. De oude man – en het wás een oude man; de week ervoor had hij zijn tweeënnegentigste verjaardag gevierd – was de perfecte, vriendelijke gastheer die zijn gasten op hun wenken bediende, intelligent en zachtaardig. Hij wist ernst en beminnelijkheid zodanig te combineren dat Dunphy haast wenste dat zijn vader een beetje meer op hem had geleken. En Clem was helemaal op hem verkikkerd; elke ochtend bracht ze met hem in de kas door en ze reed hem op het eind van de middag naar buiten om de zwanen te voeren.

Niet dat Gomelez alleen woonde. De villa had twaalf man personeel, sommigen buiten, anderen in huis. Daar zaten twee tuinmannen en een chauffeur bij, een verpleegster en vier huishoudsters, een secretaris die tevens huisknecht was, twee koks en een aantal beveiligingsmensen die je niet vaak te zien kreeg en die langs de buitenste grenzen van het landgoed patrouilleerden in een golfwagentje.

'Met hen kan ik niet praten,' zei Gomelez. 'Idioten zijn het.'

Dunphy voer spottend uit. 'Erger dan idioten,' zei hij. 'Luilakken zijn het. Ik weet niet waar ze die avond uithingen, maar de poort hielden ze niet in de gaten. We líepen naar binnen, over de weg, in de maneschijn. We hadden het Russische leger kunnen zijn.'

'Maar natuurlijk deden jullie dat,' riep Gomelez uit. 'Dat was ook het plan.'

'Wat bedoelt u?' vroeg Clem.

'Ze wilden jullie hier hebben. Dat wilden we trouwens allemaal.'

'Maar waarom dan?'

'Omdat ze jullie niet konden vinden. Jullie schijnen hén telkens gevonden te hebben... eerst in Londen, toen in Zug. En daarna weer in Parijs. Dus volgens mij heeft je vriend Matta een brainstormsessie gehouden. En toen hebben ze besloten dat de berg maar naar Mohammed moest komen.'

'Dus we zitten in de val,' zei Dunphy.

Gomelez haalde zijn schouders op. 'Er zijn nog nooit gewelddadigheden voorgevallen in de villa, meneer Dunphy. Die komen er ook niet.'

'En als... ik bedoel wannéér... we weg willen gaan?' vroeg Dunphy.

'Zodra jullie van het terrein af zijn, worden jullie vermoord.'

Dunphy dacht na. 'Daarnet zei u: "Ze wilden jullie hier hebben. Dat wilden we trouwens allemaal." Wat bedoelde u daarmee?'

'Ah,' zei Gomelez. 'Nu stel je de juiste vraag. Wat ik bedoelde was dat ik net als jullie een gevangene ben. Ik kan dan wel lopen, maar ik kom niet ver. Ik ben oud, en zo'n gemotoriseerde rolstoel is een geweldige voorziening. Dus je kunt je wel indenken dat het voor mij erg lastig zou zijn om in mijn eentje weg te gaan...'

Dunphy begreep direct waar hij op doelde. 'Maar u hebt al wel overdacht hóé...'

Gomelez knikte. 'Ik heb nergens anders over nagedacht... niet sinds ik een kind van vijftig was.' Toen nam hij Dunphy van top tot teen op. 'Hoe sterk is je rug?' vroeg hij.

Dunphy haalde zijn schouders op. 'Vrij sterk, lijkt me. Waarom?'

'Ik vroeg het me gewoon af.' Waarop de oude man zijn stoel een soort *wheelie* liet maken en gebaarde dat ze mee moesten komen. 'Ik zal jullie iets laten zien,' zei hij en hij schoot vooruit na een druk op een knop op de armleuning van de rolstoel.

Via de bibliotheek gingen ze naar de grote hal, waar een lift die nog van de eeuwwisseling dateerde op hen stond te wachten. Dunphy zag dat het smeedijzer van de deuren zo was gevormd dat het de val van Lucifer en zijn engelen voorstelde. Hij hield de deur open voor Gomelez en Clem en stapte vervolgens zelf naar binnen. De deuren ratelden in het slot terwijl Gomelez een sleutel in het controlepaneel stak. Langzaam begon de lift aan de afdaling.

Na wat een hele tijd leek, kwamen ze in de kelderruimte onder het souterrain van de villa, waar Dunphy werd verrast door wat er te zien was. Hij had een wijnkelder verwacht, of misschien een aantal kerkers, maar in plaats daarvan zag hij een gestroomlijnde gang voor een ultramoderne kantoorunit. Telefoons rinkelden. Toetsenborden klikten. Kopieermachines zoemden. In zwart pak geklede mannen en vrouwen deden hun werk met niet meer dan een steelse blik op Gomelez.

'Het lijkt wel of ze niet naar u dúrven kijken,' zei Clem tegen hem.

Gomelez haalde zijn schouders op. 'Ze denken dat ik God ben,' zei hij. 'Dan krijg je een ingewikkelde relatie.' En daarop rolde hij een stukje verder de gang in, stopte en knikte naar een glazen wand. 'Kijk.'

In de zwak verlichte kamer zaten in het zwart geklede mannen aan een reeks groen opgloeiende beeldschermen en bedienden aan- en uitschakelaars op een controlepaneel van gepolijst aluminium. Aan de muur naast hen hing een kaart van het omliggende bos waar glasvezeldraadjes kriskras doorheen liepen.

'Wat zijn dat voor blauwe lichtjes?' vroeg Clem.

'Sporen in het park,' antwoordde Gomelez.

'En het rode?' vroeg Dunphy.

'Dat is de omtrek van het landgoed waar de villa op staat. Die wordt voortdurend met camera's bekeken.'

'Ook 's nachts?' vroeg Clem.

Gomelez knikte. 'Ze laten beeldversterkers synchroon lopen met thermische opnameapparatuur,' legde hij uit. 'Waardoor ze van beide werelden het beste hebben. Licht vanboven en licht vanbinnen.'

Clem fronste niet-begrijpend haar voorhoofd.

'Licht van de sterren en lichaamswarmte,' mompelde Dunphy.

'Zo kun je het ook zeggen,' stemde Gomelez in.

'Hoe komt het dat u hier zoveel vanaf weet?' vroeg Dunphy.

'Ik had een hoop tijd om door te komen,' antwoordde Gomelez. 'Ik had in feite mijn hele leven om door te komen.'

Terwijl hij wat verder de gang in rolde, gebaarde Gomelez over zijn schouder dat de twee anderen hem moesten volgen. Na een meter of zes hield hij halt bij een verduisterde kamer waarvan de gangwand bijna helemaal van glas was. De glazen wand deed Clem aan de kraamkamer van een ziekenhuis denken en toen ze erdoorheen keek, verwachtte ze bijna een rij couveuses te zien. In plaats daarvan was er één man, die bij een computerscherm een boek zat te lezen. Op het beeldscherm was een stripfiguurtje met een gelukzalige grijns op zijn gezicht rondjes aan het lopen.

'Wie moet dat voorstellen?' vroeg Dunphy. 'Mr. Natural?'

Gomelez schudde zijn hoofd. 'Nee,' zei hij. 'Dat ben ik.' Toen tikte hij tegen het raam, zodat de man op de stoel opkeek. Gomelez zwaaide en lachte. De man liet zijn hoofd met een eerbiedig knikje zakken en keerde weer terug naar zijn boek.

'Ik snap het niet,' zei Dunphy. 'Waar gaat dit over?'

Gomelez boog zich vooroever en tilde de zoom van zijn rechter broekspijp op. 'Hierover.' Er zat een zwart riempje om de enkel van de oude man. Aan het riempje was een plastic kastje bevestigd.

Clem tuurde ernaar. 'Wat is dat?'

Dunphy schudde ongelovig met zijn hoofd. 'Elektronisch toezicht.'

'Heel goed!' merkte Gomelez op.

'Het kastje zendt een zwak radiosignaal uit,' zei Dunphy tegen haar. 'Dat signaal wordt opgepikt door een transponder die hier ergens op het terrein staat. De transponder stuurt het signaal door naar de ontvanger. Klopt dat?'

Gomelez knikte, zichtbaar onder de indruk. 'Helemaal.'

'Zolang hij binnen het bereik van de transponder blijft – dat houdt die man daar in de gaten – is er niets aan de hand. Maar zodra hij die grens overschrijdt...' Hij wendde zich tot Gomelez. 'Hoe ver kunt u gaan?'

'Ongeveer honderd meter van het huis af... een rondje rond de vijver, als ik dat wil.'

'Maar waarom haalt u hem er niet gewoon af?' vroeg Clem.

'Omdat ik hem dan zou moeten doorknippen,' zei Gomelez, 'en dan zou ik het circuit doorbreken. Geen circuit, geen signaal. Geen signaal... grote moeilijkheden.' Opeens lachte hij. 'Kom mee,' zei hij, 'ik zal jullie nog iets laten zien.'

Gomelez stuurde zijn rolstoel verder de gang in, stopte, deed een kamerdeur open en knipte het licht aan. Dunphy en Clem keken naar binnen.

De kamer bleek een ultramoderne operatie-unit te zijn, voorzien van röntgenapparatuur en andere diagnostische instrumenten, plus een verkoeverhoek met apparatuur die de vitale functies kunstmatig in stand konden houden. Gomelez knipte het licht uit en rilde. 'Dat moesten jullie zien,' zei hij.

Die avond aten ze met een dienblad op schoot in de wapenkamer terwijl ze onder de beschermende blik van de Rhodesian Ridgebacks van de oude man, Emina en Zubeida, naar een herhaling van *Seinfeld* keken. De honden volgden Gomelez overal, geluidloos in zijn kielzog, binnen en buiten. Af en toe stak hij in zijn rolstoel zonder te kijken een arm uit, waarop een van de honden soepel op hem afkwam om zich achter een oor te laten krabben.

Toen de aflevering was afgelopen, nam Gomelez hen mee naar een klein studeervertrek met uitzicht op het meer. De open haard brandde en het schilderij dat erboven hing was zo krachtig dat het hun de adem benam. Clementine las het koperen bordje dat aan de goudkleurige lijst was bevestigd:

DE MOLAY OP DE BRANDSTAPEL
TITIAAN (1576?)

'Dit schilderij ken ik niet,' zei ze. 'Wat vreemd is, want ik heb kunstgeschiedenis gedaan.'

Gomelez haalde zijn schouders op en schonk voor hen allebei een calvados in. 'Dat is omdat er alleen maar over gepraat wordt,' zei hij. 'Er zijn nooit foto's van gemaakt, het is nooit uitgeleend.'

'U bedoelt...'

'Ik bedoel dat het hier altijd is geweest.'

Ze waren even stil en toen zei Dunphy: 'In tegenstelling tot u.'

Gomelez keek hem in verwarring aan.

'We zijn naar het museum geweest in de Rue de Mogador,' legde Clem uit.

Gomelez sloot zijn ogen en knikte bedachtzaam.

'Wat is er gebeurd?' vroeg Dunphy.

'Gebeurd?' antwoordde de oude man.

'Met u. Toen de Duitsers kwamen...'

Gomelez schudde meesmuilend zijn hoofd. 'Alles wat er is gebeurd, is gebeurd vóórdat de Duitsers kwamen.'

Clem nestelde zich in de stoel naast hem. 'Wat bedoelt u daarmee?' vroeg ze.

Gomelez staarde in het vuur en begon te vertellen. 'Toen ik een jongen was, in Parijs, liet mijn vader me kennismaken met een groep mannen die, zo werd me verteld, het voor het zeggen hadden in de zakenwereld, die van de politiek en die van de kunst. Tijdens die bijeenkomst werd me verteld dat mijn familie "anders" was – dat ík "anders" was – en dat dat bijzondere verantwoordelijkheden met zich meebracht. Men vertelde me dat ik hier op zekere dag meer over te weten zou komen, wat inderdaad is gebeurd, maar dat ze daar op dat moment waren om trouw te zweren aan mijn zaak.'

Gomelez nam een slokje calvados.

'Mijn zaak? Je kunt je mijn reactie wel voorstellen. Ik was tien!' riep hij uit. 'Wat is dat voor een "zaak"? vroeg ik mijn vader. En hij legde uit dat ík de zaak was. En waarom? vroeg ik. Omdat er bloed door hun aderen stroomde, maar verlossing door de mijne. Ze zeiden dat ik een prins was die koning moest worden... of als ik dat niet was, dan mijn zoon. En als hij dat niet was, dan zijn zoon.' Gomelez schudde zijn hoofd. 'Je kunt je voorstellen hoe ik me voelde. Ik was een kind. En dus kwam wat zij me te zeggen hadden niet als een echte verrassing. Zoals ieder kind had ik altijd al geweten – of althans vermoed – dat ik in een of ander opzicht een magisch wezen was. En eerlijk is eerlijk, het leek natuurlijk én terecht dat ik de kern moest vormen van een geheim universum, een donkere zon waar zwermen trouwe volgelingen omheen draaiden. Maar toch zou ik, toen ik ouder werd, gaan inzien dat daar een prijs voor moest worden betaald, en die prijs was vreselijk: ik kon niet mijn eigen leven leiden. Ik moest gewoon wachten tot het afgelopen was.'

Gomelez krabde Zubeida achter haar oor en schonk zichzelf een tweede calvados in. Dunphy pakte een pook en porde in het vuur.

'Dus vertrok ik... in '36. Ik liep naar buiten om een pakje sigaretten te halen... en ik liep door, op zoek naar avontuur, goede vrienden, een rechtvaardige oorlog... om het even wat. Destijds was ik "politiek"; iedereen was politiek in de jaren dertig. Het duurde dus niet lang totdat ik het hoofdkwartier van de Frans-Belgische Commune de Paris had gevonden. Twee dagen later zat ik in de trein naar Albacete en de Spaanse burgeroorlog. Een week later lag ik in een veldhospitaal, mijn onderlichaam vol granaatscherven.'

Dunphy knipperde met zijn ogen. 'Wanneer was dat?'

'Vier november 1936.'

'Dus dat bedoelde hij,' zei Dunphy.

'Wie?'

'Allen Dulles. In een brief aan Jung. Hij zei dat er een catastrofe had plaatsgevonden. Dat was dit dus.'

Gomelez knikte. '"Catastrofe" is het goede woord. De vrienden van mijn vader vonden me en ik werd naar Parijs teruggebracht. Maar het kwaad was geschied. Vanwege mijn verwondingen zou ik nooit een kind kunnen verwekken... niet rechtstreeks althans. En het gruwelijke daarvan was dat ik, als laatste van de lijn, des te waardevoller werd voor degenen wier zaak ik was geworden. Het resultaat was... deze begrafenis.'

Dunphy noch Clem wist iets te zeggen.

'En vreemd genoeg leken mijn vaders vrienden door die verwonding gegalvaniseerd; zij zagen er de vervulling van een profetie in.'

'"Zijn koninkrijk komt en gaat,"' citeerde Dunphy, '"En komt dan weer..."' De rest kon hij zich niet meer herinneren, maar Gomelez kende het woord voor woord.

'"En komt dan weer wanneer hij, gewond aan de kern, de laatste, hoewel niet de laatste is, geblazoeneerd en alleen. Deze vele landen zullen dan één zijn en hij hun koning tot, verscheiden zijnd, hij te allen tijde zonen verwekt, aldoor dodelijk en celibatair." Kennen jullie de *Apocryphon*?'

Dunphy knikte. 'Ik heb de voorspelling gezien. Maar volgens mij slaat die in dat laatste stuk de plank mis.'

'Hoe bedoel je?'

'Het stuk over kinderen krijgen en celibatair zijn. Hoe moet dat dan gerealiseerd worden?'

Gomelez fronste zijn voorhoofd. 'Dat is het makkelijke deel,' zei hij.

'Hoe dat zo?'

'Ik heb een spermamonster aan het Instituut voor Eugenetica in Küsnacht gegeven. Zestig jaar geleden. Het is al die tijd cryogeen bewaard.'

'Weet u dat zéker?'

Gomelez lachte. 'Reken maar. Daar gooien ze nooit iets weg.'

'Waar hebben ze u dan voor nodig? Het genootschap, bedoel ik. Waarom kunnen ze niet gewoon...'

'De profetie is expliciet. Het koninkrijk kan alleen worden overgedragen op een lineaire afstammeling die gewond én geblazoeneerd is.'

'Geblazoeneerd?' vroeg Clem.

Gomelez ging verzitten. 'Ik heb een moedervlek op mijn borst,' verklaarde hij. 'Maar dat is nog niet alles. De overdracht moet plaatsvinden tijdens het leven van degene die de laatste...'

'... "hoewel niet de laatste is,"' vulde Dunphy aan.

'Exact,' zei Gomelez. 'In dat licht bezien kunnen jullie je hun enthousiasme voor mijn kandidatuur wel voorstellen.'

Dunphy moest onwillekeurig lachen.

'Waar ik me zorgen over maak,' ging Gomelez verder, 'is dat ik altijd moet blijven leven. Niet lachen! Je hebt het ziekenhuis gezien. Het is volledig bemand. Ze kunnen me er tot het einde der tijden laten doorademen. En dat zijn ze ook van plan.' Gomelez wachtte even en keek op. 'Wat ons bij jullie geheimzinnige komst brengt. Waarom zíjn jullie hier?'

Dunphy keek naar Clem en haalde zijn schouders op. 'We konden nergens anders heen. Ik kwam van Langley vandaan. We zijn naar Zug geweest. En ik had het gevoel dat ze ons waar we ook heen gingen achterna zouden komen. Dus dacht ik: ik ga naar de bron.'

Gomelez knikte. 'En is het in je opgekomen dat je mij misschien moet doden?'

Dunphy ging ongemakkelijk verzitten terwijl Clem protesteerde. 'Daar heb ik even aan gedacht,' zei Dunphy.

Gomelez glimlachte. 'Nou, in dat geval wil ik je een voorstel doen.'

Weer keken Dunphy en Clem elkaar aan. 'Hoor eens, Bernard... ik ben dokter Kevorkian niet,' zei Dunphy. 'En zo slecht ziet u er toch niet uit.'

Gomelez lachte. 'Dat bedoel ik ook niet,' zei hij. 'Maar als ik je zou zeggen dat ik genoeg heb van Londen, begrijp je me dan?'

Clem knikte. 'Dan heb je genoeg van het leven.'

Daar was Gomelez het mee eens. 'Alhoewel ik dus nooit echt in Londen ben geweest.' Hij wachtte even en dacht na. 'Toch zou ik de natuur heel graag op haar beloop willen laten. Dus wat ik wil voorstellen komt simpelweg hier op neer: als ik je laat zien hoe je hieruit komt, neem je me dan mee?'

'Natuurlijk,' zei Clem.

'Maar wat schiet u daarmee op?' vroeg Dunphy. 'Uiteindelijk vinden ze ons toch, en wat dan?'

Gomelez schudde zijn hoofd. 'Als ik dood ben, overkomt jullie niets,' zei hij. 'Als ik er niet meer ben, houdt dit op.'

'Dit?' vroeg Dunphy.

'Het genootschap,' verklaarde Gomelez. 'Daar ben ik de enige bestaansgrond van.'

Dunphy dacht daarover na. 'Ik zie de bedoeling,' zei hij, 'maar... begrijp me niet verkeerd – ik wil niet ongevoelig lijken, maar eh... dat kan nog een hele tijd duren.'

'Jack!'

Gomelez lachte. 'Nee,' zei hij, 'wanneer we hier weg zijn, heb ik niet zo lang meer te gaan. Je weet denk ik dat ik anemie heb. Zonder de B12-injecties...'

'En in de tussentijd?' vroeg Dunphy. 'Waar moeten we naartoe? Ze zullen in elk land op aarde zoeken.'

'O, uiteraard doen ze dat,' zei Gomelez tegen hem. 'Maar daar zullen we nu net níét zijn.'

'Wat?!'

'Ik zeg: we zullen in geen enkel land op aarde zíjn.'

Het was twee uur 's nachts toen de oude man hun slaapkamer binnenkwam, met de honden achter hem aan. 'Tijd om te gaan,' fluisterde hij.

Samen gingen ze naar de hal en daalden af naar de bibliotheek. Bij de collectie judaïca gingen ze linksaf naar het kamertje waar Gomelez signalen uit de ruimte registreerde. Hij deed het licht aan, reed op het bureau af en schakelde de printer uit. Vervolgens zette hij een aantal schakelaars om en verdraaide langzaam enkele knoppen op de spectraalanalysator. Het groene lampje van de oscilloscoop voor hem begon te trillen en te pieken.

'Wat doet u?' vroeg Dunphy.

'Ik zoek de frequentie en amplitude van de enkelband,' zei hij. 'Die zal rond de achthonderdvijftig kilohertz liggen, maar ze veranderen hem om de zoveel tijd en het zou... nou, het zou er beroerd uitzien als ik ernaast zat.'

Dunphy en Clem keken toe terwijl de oude man het spectrum

afzocht. Telkens wanneer de oscilloscoop even piekte dacht Dunphy: Dat is 'm! Maar dat was niet zo.

'Er zit een piratenzender in Zuoz,' zei Gomelez, 'en de boswachterij heeft ook radio's. Er zijn een paar zendamateurs in het gebied en een paar militaire bronnen – Daar! Dat is 'm! Hebbes.' Hij haalde een opschrijfboekje uit de bovenste la en vergeleek de frequentie met de digitale melding op het apparaat. 'Dezelfde als vorige week,' zei hij en hij reikte in de onderste bureaula.

Toen zijn hand weer te zien was, hield die een sigarenkistje vast. In het kistje zat een in vloeipapier gewikkeld voorwerp. Gomelez verwijderde het vloeipapier.

'Wat is dat?' vroeg Clem.

'Een zendertje,' zei Dunphy tegen haar. 'Ik denk dat hij het signaal van het controleapparaat wil proberen te dupliceren. Dan kan het het apparaat vervangen dat aan zijn enkelband zit, zodat het lijkt of hij er is terwijl hij weg is.'

'Uitstekend,' was Gomelez' commentaar, 'alleen is het werk al gedaan. Het moeilijkste ervan was eigenlijk niet het vaststellen van de draaggolf, maar het demoduleren ervan. Er zit een versleuteld signaal in verwerkt...'

'Waar u de signaalomvormer voor nodig had,' zei Dunphy.

'Juist,' zei Gomelez.

'Dus dit hele gedoe met die telescoop...'

'... was een smoes om een spectraalanalysator te kunnen aanschaffen,' antwoordde Gomelez. Toen bevestigde hij twee batterijen aan het zendertje op zijn bureau. 'Die gaan een uur of zes, zeven mee,' zei hij. 'Tegen die tijd hebben we de hel al wel gehad.'

Dunphy en Clem keken hem aan.

'Grapje,' zei hij en hij liet de zender contact maken met de batterijen. Toen haalde hij een schaar uit de bovenste bureaula, boog zich voorover, knipte de enkelband doormidden en liet hem op de vloer vallen.

Gomelez wees hun een ondergrondse doorgang waar je via een nepdeur onder in een torentje van de westvleugel van de villa kon komen. De doorgang bracht hen bij de kelderverdieping onder het souterrain, waar op een smalspoor een vierpersoonswagon klaarstond. Op aanwijzing van de oude man negeerden ze de wagon en volgden het spoor, dat een zwak verlichte tunnel in ging.

'Weten jullie iets af van ondergrondse militaire bouwkunde?' vroeg Gomelez.

Dunphy schudde zijn hoofd. 'Weer een hobby?'

'De Zwitsers zijn er dol op,' verklaarde Gomelez, die zijn rolstoel vaart liet minderen zodat Dunphy en Clem hem makkelijker konden bijhouden. 'Het land is één grote honingraat met geheime bouwwerken. Ze hebben hele bergen uitgehold om plaats te bieden aan tanks, projectielen en gevechtsvliegtuigen. Deze tunnel hier is door de luchtmacht gemaakt. Als er ooit een invasie komt, wordt Villa Munsalvaesche het crisiscentrum van de Zwitserse generale staf.'

'En waar gaat hij naartoe?' vroeg Dunphy.

Gomelez haalde zijn schouders op. 'Een chalet in Il Fuorn. Althans, het lijkt een chalet. Daarin komt de tunnel uit.'

Dunphy kromp ineen. 'Dan staan ze ons daar op te wachten,' zei hij. 'Zoiets laten ze toch bewaken.'

'Natuurlijk doen ze dat,' antwoordde Gomelez. 'Maar wij gaan er niet naartoe, dus het maakt niet uit.'

Ze liepen nog twintig minuten verder totdat Gomelez zijn rolstoel afremde. 'Hier,' zei hij en hij wees naar een ijzeren ladder die langs de gladde betonnen muur naar een luchtkoker voerde. 'Als je me draagt,' zei hij, 'kunnen we er hierlangs uit. De luchtkokers worden niet bewaakt; er zijn er te veel en er is sowieso nooit iets voorgevallen.'

Met Gomelez op zijn rug begon Dunphy de ladder te beklimmen, een treetje per keer. Achter hem hoorde hij Clem in zichzelf mompelen. 'Wat is er?' fluisterde hij.

'Het is zo hoog,' zei ze ademloos. 'Helemaal niets voor mij.'

De luchtkoker was inderdaad veel langer dan Dunphy zou verwachten. Hij vroeg Gomelez ernaar. 'Hoe ver was het naar boven, zei u?'

'Dertig voet,' antwoordde hij. En voegde er toen wat zachter aan toe: 'Misschien zijn het meters.'

Daar zag het wel naar uit.

Toen ze bovenin waren, trilden Dunphy's spieren van inspanning en zat hij erover in dat het traliehek niet van zijn plaats te krijgen was. Maar daarover hoefde hij zich geen zorgen te maken. Algauw ontdekte hij dat het hek met typisch Zwitserse doelmatigheid was gemaakt. Het werd door niet meer dan drie drukvergrendelingen op zijn plaats gehouden en die kon je met je duim openkrijgen. Hij duwde het hek opzij en liet zich uitgeput uit het gat rollen. Een minuut later kwam Clem tevoorschijn, zo wit als een doek.

Dunphy keek om zich heen. Het was drie uur 's nachts en pikkedonker.

'Waar zijn we?' vroeg hij.

'Naast een pad,' zei Gomelez tegen hem. 'Dat kunnen we aflopen tot aan de weg, waar we misschien een lift kunnen krijgen. Zo niet, dan ligt Il Fuorn hier maar een paar kilometer vandaan. Je zou er een auto kunnen bemachtigen en me op kunnen komen halen.'

En dus gingen ze op pad, terwijl Dunphy Gomelez de laatste paar honderd meter droeg. Toen ze ten slotte bij de weg aankwamen, was de zon achter de bergen opgekomen en verlichtte het duister zonder dat echt te verdrijven. Dunphy stond in de berm met zijn aktetas in de ene hand en de duim van zijn andere in de lucht om een lift te vragen bij het handjevol auto's en vrachtwagens dat op dit tijdstip langsreed. Hij had het koud en hij was moe en zat erover in dat er iemand van het villapersoneel langs zou komen en hem zou herkennen – daar zou een hele schietpartij van komen. Uiteindelijk zei Clem dat hij bij Gomelez moest gaan zitten, die met zijn rug tegen een boom leunde. 'Laat mij het maar eens proberen,' stelde ze voor en ze stak haar duim op en haar heup naar buiten.

Een minuut later gooide een vrachtwagenchauffeur de luchtdrukrem erop en bracht zijn truck een meter of vijftig verder tot stilstand. Hij was zichtbaar teleurgesteld dat Clem twee anderen meebracht, maar Dunphy's briefje van honderd franc maakte dat minder erg.

'*Benvenuto al bordo!*' riep de chauffeur en hij trok op, waarop de truck zich globaal richting Italië slingerde. Dunphy's ongerustheid dat Gomelez misschien niet langs de grens zou komen, bleek ongegrond. Het feit dat hij tweeënnegentig was en dat zijn paspoort zevenenvijftig jaar geleden was verlopen waren redenen voor de eenzame douanebeambte bij Glorenza om zich bezorgd te maken, maar die bezorgdheid sloeg snel om in plezier toen Dunphy hem een briefje van honderd franc aanreikte. Enkele ogenblikken later waren ze op weg naar Bolzano.

In Bolzano kochten ze een paar koffers en wat kleding en namen vervolgens de eerste trein die naar Triëst ging. In de eersteklas couchette die hij met Gomelez en Clem deelde, vroeg Dunphy zich hardop af waar het Magdalena Genootschap nu eigenlijk 'écht op uit was'.

Gomelez keek uit het raampje naar een akker met zonnebloemen waar geen eind aan leek te komen. 'Ze zijn veranderd,' zei hij. 'Er is een tijd geweest dat hun doelen...'

'Verheven waren?' suggereerde Clem.

Gomelez knikte. 'Dat denk ik wel, ja. Ze verzetten zich tegen het Heilig Officie. Ze bestreden de Terreur. Maar toen gebeurde er iets en wat begon als godsdienstige strijd werd een machtsstrijd. Wat niet zo verwonderlijk is. Het Magdalena Genootschap heeft een enorm bedrijfskapitaal.'

'Wat ik niet begrijp,' zei Clem, 'is dat ze een monarchie wilden vestigen. Hoezo een monarchie? Dat is wel een beetje achterhaald, hè.'

Gomelez grinnikte meesmuilend en schudde zijn hoofd. 'Ik weet niet of dat zo is, hoor, of dat het ooit zo zal zijn. De monarchie heeft een grote aantrekkingskracht. Kijk maar naar wat er gebeurde toen Diana stierf. Europa wankelde. Dus ik denk niet dat het heel moeilijk geweest zou zijn – sowieso al heel wat minder moeilijk dan de eenwording van Europa. De paar keer dat ik het er met hen over had, gingen zij ervan uit dat er gewoon verkiezingen kwamen, of zouden komen. Er zou een campagne worden opgestart, er zouden pressiegroepen komen, aanbevelingen geregeld. En tot slot zou er in elk land van de Europese Unie een referendum worden gehouden. Het is een overwegend christelijk werelddeel en de monarchie werd gezien als een symbool: een 'constitutionele monarchie' die als vertrekpunt zou dienen voor de EU.'

'En u denkt dat ze erin geslaagd zouden zijn?' vroeg Clem.

Gomelez haalde zijn schouders op. 'Hun bedrijfskapitaal is enorm en dat zouden ze er helemaal in gestopt hebben, inclusief hetgeen waarmee ze de profetieën hebben laten uitkomen.'

'Maar wat zijn de plannen?' vroeg Dunphy. 'Wat willen ze nu echt?'

Gomelez keek hem aan. 'Ze veronderstellen dat het duizendjarige vrederijk komt wanneer de profetieën zijn uitgekomen. De meesten hebben nog geen moment gedacht aan de dag erna, net zoals niemand zich echt afvraagt wat hij gaat doen als hij in de hemel is. Ze zijn er. En dat is voldoende. Maar bij het uitblijven van de tenhemelopname of een soortgelijke manifestatie zal het Magdalena Genootschap Europa volgens mij omvormen tot een theocratische staat – à la Khomeini, maar dan de bedevaartversie, als je begrijpt wat ik bedoel. Ik denk dat het genootschap zich daarna tot taak zou stellen zijn gezag uit te breiden zodat alle Amerika's eronder vallen en vervolgens zou er actie ondernomen worden om de Merovingische heerschappij te zuiveren van zondaars. Ik heb hen daar trouwens over horen praten. Dat noemen ze de Cauterisatie. Niemand zou gespaard worden.'

Een uur later kwam de trein in Triëst aan. En daar, in een hotel aan zee, kwam Dunphy te weten wat Gomelez bedoelde toen hij hun had gezegd dat ze in geen enkel land op aarde zouden zijn.

De *Stencil* was een houten kits van dertien en een halve meter met in dubieuze staat verkerende rode zeilen en een kiel die nodig geverfd moest worden. Ze was eind jaren zeventig in Chili gebouwd met een kajuit op voor- en achterdek en kon bogen op een chique, met mahonie en teak afgewerkte salon. Naast vele nadelen had ze twee voordelen: ze was van hout en ze stond te koop. Ze kochten haar voor zestigduizend Engelse ponden in contanten terwijl een morrende Clem vond dat fiberglas veel praktischer zou zijn geweest. Maar daar wilde Gomelez niets van weten: hij stond op hout.

Ze zeilden die avond ruimschoots de Golf van Venetië op en gingen onder aan het schiereiland Istrië overstag. Ze draaiden naar het zuidwesten en koersten naar de Dalmatische kust, waar honderden eilanden en duizenden inhammen waren die hen zouden verbergen.

Dunphy twijfelde er niet aan dat de Dienst hen zou vinden. De grenswacht bij Glorenza zou worden verhoord en in Triëst zou er over de oude knaap worden gepraat en het jonge stel dat bij hem was en die de *Stencil* contant hadden betaald. En dan zouden ze hen gaan zoeken door de spionagesatellieten boven de regio de Adriatische Zee honderd procent te laten dekken.

Wat betekende dat ze vooral 's nachts zeilden en overdag halt hielden in overvolle jachthaventjes en beschutte baaien. En terwijl ze dat deden, gebeurde er iets merkwaardigs.

Gomelez vond het geluk.

Misschien wel voor het eerst in zijn leven ervoer de oude man blijdschap, de pure blijdschap die een loslopende hond voelt. 'Toen ik me voor het laatst zo voelde,' zei hij tegen Clem, 'was het '36... en toen bliezen ze me op!'

Met Clem als schipper hielden ze een zigzagkoers aan langs honderden eilandjes met vreemd klinkende namen: Krk, Pag, Vis en Brač. In een vissersdorpje op het eiland Hvar verfden ze de kiel zwart, maar Dunphy wist dat dat niet genoeg was. De boot had een karakteristiek silhouet en dito zeilen. Het was enkel een kwestie van tijd tot iemand van de marinewerf in Washington haar op een satellietfoto zag. Dunphy zag het voor zich: een beeldanalist en computerfanaat die te horen had gekregen dat de Dienst naar een terrorist op zoek was en die aan een lange tafel in een loods met zwart gemaakte ramen op een Fresnel-scherm naar foto's zat te turen. En dan een foto van de jachthaven van Split, het water vol zeilboten, en daar – rechtsonder in de hoek – een kits waarvan het gereefde grootzeil als een capillair langs de hartlijn van de boot liep. Bingo! Een medaille van de geheime dienst voor de analist en zwarte helikopters voor Dunphy en zijn vrienden.

Maar daar was niets aan te doen. Op zee waren ze net zo veilig als ergens anders, waarschijnlijk veiliger. Het enige andere wat ze konden doen was uit elkaar gaan, en dat ging Dunphy dus niet voorstellen. Gomelez had hen nodig en Clem zou er niets van willen weten.

Ze hield inmiddels van hem als van een vader. En dat was niet moeilijk op te brengen. Hij had een plagerig gevoel voor humor en voor iemand wiens leven een gevangenis was geweest beschikte hij over een verbazend repertoire van verhalen. Terwijl de *Stencil* over de golven gleed, hield hij hen nacht in, nacht uit in zijn ban met een vertelling die door zijn leven laveerde alsof elk individu en elke gebeurtenis een nieuwe wind had gebracht.

Zo hadden ze nog een hele tijd kunnen doorgaan. Dunphy kreeg het zeilen zelfs aardig onder de knie. Maar zijn anemie begon de oude man parten te spelen. Clem drong er herhaaldelijk bij hem op aan dat hij hen liet aanmeren zodat ze de B12-injecties die hij zo hard nodig had kon gaan halen.

Gomelez wuifde het voorstel weg. 'Ik geef toe dat ik net weer belangstelling voor Londen begon te krijgen – dankzij jou, lief kind. Maar dat is een heel subversieve ontwikkeling. En daarvoor zijn we niet hier.'

Dunphy bestreed dit tegenover de oude man terwijl hij hem naar zijn hut hielp. 'De laatste kunt u toch niet zijn,' zei hij. 'Bij zo'n lijn... er moeten toch tientallen mensen zijn die Merovingisch bloed blijken te hebben. Zelfs al is het maar een klein beetje, dan zijn ze nog altijd...'

Gomelez schudde zijn hoofd. 'Er is maar één lijn die telt,' zei hij terwijl hij zich gereedmaakte om naar bed te gaan en zijn hemd uittrok. 'En die kan je aan dit teken herkennen.' Langzaam draaide hij zich naar Dunphy zodat de jongere man de markering op zijn borst kon zien – een rode vlek die ongeveer de grootte had van een hand en de vorm van een Maltezer kruis. 'Mijn moedervlek,' verklaarde Gomelez. 'Iedereen heeft hem gehad, de hele lijn af... tot in het oneindige. Je begrijpt dat het dus geen administratieve kwestie is. En dat doet me ergens aan denken, Jack. Als ik ga, wil ik dat je iets voor me doet. Iets wat je voor me móét doen.'

De dagen erna begon Gomelez alsmaar zwakker te worden en terwijl dat gaande was sloeg het weer om. Langs de kust werd het vochtig en te koud voor de tijd van het jaar. Er kwam bewolking. En het begon te regenen.

De weersomslag kwam Dunphy goed uit. Een bewolkte hemel deed het effect van een luchtpatrouille teniet en gaf hun gelegenheid om verder langs de kust af te zakken. Ondanks de vooruitzichten stemde iedereen er dus mee in dat ze direct bij het vallen van de avond zouden uitvaren. En dat deden ze dan, hoog bij de wind en parallel aan de bergachtige kust.

De *Stencil* vorderde sneller dan ooit en helde met de westenwind in de zeilen flink naar bakboord. Dunphy zat aan het roer en hield Dubrovnik aan, terwijl Gomelez benedendeks was blijven slapen. Clem bewoog met het zelfvertrouwen van iemand die op een boot was grootgebracht over het dek om het touwwerk na te lopen.

Het deinde flink, maar niet zo flink dat het gevaarlijk leek. Het door het duister en de regen veroorzaakte slechte zicht was een grotere bron van zorg. Er waren geen rotsen of uitlopers op hun route, maar ze wisten dat ze op zee niet de enige boot waren en een botsing zou rampzalig zijn.

Dus hielden ze het beweeglijke duister scherp in de gaten met hun ogen tot spleetjes geknepen en verwoed de regen wegknipperend. Het bliksemde een keer, en nog meer flitsen die beelden tevoorschijn riepen die op hun netvlies brandden als het licht allang weer was verdwenen. Keer op keer flitste de kolkende Dalmatische kust voor hen totdat Clems stem plotseling opklonk en Dunphy haar recht vooruit zag wijzen.

Hij keek met samengeknepen ogen vanwege de regen, maar er was niets te zien... totdat een lichtflits de hemel uiteenreet die sissend achterbleef. Op dat moment, helemaal omringd door de ozon, zag hij het: een gitzwarte windvlaag die als een bowlingbal ter grootte van Manhattan op hen af kwam. Er zat niets anders op dan de boeg van de boot in de wind te houden, en dat deed Dunphy uit alle macht. Maar de windvlaag droeg een golf met zich mee die niets te maken had in de Adriatische Zee. Toen hij hem zag naderen en tegen de nachtlucht alsmaar groter en donkerder zag worden, schreeuwde Dunphy naar Clem dat ze zich moest vast... maar het was te laat. De zee tilde hen in zijn armen, sleepte hen uit het golfdal en trok hen alsmaar verder omhoog totdat ze hoger leken dan een golf ooit kon zijn. En gedurende één lang ogenblik balanceerden ze daar, met de boegspriet van de *Stencil* als een lans op de hemel gericht. Toen rolde de golf onder hen uit en de kleine boot viel terug in zee en kapseisde.

Het was net alsof alles in een enkele seconde was gebeurd. Eén ogenblik had Dunphy geprobeerd te zien wat eraan kwam, toen was hij hemelwaarts gevlogen... toen teruggesmeten om te verdrinken. Het water was zo koud dat het de lucht uit zijn longen rukte en toen was hij kopje-onder en aan het verdrinken in het duister met benen die hopeloos verstrikt zaten in de touwen. Hij zwaaide zijn armen naar de ene kant en naar de andere, evenzeer om Clem te vinden als om zichzelf te bevrijden, maar er was geen weg naar boven, of naar beneden... of eruit. Hij was aan het verdrinken. Hij ging dood.

En toen, even plotseling als ze was gekapseisd, rolde de *Stencil* door zodat haar boeg weer in het water lag. Ogenblikkelijk kwam Gomelez hoestend en grommend uit de kajuit gewankeld met het blazoen op zijn borst blootgesteld aan de wind. Hij haastte zich naar Dunphy's kant om de jongere man aan boord te trekken en hem te helpen zich uit het vernielde touwwerk te bevrijden.

'Waar is Clementine?' schreeuwde Gomelez.

Dunphy krabbelde overeind en keek wild om zich heen. De lucht en de zee waren met elkaar slaags geraakt, de mast van de boot was vernield en het grootzeil hing overboord. Dunphy nam dat in een oogopslag in zich op terwijl hij van de ene kant van de boot naar de andere rende en het water wanhopig afzocht naar zijn Clementine. Maar er was niets of niemand. Alleen de nacht en de woeste hemel en de eindeloze Adriatische Zee. Ze was weg.

En toen zag hij haar, nog geen twintig meter bij hem vandaan, met haar gezicht naar beneden in het water, meedeinend op de golven. Hij dacht er niet bij na. Hij schopte niet eens zijn schoenen uit. Hij wierp zichzelf gewoon in het water en maaide door de golven alsof ze vijandelijke troepen waren die tussen hem en de vrouw die hij liefhad stonden.

De boot lag nu pal in de wind; de vallen sloegen rammelend tegen het dek en sneden door de lucht, maar ze kwam niet van haar plaats. De deining was echter zo hevig dat Dunphy bijna vijf minuten bezig was om Clem te gaan halen en mee te nemen.

En toen ademde ze niet meer. Gomelez trok haar binnenboord en Dunphy klauterde aan dek. In een oogopslag zag Dunphy dat ze een klap op haar hoofd had gehad van de giek of de boeg en dat ze bloedde. Maar daar kon hij niets aan doen.

Hij liet zich naast haar vallen en veegde het bloed weg met zijn hand terwijl hij zich probeerde te herinneren hoe je een drenkeling weer bijbrengt. Hij legde haar op haar rug, tilde haar kin op en duwde haar voorhoofd naar achteren om via haar keel haar luchtwegen vrij te maken. Toen kneep hij haar neusgaten dicht met zijn vingers en nadat hij haar mond had afgesloten met de zijne ademde hij twee keer langzaam uit. Hij voelde haar borst opkomen en weer terugvallen. Maar er was geen andere beweging. En toen leek haar hart niet meer te kloppen.

Dus probeerde hij het nog eens, en nog eens, waarbij hij de beademing afwisselde met hartreanimatie en ritmisch pompend met zijn handpalmen haar borst masseerde en haar hart wanhopig weer op gang probeerde te brengen. En ook voor haar ademde, totdat er twintig minuten waren verstreken en Dunphy uitgeput wegrolde, nergens meer toe in staat.

Ze was weg. En met haar de spil van zijn bestaan.

'Laat mij het proberen,' zei Gomelez en hij liet zich op zijn knieën op het dek zakken, bracht zijn gezicht naar het hare en ademde uit, trok zich terug... en nog eens, en nog eens, met zijn lange haren die zich in de hare verstrengelden en over haar wangen uitwaaierden.

Verbijsterd van ellende zat Dunphy op het kapotgeslagen kajuitdak toen hij haar hoorde hoesten en nog eens hoesten. En toen haar stem, die verward vroeg: 'Wat is er gebeurd? Waar was ik?'

's Morgens was Gomelez er niet meer. Zijn tengere lichaam lag met gesloten ogen in zijn kooi, alsof hij sliep. Maar er was geen lucht in hem achtergebleven. Terwijl de tranen over haar wangen liepen, trok Clementine het laken over het oude Merovingische gezicht.

Het was een moment waarvan ze allemaal hadden geweten dat het zou komen en ze waren er klaar voor. Dat de boot een wrak was, deed er niet toe.

Ze lagen uren op de open zee, honderd meter uit de kust, de positie van de *Stencil* prijsgevend op een tijdstip waarop de satellietsurveillance waarschijnlijk het intensiefst was. Toen gingen ze een nabijgelegen inham in en terwijl Clem op het strand dennentakken verzamelde, legde Dunphy Gomelez gereed op het dek en kwam de belofte na die hij had gedaan.

Met alleen een hamer en een schroevendraaier ter beschikking bracht hij een primitieve schedellichting tot stand bij de oude man waardoor diens ziel werd bevrijd met een ritueel dat net zo oud was als de stamboom zelf. 'Eindelijk vrij,' fluisterde Dunphy.

Toen Clem terug was, stapelden ze sparrentakken rondom het lichaam van de oude man en begoten het geheel met benzine. Toen maakten ze van touw en kaarsvet een trage lont en staken hem aan.

'Ze hebben ons nu wel gezien,' zei Dunphy. 'Ze patrouilleren langs de hele kust, dus ze zijn nu onderweg. En als ze hier aankomen, zien ze wat er is gebeurd en dan weten ze dat het voorgoed voorbij is voor hen.'

Dunphy ging naar voren en hees de fok van het bootje en zette hem vast. Toen stelde hij de automatische stuurinrichting af op Jeruzalem en liet zich met Clem aan zijn zijde in het water glijden. Samen zwommen ze naar de kust terwijl de rook begon op te stijgen van de drijvende brandstapel achter hen. Amper twee minuten later stonden ze op het strand toe te kijken hoe op de boot het touw-werk vlam vatte en het kapotte grootzeil in brand vloog. De boot zeilde evengoed verder, zeewaarts... toen er plotseling een donkere schaduw over het strand trok en Dunphy en Clem omhoogkijkend een ongemarkeerde zwarte helikopter zagen die in stilte naar de brandende zeilboot racete en vervolgens alleen maar ongelukkig in de rook erboven bleef hangen.

'Het is voorbij,' zei Dunphy en hij pakte haar hand en begon naar een vissersdorpje verderop aan het strand te lopen.

Clementine schudde haar hoofd. 'Ik denk niet dat het voorbij is,' zei ze.

Dunphy keek naar haar.

'Ik denk dat het net is begonnen,' zei ze tegen hem.

Hij wist niet zeker wat ze bedoelde. Maar heel even – toen hun ogen elkaar ontmoetten – had hij durven zweren dat hij er iets in zag wat er niet hoorde. Een weerspiegeling van de fok van de *Stencil*, misschien, of een beetje bloed van de klap die ze de nacht er-voor had opgelopen. Wat het ook was, het had een vorm, en toen hij die zag had hij meteen kunnen zweren dat het geen van de din-gen was die hij had bedacht, maar iets anders. Iets wat er eerst niet was. Iets van Gomelez.